1-2
중 학 수 학

1등급 비밀!

최강 TOT

1등급 비밀! **TOP OF THE TOP**

1등급 비밀!

최강

1-2

중학수학

강남 상위권의 비밀을 담은 교재

학업성취도 우수 중학교의
기출 문제 중 변별력이 있는
우수 문제를 선별하여 담았습니다.

작은 차이로 실력을 높이는 교재

작은 차이로 실수를 유발했던 기출 문제를 통해
개념은 더욱 정확히 이해하게 하고,
함정에 빠질 위험은 줄였습니다.

진짜 수학 잘하는 학생이 보는 교재

수학적 사고력이 필요한 문제, 창의적이고 융합적인
문제를 함께 담아 사고력 및 응용력을 높였습니다.

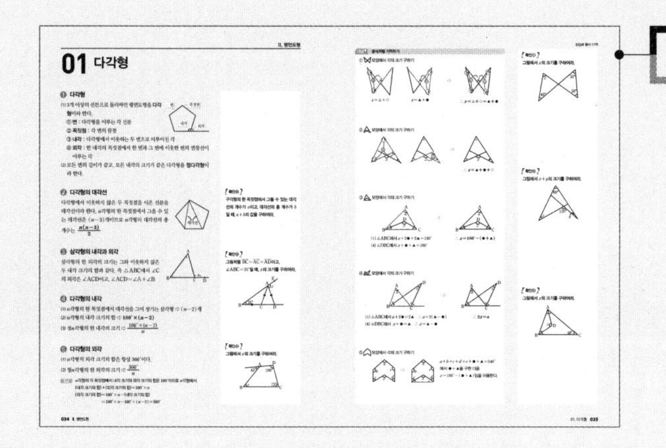

핵심 개념 & 확인 문제

중단원별 핵심 개념과 함께
쉽지만 그냥 넘길 수 없는 확인 문제를 담았습니다.

STEP 1 억울하게 울리는 문제

'왜 틀렸지?' 하고 문제를 다시 보면
그때서야 함정이 보이는 실수 유발 문제를 담았습니다.

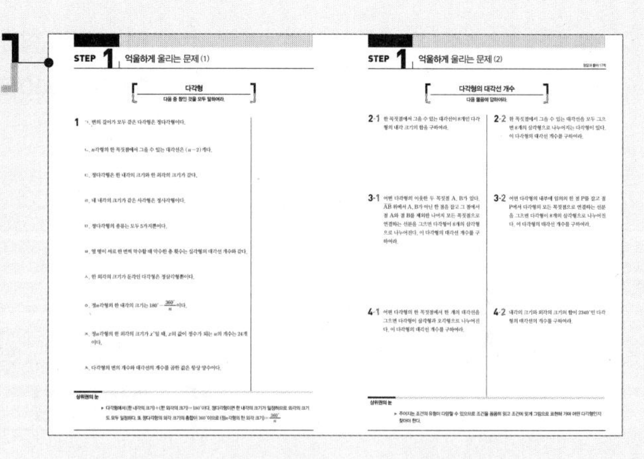

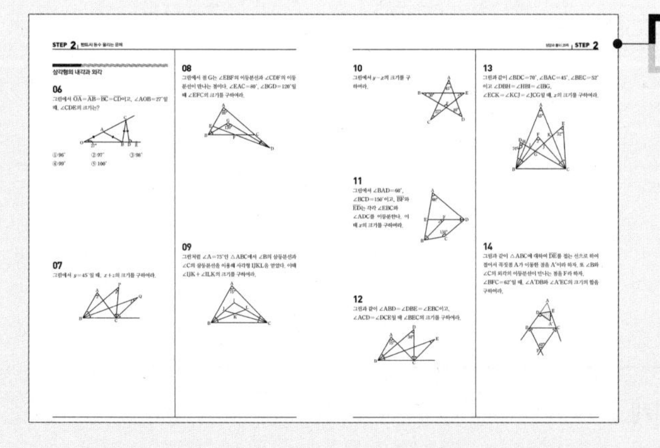

STEP 2 반드시 등수 올리는 문제

상위권 학생을 위한 여러 가지 유형의
변별력 문제를 담았습니다.

STEP 3 전교1등 확실하게 굳히는 문제

종합적 사고력이 필요한 창의 융합 문제 및
서술형 문제를 담았습니다.

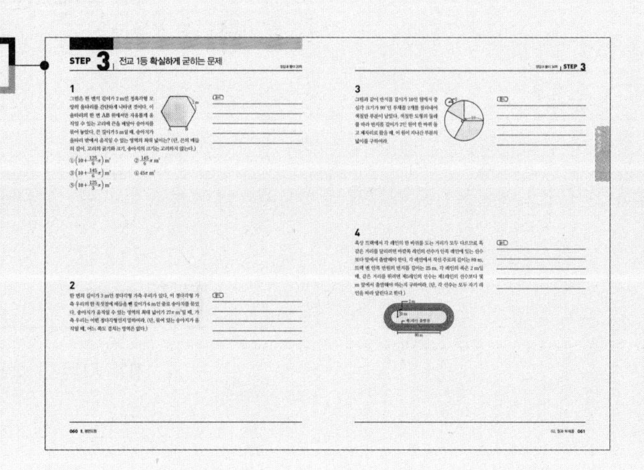

차례 >>

CONTENTS

Ⅰ 기본도형

Ⅱ 평면도형

Ⅲ 입체도형

Ⅳ 통계

I

기본도형

01. 기본도형

02. 도형 사이의 위치 관계와 합동

01 기본도형

❶ 도형의 기본 요소

(1) 도형을 이루는 기본 요소는 점, 선, 면이다.

(2) 점이 움직인 자리는 선이 되고, 선이 움직인 자리는 면이 된다.

(3) 선과 선, 선과 면이 만나서 생기는 점을 **교점**이라 하고, 면과 면이 만나서 생기는 선을 **교선**이라 한다.

❷ 직선, 반직선, 선분

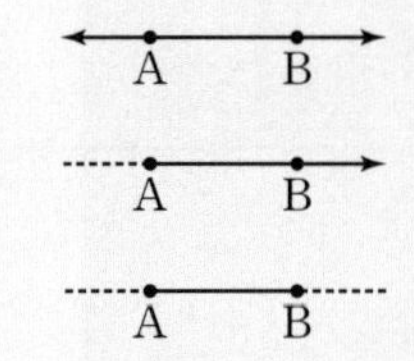

(1) 서로 다른 두 점 A, B를 지나는 한없이 곧게 뻗은 선을 **직선 AB**(또는 직선 BA)라 하고, 기호로는 $\overleftrightarrow{AB}$ (또는 $\overleftrightarrow{BA}$)로 나타낸다.

(2) 점 A에서 시작하여 점 B의 방향으로 한없이 연장한 직선의 한 부분을 **반직선 AB**라 하고, 기호로는 $\overrightarrow{AB}$로 나타낸다.

(3) 직선 AB에서 두 점 A, B를 포함하여 점 A에서 점 B까지의 부분을 **선분 AB**라 하고, 기호로는 $\overline{AB}$(또는 $\overline{BA}$)로 나타낸다.

❸ 두 점 사이의 거리와 선분의 중점

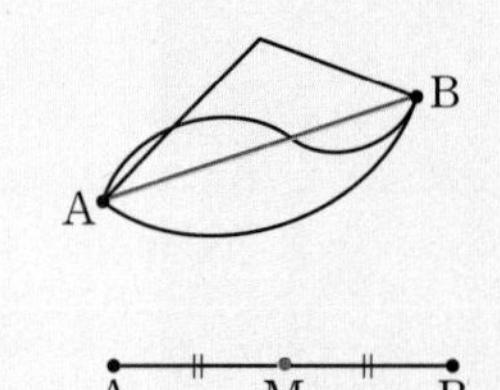

(1) 두 점 A, B를 잇는 선 중 길이가 가장 짧은 선은 선분 AB이다. 이때 선분 AB의 길이를 두 점 A, B 사이의 거리라 한다.

(2) 선분 AB 위의 점 M이 선분 AB를 이등분할 때, 점 M을 선분 AB의 **중점**이라 한다.

이때 $\overline{AM}=\overline{BM}=\frac{1}{2}\overline{AB}$

❹ 각

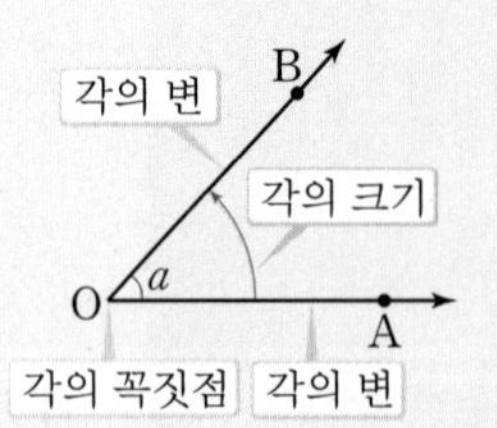

(1) 그림처럼 점 O에서 시작하는 두 반직선 OA와 OB로 이루어진 도형을 **각**이라 하고, 이것을 기호 $\angle AOB$, $\angle BOA$, $\angle O$, $\angle a$로 나타낸다.

(2) $\angle AOB$에서 각의 꼭짓점 O를 중심으로 $\overrightarrow{OA}$가 $\overrightarrow{OB}$까지 회전한 양 a를 $\angle AOB$의 크기라 한다.

개념+

- 각의 크기가 90°보다 작으면 예각이라 하고, 90°보다 크고 180°보다 작으면 둔각이라 한다. 크기가 90°이면 직각이라 한다.
- 두 직선 AB와 CD가 수직으로 만날 때, 이 두 직선은 서로 '직교한다'고 하고, $\overleftrightarrow{AB}\perp\overleftrightarrow{CD}$로 나타낸다. 또 두 직선이 직교할 때, 한 직선은 다른 직선의 수선이라 한다.

[확인 ❶]

그림과 같은 입체도형에서 교점의 개수를 a, 교선의 개수를 b라 할 때, $a+b$의 값을 구하여라.

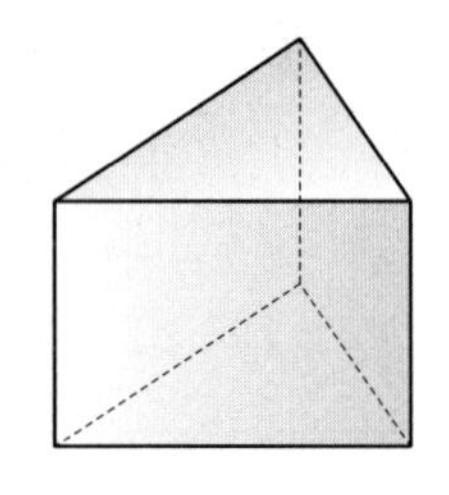

[확인 ❷]

그림에서 점 M은 $\overline{AB}$의 중점이고, 점 N은 $\overline{BC}$의 중점이다. $\overline{AB}=12$, $\overline{BC}=8$일 때 $\overline{MN}$의 길이를 구하여라.

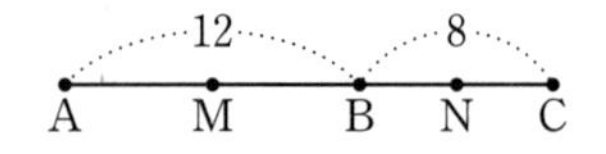

[확인 ❸]

그림에서 $\angle a$를 바르게 나타낸 것이 아닌 것은?

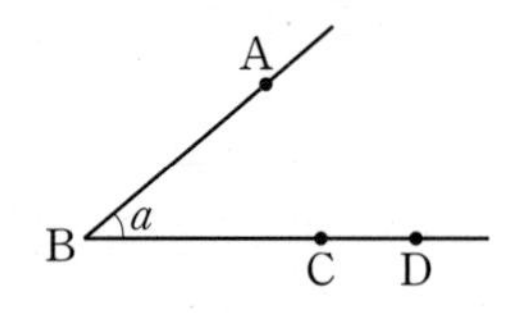

① $\angle ABC$ ② $\angle CBA$ ③ $\angle B$
④ $\angle ACB$ ⑤ $\angle DBA$

❺ 맞꼭지각

그림처럼 서로 다른 두 직선이 한 점에서 만날 때, 네 각 $\angle a$, $\angle b$, $\angle c$, $\angle d$가 생긴다. 이때 서로 마주 보는 각을 **맞꼭지각**이라 한다. 즉 $\angle a$와 $\angle c$, $\angle b$와 $\angle d$는 맞꼭지각이다. 또 맞꼭지각의 크기는 서로 같다.

⇨ $\angle a=\angle c$, $\angle b=\angle d$

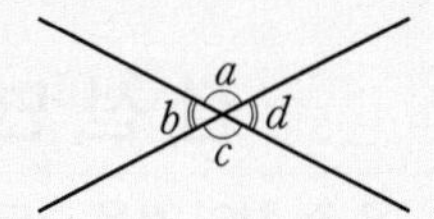

❻ 동위각과 엇각

서로 다른 두 직선이 한 직선과 만날 때

(1) 같은 위치에 있는 각을 **동위각**이라 한다.

$\angle a$와 $\angle e$, $\angle b$와 $\angle f$

$\angle c$와 $\angle g$, $\angle d$와 $\angle h$

(2) 엇갈린 위치에 있는 각을 **엇각**이라 한다.

$\angle b$와 h, $\angle c$와 $\angle e$

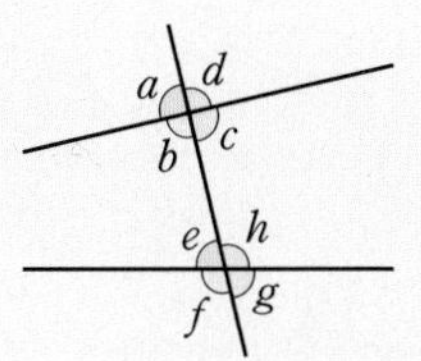

❼ 평행선과 동위각, 엇각

(1) 한 평면 위의 두 직선 l, m이 만나지 않을 때 두 직선은 **평행하다**고 하고, 기호 $\boldsymbol{l /\!/ m}$으로 나타낸다.

(2) 평행한 두 직선이 한 직선과 만날 때

① 동위각의 크기는 서로 같다. $\angle a=\angle c$

② 엇각의 크기는 서로 같다. $\angle b=\angle c$

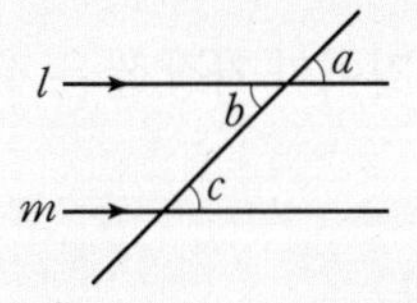

❽ 두 직선이 평행하기 위한 조건

서로 다른 두 직선 l, m이 한 직선 n과 만날 때

① 동위각의 크기가 같으면 두 직선은 평행하다.
즉 $\angle a=\angle c$이면 $l /\!/ m$이다.

② 엇각의 크기가 같으면 두 직선은 평행하다.
즉 $\angle b=\angle c$이면 $l /\!/ m$이다.

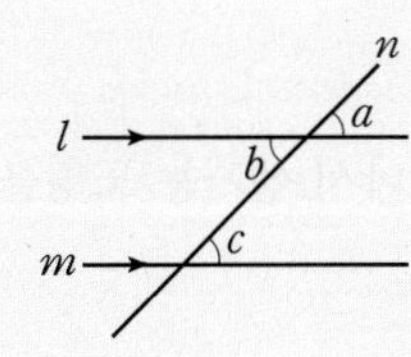

개념+

- 서로 다른 두 직선이 다른 한 직선과 만나서 생기는 각 중에서 같은 쪽에 있는 안쪽 각을 동측내각이라 한다. 평행한 두 직선 l, m이 직선 n과 만날 때, 동측내각 크기의 합은 180°이다.
  $\therefore \angle b+\angle e=180^\circ$, $\angle c+\angle h=180^\circ$
- 서로 다른 두 직선이 한 직선과 만날 때, 동측내각 크기의 합이 180°이면 두 직선은 평행하다.

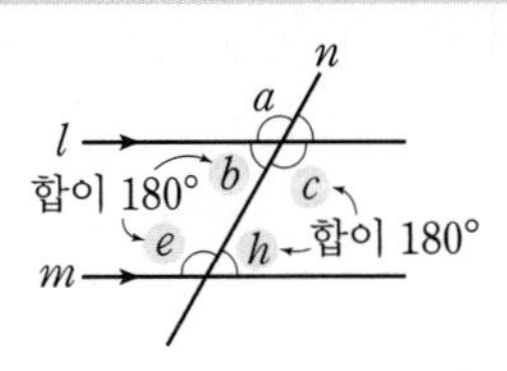

[확인 ❹]

다음 그림에서 x의 크기를 구하여라.

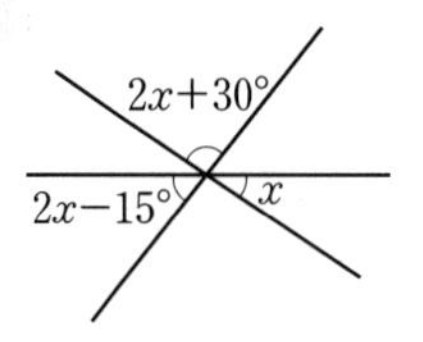

[확인 ❺]

그림에서 두 직선 l, m이 평행할 때, x의 크기를 구하여라.

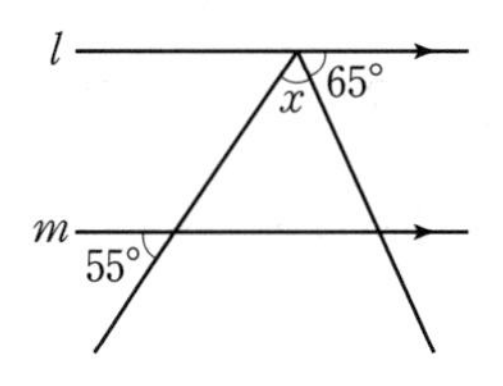

[확인 ❻]

그림에서 두 직선 l, m이 평행할 때, $x+y$의 크기를 구하여라.

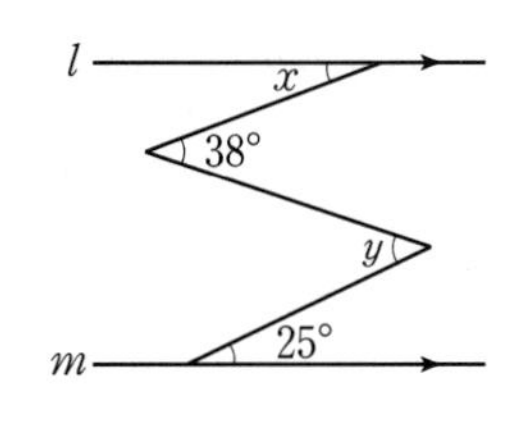

STEP 1 억울하게 울리는 문제 (1)

점, 선, 면

다음 중 참인 것을 모두 말하여라.

1 ㄱ. 삼각뿔에서 교점의 개수는 꼭짓점 개수와 같다.

ㄴ. 면과 면이 만나 곡선이 생길 수 없다.

ㄷ. $\overleftrightarrow{AB}$와 $\overleftrightarrow{BA}$는 같은 직선이다.

ㄹ. 시작점이 같은 두 반직선은 같다.

ㅁ. 직육면체에서 교선의 개수보다 면의 개수가 더 많다.

ㅂ. 선분 AB를 기호로 '선분 $\overline{AB}$'로 쓰는 것은 잘못된 표현이다.

ㅅ. 서로 다른 두 점을 이은 선 중에서 그 길이가 가장 짧은 것은 선분이다.

ㅇ. 두 점을 지나는 선은 오직 하나뿐이다.

ㅈ. 길이가 20 cm인 반직선이 존재할 수 있다.

ㅊ. 두 점 A, B에 대하여 $\overline{AM}=\overline{BM}$이면 M은 $\overline{AB}$의 중점이다.

ㅋ. 교점은 선과 선, 선과 면, 면과 면이 만나서 생기는 도형을 말한다.

ㅌ. 평면도형은 점, 선, 면으로 이루어져 있다.

ㅍ. 한 점을 지나는 평면은 오직 하나뿐이다.

상위권의 눈

▶ 교선은 직선이 될 수도 있고, 곡선이 될 수도 있다.
▶ 두 반직선이 서로 같으려면 시작점과 방향이 모두 같아야 한다.

정답과 풀이 02쪽

각의 크기

다음 물음에 답하여라.

2-1 $\angle AOC=\frac{3}{2}\angle COD$, $\angle DOE=\frac{2}{3}\angle EOB$일 때, $\angle COE$의 크기를 구하여라.

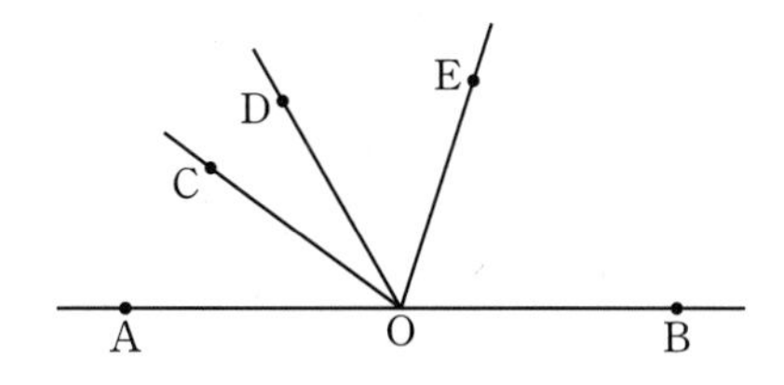

2-2 $5\angle AOC=2\angle AOD$, $5\angle BOE=2\angle BOD$일 때, $\angle COE$의 크기는?

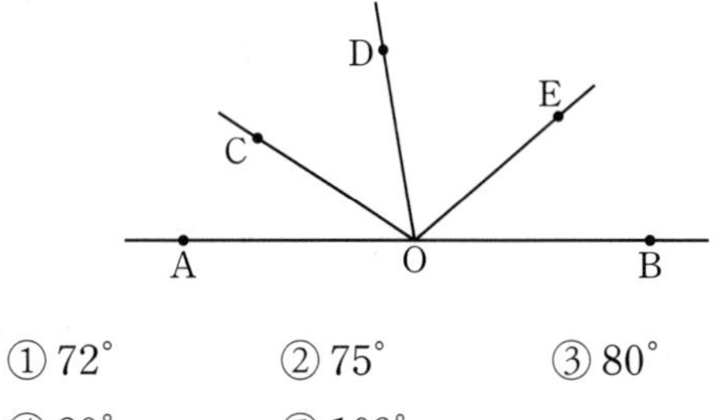

① 72° ② 75° ③ 80°
④ 90° ⑤ 108°

3-1 $\angle BOD=4\angle DOE$, $\angle AOC : \angle COD=3 : 1$이고, $\angle AOC : \angle COB=11 : 19$일 때, $\angle AOE$의 크기는?

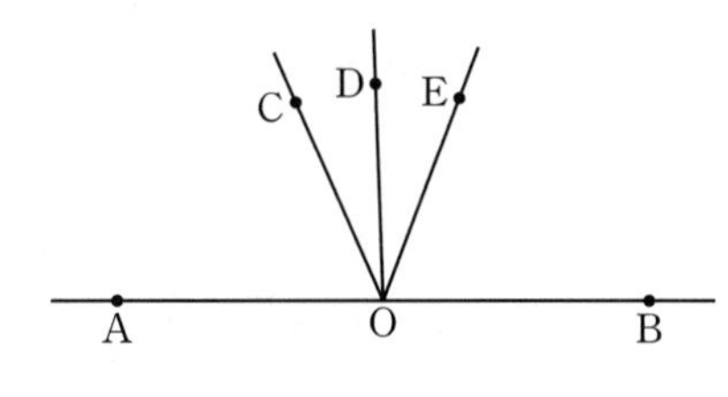

① 111° ② 112° ③ 113°
④ 114° ⑤ 115°

3-2 $\angle DOE=\frac{1}{5}\angle DOB$, $\angle COD=\frac{1}{5}\angle AOD$이고, $\overline{AB}\perp\overline{CO}$일 때, $\angle AOE$의 크기를 구하여라.

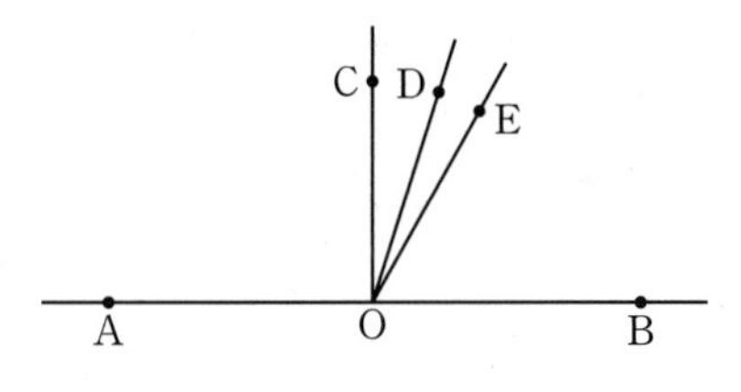

상위권의 눈

▶ 각을 나타내는 방법은 여러 가지가 있음을 주의한다.
· 주어진 두 각의 관계에서 한 각이 다른 한 각을 포함하고 있는 경우와 포함하고 있지 않은 경우를 구분하여 생각한다.
· $\angle A : \angle B=3 : 5$와 $5\angle A=3\angle B$는 같은 표현임을 주의한다.

정답과 풀이 03쪽

평행선의 성질

다음 물음에 답하여라.

4-1 그림과 같이 두 직선 l, m이 다른 한 직선 n과 만날 때, 다음 중 옳지 않은 것은?

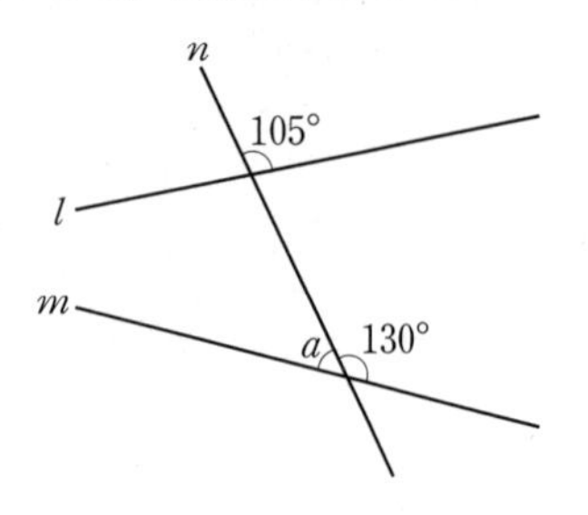

① $\angle a=50°$

② $\angle a$의 맞꼭지각의 크기는 $50°$이다.

③ $\angle a$의 동위각의 크기는 $50°$이다.

④ $\angle a$의 엇각의 크기는 $75°$이다.

⑤ $130°$의 엇각의 크기는 $105°$이다.

4-2 다음 그림에 대한 설명 중 옳은 것은?

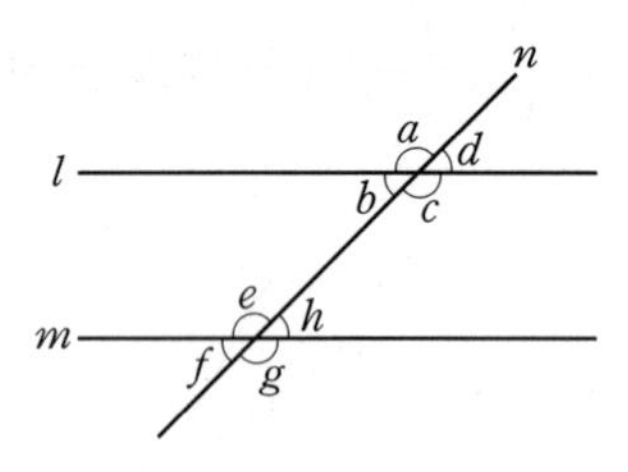

① $\angle a=\angle c$이면 $l /\!/ m$이다.

② $\angle a=\angle g$이면 $l /\!/ m$이다.

③ $\angle b$와 $\angle f$의 크기는 같다.

④ $\angle b$와 $\angle h$의 크기는 같다.

⑤ $\angle b+\angle h=180°$이면 $l /\!/ m$이다.

5-1 그림에서 5개의 직선 l, m, n, p, q에 대해 $l /\!/ m$, $p /\!/ q$일 때, $\angle x$의 크기는?

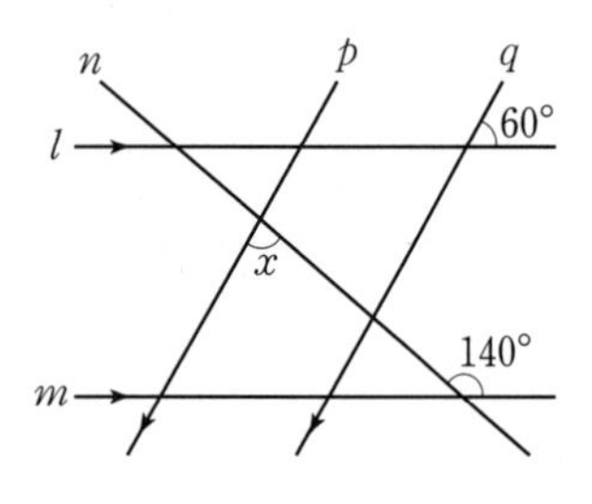

① $60°$ ② $70°$ ③ $75°$ ④ $80°$ ⑤ $90°$

5-2 그림을 보고 다음 물음에 답하여라.

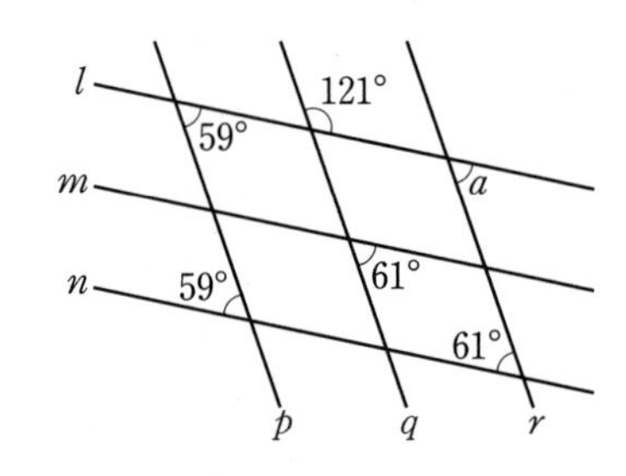

(1) a의 크기를 구하여라.

(2) 평행한 두 직선을 모두 찾아 기호로 나타내시오.

상위권의 눈

▶ 평행한 두 직선과 다른 한 직선이 만날 때

• 동위각끼리 크기가 서로 같다. • 엇각끼리 크기가 서로 같다.

여기서 동위각과 엇각은 항상 서로 크기가 같다고 생각하면 안 된다. 두 직선이 평행하지 않을 때도 동위각과 엇각은 존재하지만, 그 크기는 서로 다르기 때문이다.

도형의 기본 요소

01

n각뿔에서 교점과 교선의 개수를 차례로 a, b라 하고, 원기둥에서 교선의 개수가 c일 때, $2a-b+c$의 값은?

① $2n+1$ ② 1 ③ $n+4$
④ 4 ⑤ $3n-2$

직선, 반직선, 선분

02

그림과 같이 직선 AB 위에 점 C가 있다. 다음 중 옳지 않은 것은?

① $\overline{AB}=\overline{BA}$ ② $\overleftrightarrow{AC}=\overleftrightarrow{BC}$ ③ $\overrightarrow{AB}=\overrightarrow{AC}$
④ $\overrightarrow{AB}$와 $\overrightarrow{CB}$의 공통부분은 $\overline{BA}$이다.
⑤ $\overleftrightarrow{AB}$와 $\overrightarrow{AC}$의 공통부분은 $\overrightarrow{AC}$이다.

03

그림은 서울(용산) - 부산간 KTX 경부선 철도의 노선도이다. 철도청에서 준비해야 할 행선지별 열차 승차권은 모두 몇 가지인지 구하여라. (단 A → B인 승차권과 B → A인 승차권은 같은 것으로 본다)

광명 대전 밀양 부산
서울(용산) 천안아산 동대구 구포

04

그림처럼 한 직선 위에 점 A, B, C, D, E가 차례로 있을 때, $\overrightarrow{AC}$와 같은 반직선은 최대 몇 개를 만들 수 있는가?
(단, $\overrightarrow{AC}$ 자신은 제외한다.)

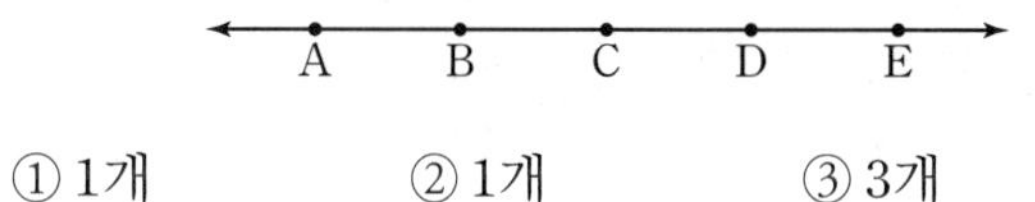

① 1개 ② 1개 ③ 3개
④ 4개 ⑤ 5개

05

그림과 같이 어느 세 점도 한 직선 위에 있지 않은 네 점 중에서 두 점을 이어서 만들 수 있는 직선의 개수를 a, 반직선의 개수를 b, 선분의 개수를 c라 할 때, 다음 중 옳지 않은 것은?

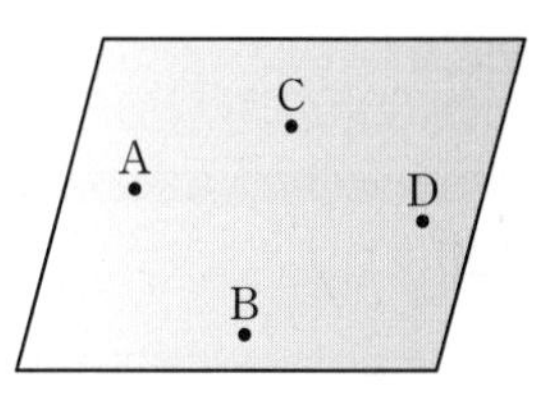

① $b=2a$ ② $c=2b$ ③ $b-a=6$
④ $a+c=b$ ⑤ $a+b+c=24$

06

그림에서 반원과 지름 위의 점 A, B, C, D, E 중 두 점을 이용하여 그을 수 있는 서로 다른 직선의 개수를 p, 서로 다른 반직선의 개수를 q, 서로 다른 선분의 개수를 r라 할 때, $p-q+r$의 값을 구하여라.

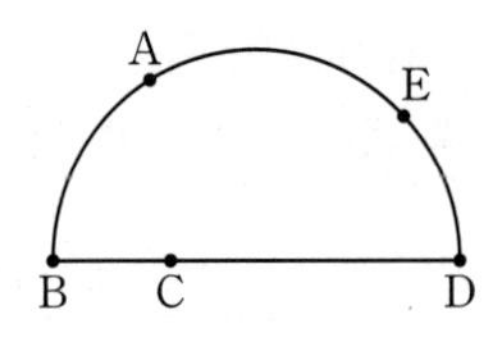

07

그림과 같이 주어진 점 9개로 만들 수 있는 선분의 개수를 a라 하고, 직선의 개수를 b라 할 때, $a+b$의 값을 구하여라.

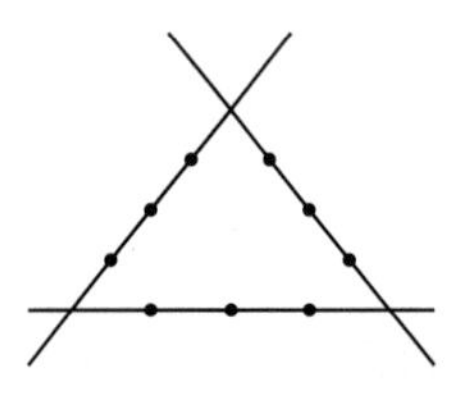

두 점 사이의 거리

08

그림과 같이 $\overline{AP}=\frac{1}{2}\overline{AB}$, $\overline{AQ}=\frac{1}{3}\overline{AB}$인 점 P, Q를 $\overline{AB}$ 위에 잡고 $\overline{BQ}$의 중점을 M, $\overline{QP}$의 중점을 N이라 할 때, $\overline{AP}:\overline{MN}$은?

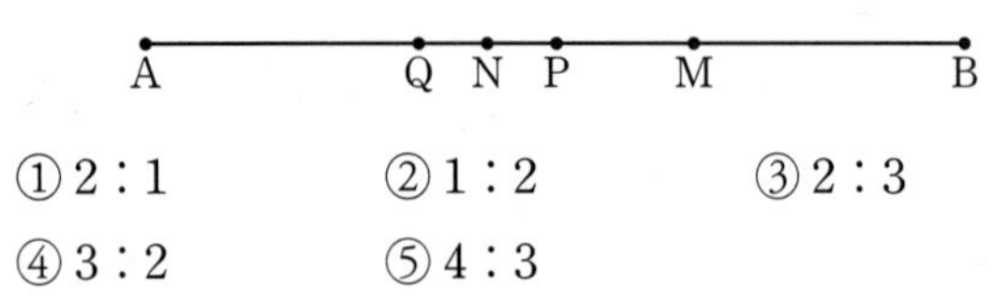

① 2 : 1 ② 1 : 2 ③ 2 : 3
④ 3 : 2 ⑤ 4 : 3

09

그림에서 $\overline{AP}=2\overline{PB}$, $5\overline{AQ}=4\overline{QB}$이고, $\overline{AP}$의 중점을 M, $\overline{QB}$의 중점을 N이라 할 때, $\overline{MN}=\frac{14}{3}$ 이다. $\overline{AB}$의 길이를 구하여라.

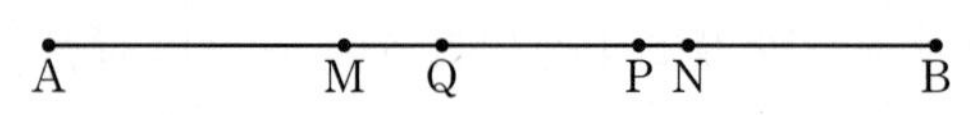

10

그림에서 두 점 M, N은 각각 $\overline{AC}$, $\overline{BC}$의 중점이고, 점 P는 선분 MN의 중점이다. 두 유리수 a, b에 대하여 $\overline{PC}=a\overline{AB}+b\overline{BC}$가 성립할 때, $a-b$의 값은?

(단, $\overline{AC}>\overline{BC}$)

A M P C N B

① 0 ② $\frac{1}{4}$ ③ $\frac{1}{2}$
④ $\frac{3}{4}$ ⑤ 1

각

11

그림에서 $\angle AOB=p$, $\angle BOC=q$, $\angle COD=r$, $\angle DOE=s$이고 $\frac{q}{p}=\frac{r}{q}=\frac{s}{r}=\frac{3}{4}$, $\frac{\angle BOE}{\angle AOD}=\frac{a}{b}$일 때, $a+b$의 값은? (단, 점 O는 $\overleftrightarrow{AE}$ 위에 있고 a와 b는 서로소인 두 자연수이다.)

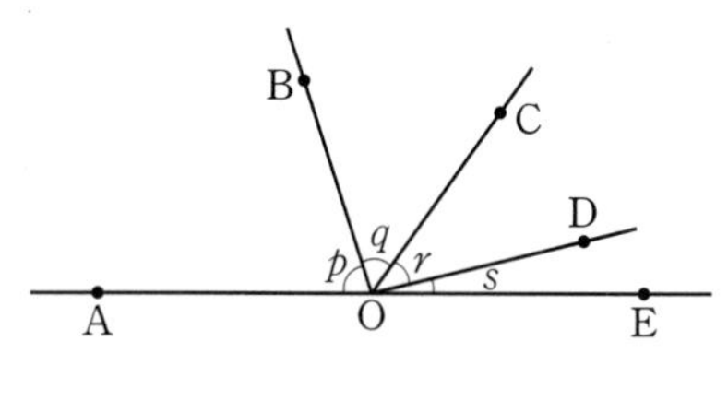

① 7 ② 9 ③ 10
④ 11 ⑤ 13

12

2시와 3시 사이를 가리키는 시계가 있다. 현재 시각부터 정확히 3분 후의 분침과 현재 시각부터 4분 전의 시침이 서로 반대방향으로 일직선을 이룰 때, 현재 시각은?

① 2시 40분 ② 2시 41분 ③ 2시 42분
④ 2시 43분 ⑤ 2시 44분

맞꼭지각

13

그림처럼 직선 5개가 한 점에서 만날 때, $a+b$의 크기는?

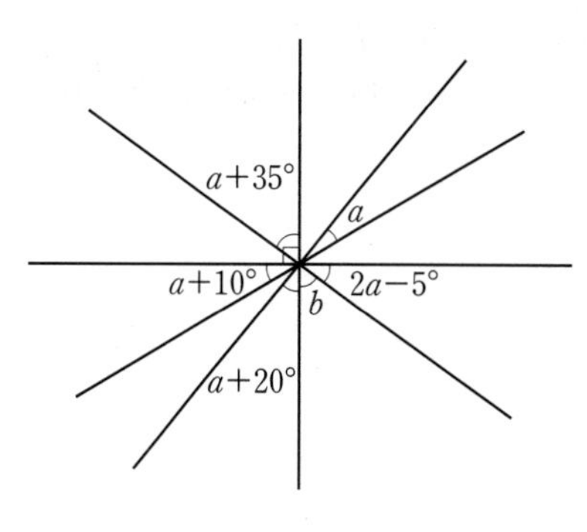

① 65° ② 70° ③ 75°
④ 80° ⑤ 85°

14

그림과 같이 네 직선이 한 점에서 만날 때 생기는 맞꼭지각은 모두 몇 쌍인지 구하여라.

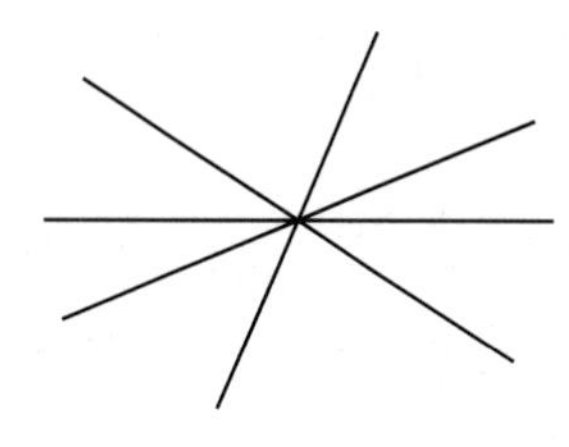

15

세 직선 AE, BF, GD와 반직선 OC가 그림과 같이 한 점 O에서 만난다.

$$\angle AOB=\frac{1}{2}\angle BOC,\ \angle DOE=\frac{1}{2}\angle COD$$

일 때, $\angle AOG+\angle EOF$의 크기를 구하여라.

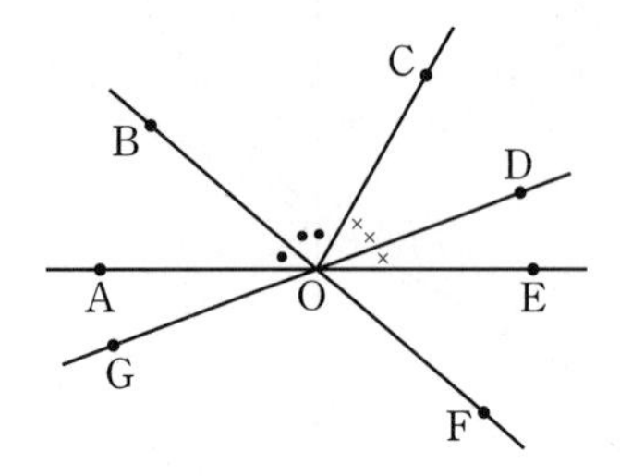

동위각과 엇각

16

네 직선 k, l, m, n이 그림과 같을 때, 보기에서 옳은 것은 모두 몇 개인지 구하여라.

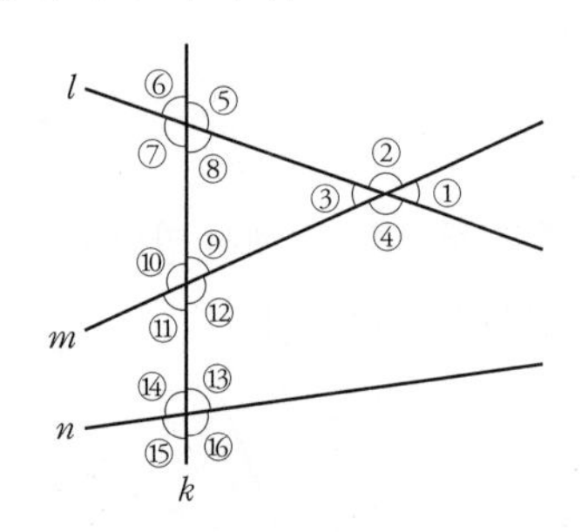

보기

ㄱ. ⑤의 동위각은 ①, ⑨, ⑬이다.
ㄴ. ⑥=⑮이면 $l /\!/ n$이다.
ㄷ. ②, ⑩, ⑭는 ⑧과 엇각관계이다.
ㄹ. ⑮의 엇각은 ⑨이다.
ㅁ. ③과 ⑬은 엇각의 관계이다.
ㅂ. ⑪+⑭=180°이면 $m /\!/ n$이다.

17

그림에서 다음을 구하여라.

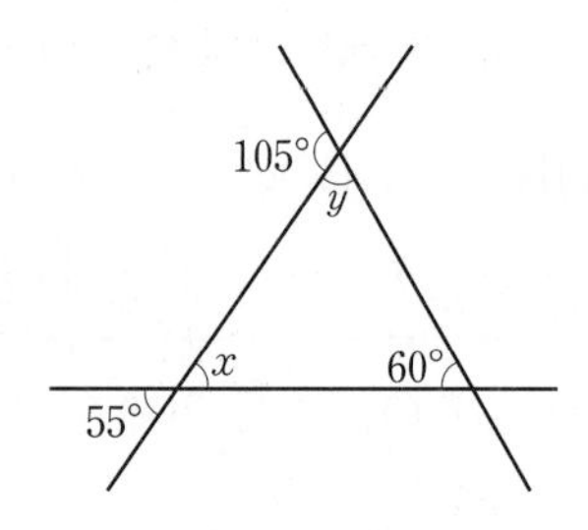

(1) $\angle x$와 동위각인 각들의 크기의 합

(2) $\angle y$와 엇각인 각들의 크기의 합

평행선의 성질

18

그림에서 두 직선 l, m은 서로 평행하고, $\angle CED=2\angle BAC$, $3\angle ACF=5\angle ECF$이다. $\angle BAC+\angle ECF=150°$일 때, $\angle BAC$의 크기는?

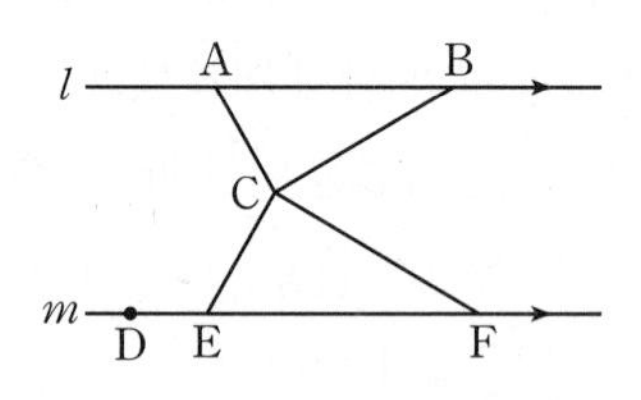

① 50° ② 55° ③ 60°
④ 65° ⑤ 70°

19

그림에서 두 직선 l, m은 서로 평행하고, 사각형 ABCD는 정사각형이다. $a:b=4:1$일 때, $a+b+x-y$의 크기를 구하여라.

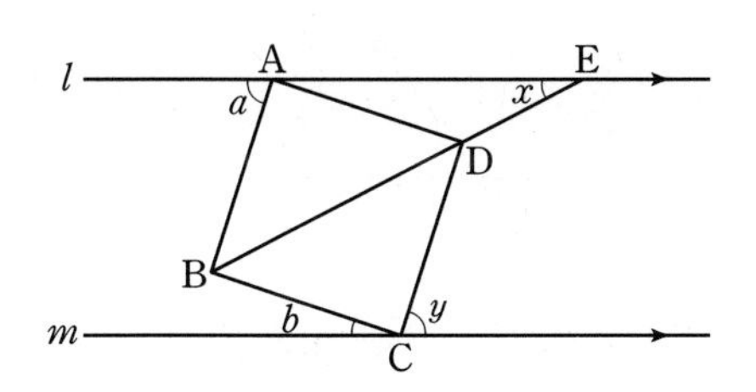

20

그림에서 두 직선 l, m이 서로 평행할 때 $a+b$의 크기를 구하여라.

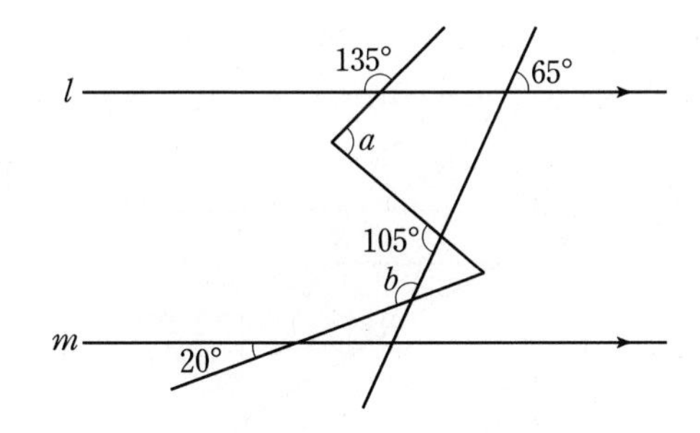

21

그림에서 두 직선 l, m이 서로 평행할 때 $x-y$의 크기를 구하여라.

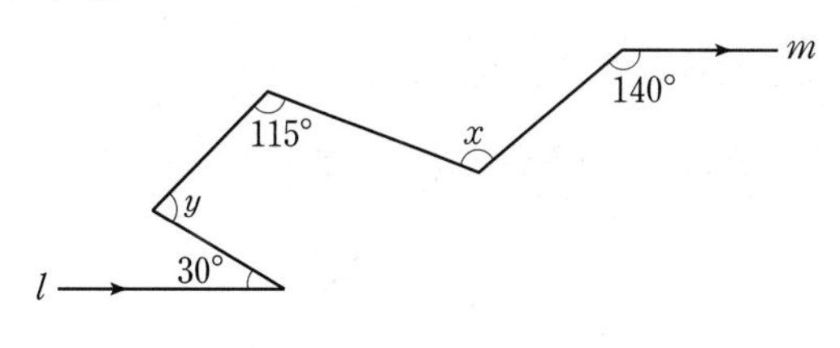

22

그림에서 두 직선 l, m이 서로 평행할 때 x의 크기는?

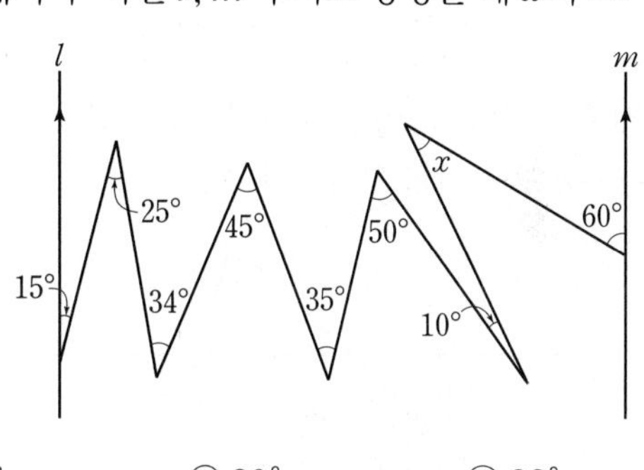

① 28° ② 30° ③ 32°
④ 34° ⑤ 36°

23

그림에서 두 직선 l, m이 서로 평행하고, 정사각형 ABCD가 점 A를 중심으로 회전한 것이 정사각형 AEFG이다. $\angle\text{GAP}=4\angle\text{DAP}$일 때, x의 크기를 구하여라.

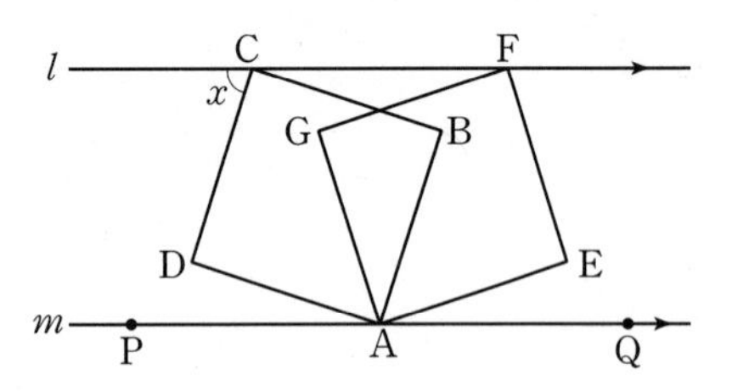

24

그림에서 두 직선 l, m이 서로 평행하다. 이때 $a+b+c+d$의 크기를 구하여라.

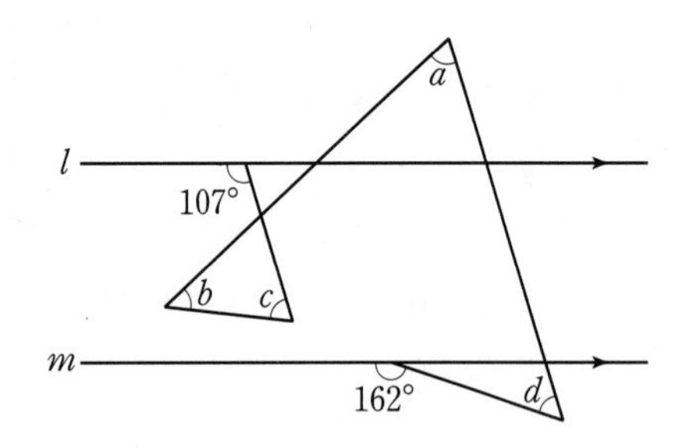

25

그림은 직사각형 ABCD를 세 점 A, I, G가 같은 직선 위에 있도록 $\overline{\text{AI}}$, $\overline{\text{EF}}$를 접는 선으로 하여 각각 접은 것이다. $\angle\text{HIE}=50°$일 때, $\angle\text{AIH}+\angle\text{EIF}+\angle\text{DEF}$의 크기는?

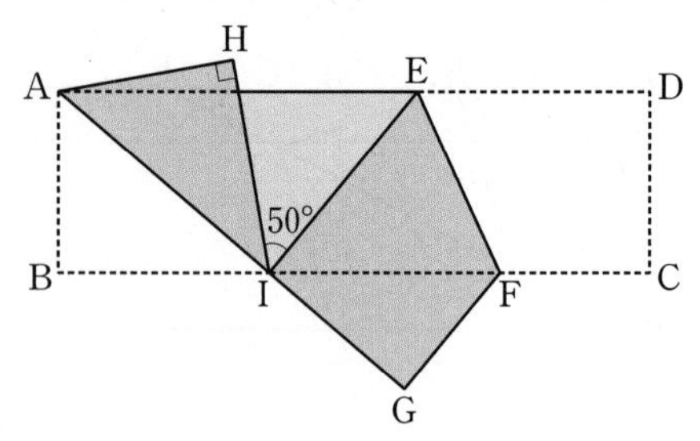

① 125° ② 130° ③ 145°
④ 155° ⑤ 180°

26

그림은 직사각형 ABCD를 $\overline{\text{AP}}$, $\overline{\text{PQ}}$를 접는 선으로 하여 각각 접은 것이다. $x+y=104°$일 때, $\angle\text{B}'\text{PC}'$의 크기는?

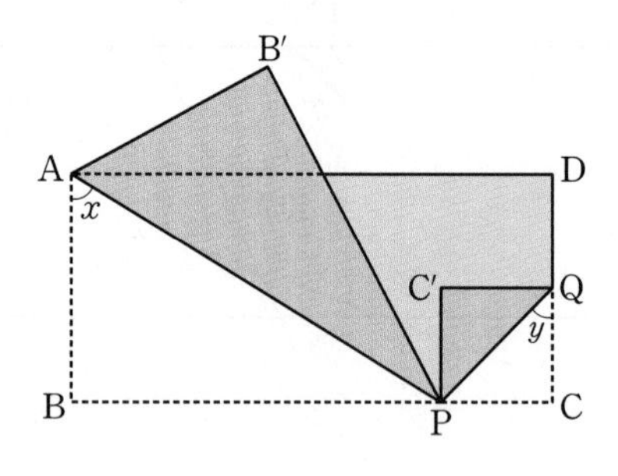

① 20° ② 24° ③ 28°
④ 30° ⑤ 35°

STEP 3 전교 1등 확실하게 굳히는 문제

정답과 풀이 08쪽

1 융합형

수직선 위에 점 A_1, A_2, A_3, ⋯, A_{14}, A_{15}가 있다. A_1의 좌표는 1, A_2의 좌표는 2, ⋯, A_{15}의 좌표는 15이다. 이 15개의 점으로 만들 수 있는 선분 중 길이가 5인 선분이 x개, 길이가 3인 선분이 y개라 할 때, $2x-y$의 값은? (단, $\overline{A_1A_2}$와 $\overline{A_2A_1}$처럼 선분 양 끝점의 위치가 바뀐 것은 같은 선분으로 생각한다.)

① 8　② 9　③ 10　④ 11　⑤ 12

풀이

2

수직선 위의 두 점 $A(x)$, $B(y)$에 대하여 $\overline{AB}$의 중점을 M이라 하고, $\overline{AM}$의 삼등분점 중에서 점 M에 가까운 점을 P, $\overline{AB}$의 오등분점 중에서 점 B에 가까운 점을 Q라 할 때, x, y를 써서 나타낸 $\overline{PQ}$의 중점의 좌표는?

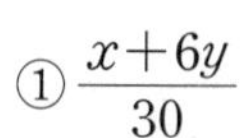

① $\frac{x+6y}{30}$　② $\frac{13x+9y}{30}$　③ $\frac{17x+13y}{30}$　④ $\frac{17x+9y}{30}$　⑤ $\frac{13x+17y}{30}$

풀이

3 서술형

그림에서 두 직선 l, m은 평행하고, 빛이 l에 수직으로 들어가서 직선 l에 20° 기울어진 거울에 반사되었다. 이 빛이 직선 m에 30° 기울어진 거울에 다시 반사된다고 할 때, 다음 물음에 답하여라. (단, 빛의 입사각과 반사각의 크기는 서로 같으며, a, b, c, d, e, x는 빛과 거울, 빛과 직선, 거울과 직선이 이루는 각의 크기이다.)

풀이

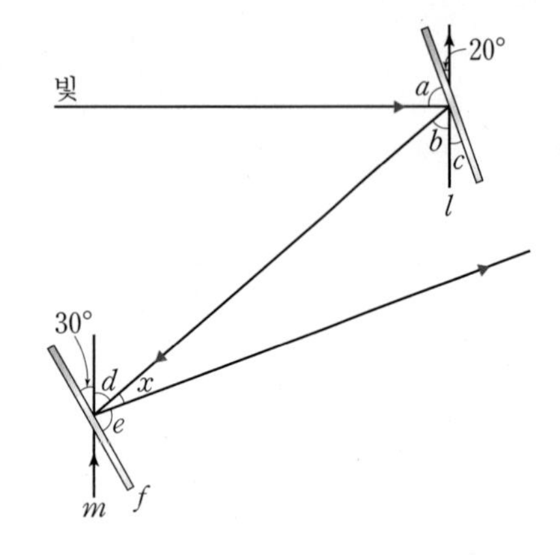

(1) x의 크기를 구하여라.

(2) 첫 번째 거울에 반사되기 전의 빛과 두 번째 거울에 반사된 후의 빛이 서로 평행한지 이유와 함께 말하여라.

4 서술형

평행한 두 직선에서 그림처럼 합동인 직각삼각형을 계속 이어 붙인다고 할 때, 다음을 구하여라.

풀이

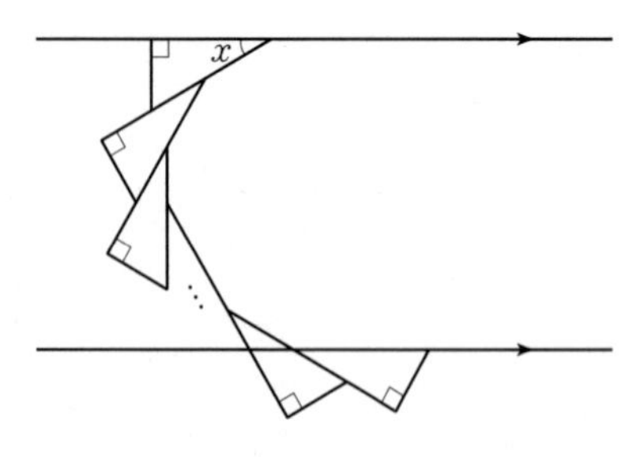

(1) 삼각형 6개를 이어 붙였을 때 x의 크기

(2) $x=10^\circ$일 때 이어 붙인 직각삼각형의 개수

5

그림은 직선 10 개가 만난 것으로 가로축의 수가 하나씩 커질 때, 세로축의 수는 하나씩 작아지도록(가로축 1과 세로축 10, 가로축 2와 세로축 9, ⋯) 차례로 연결한 것이며, 이때 교점은 모두 45개다. 이처럼 가로축의 수가 하나씩 커질 때, 세로축의 수는 하나씩 작아지도록 차례로 연결하는 규칙을 유지하면서 직선 n개가 만나면 교점의 개수가 $1+2+\cdots+19+20$이다. n값을 구하여라.

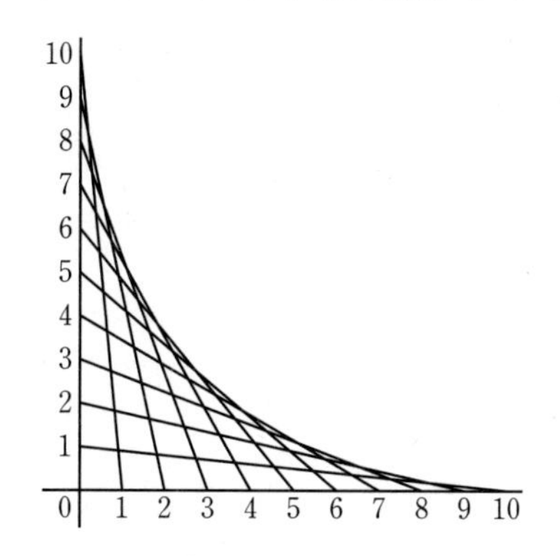

풀이

6 창의력

1부터 15까지의 눈금이 있는 시계가 있다. 이 시계의 분침이 한 바퀴 도는데 걸리는 시간은 60분이고, 시침이 한 바퀴 도는데 걸리는 시간은 15시간이다. 이 시계가 그림과 같이 4시 45분을 가리킬 때, 시침과 분침이 이루는 각 중에서 작은 쪽의 각 크기를 구하여라.

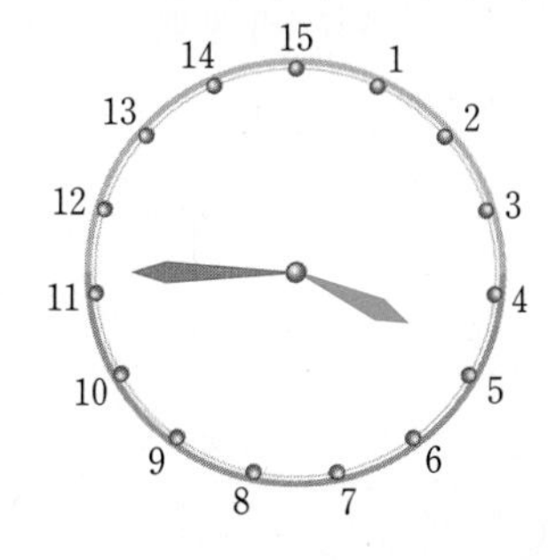

풀이

02 도형 사이의 위치 관계와 합동

❶ 두 직선의 위치

(1) 평면 위에서 두 직선 l, m 사이의 위치 유형

① 한 점에서 만난다 ② 평행하다 ③ 일치한다

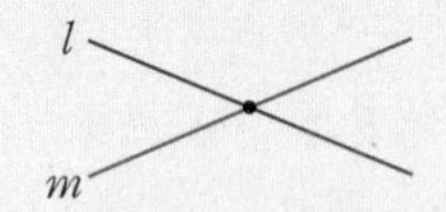

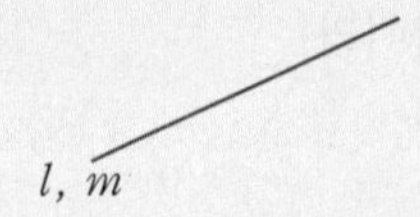

(2) 공간에서 두 직선 l, m 사이의 위치 유형

① 한 점에서 만난다 ② 평행하다 ③ 꼬인 위치에 있다

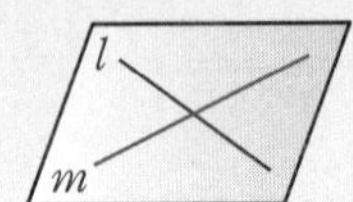

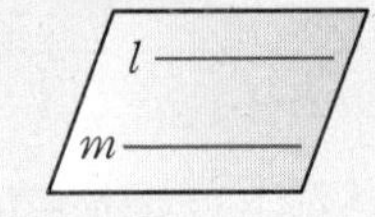

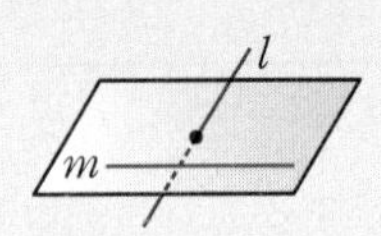

[확인 ❶]
아래 직육면체에서 모서리 BC와 꼬인 위치에 있는 모서리를 구하여라.

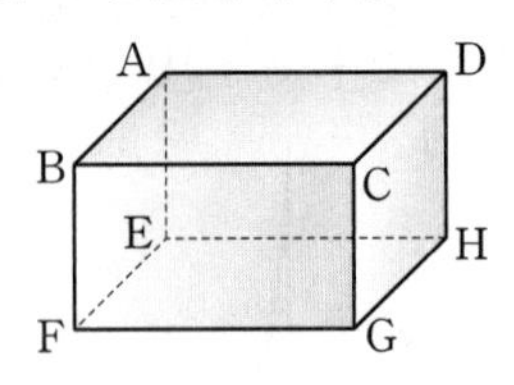

❷ 직선과 평면의 위치

(1) 공간에서 직선 l과 평면 P 사이의 위치 유형

① 한 점에서 만난다 ② 평행하다 ③ 포함된다

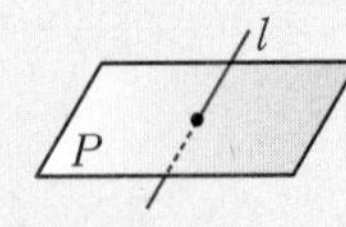

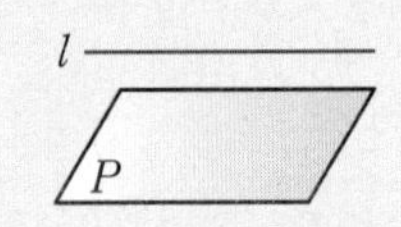

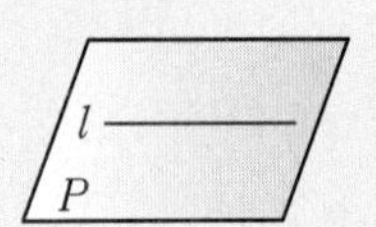

(2) 직선 l이 평면 P와 한 점 H에서 만나고, 직선 l이 점 H를 지나는 평면 P 위의 모든 직선과 수직일 때 직선 l과 평면 P는 서로 **수직**이라 하며 기호 $\boldsymbol{l \perp P}$로 나타낸다.

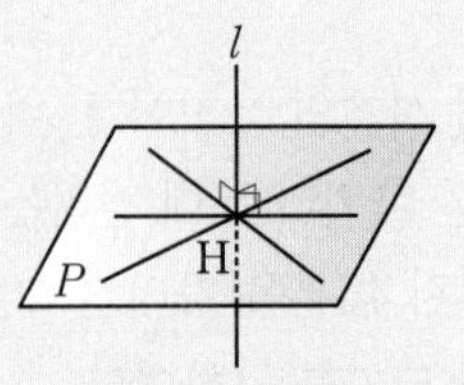

[확인 ❷]
아래 삼각기둥에서 모서리 BE와 평행한 면의 개수를 a, 면 ADFC와 평행한 면의 개수를 b라 할 때, $a+b$의 값을 구하여라.

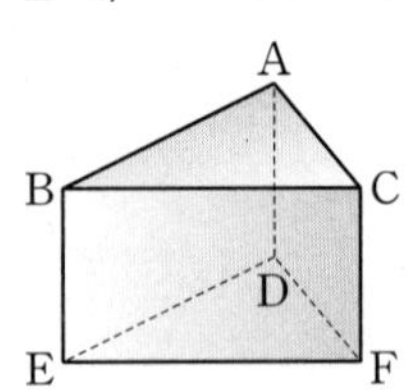

❸ 두 평면의 위치

공간에서 두 평면 P, Q 사이의 위치 유형

① 만난다 ② 평행하다 ③ 일치한다

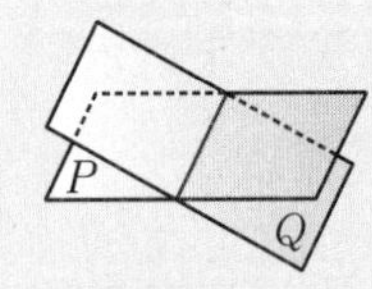

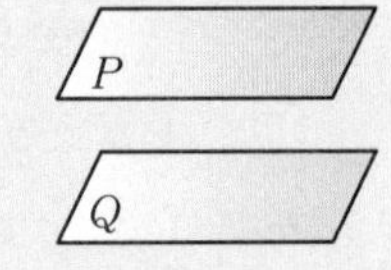

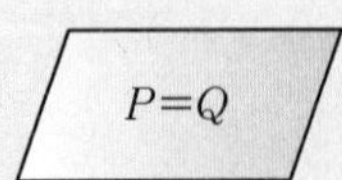

예 오른쪽 삼각기둥에서
면 ABC와 평행한 면은 면 DEF
면 ABC와 수직인 면은 면 BEFC, 면 ADFC, 면 ABED

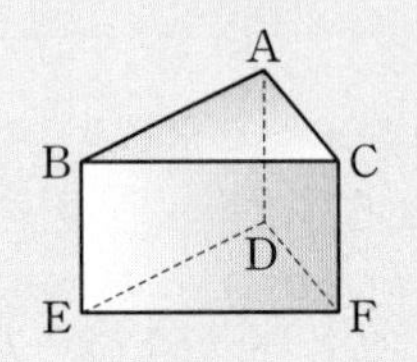

❹ 삼각형이 결정되는 조건

① 세 변의 길이를 알 때
② 두 변의 길이와 그 끼인각의 크기를 알 때
③ 한 변의 길이와 그 양 끝각의 크기를 알 때
삼각형은 하나로 결정된다.

개념+

- 삼각형을 작도할 수 있는 조건은 삼각형이 하나로 결정되는 조건과 같다.
- 세 선분이 주어졌을 때, 삼각형이 될 수 있는 조건
  (가장 긴 선분의 길이)<(나머지 두 선분의 길이의 합)

[확인 ❸]
삼각형의 세 변의 길이가 각각 3, 9, x일 때, x값의 범위를 구하여라.

❺ 도형의 합동

(1) 어떤 도형을 모양이나 크기를 바꾸지 않고 돌리거나 뒤집어서 다른 도형에 완전히 포갤 수 있을 때, 이 두 도형을 서로 **합동**이라 한다.

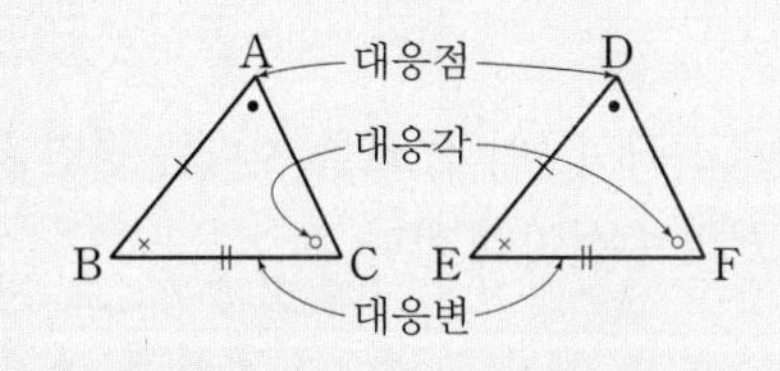

(2) 합동인 두 도형에서 서로 포개어지는 점, 변, 각은 서로 대응한다고 한다.
(3) $\triangle ABC$와 $\triangle DEF$가 합동일 때 기호 $\triangle \mathbf{ABC} \equiv \triangle \mathbf{DEF}$로 나타낸다.
(4) 합동인 도형의 성질
① 대응변의 길이가 서로 같다. ② 대응각의 크기가 서로 같다.

[확인 ❹]
다음 중 $\triangle ABC$가 하나로 결정되는 것을 모두 골라라.

ㄱ. $\overline{AB}=8$, $\overline{BC}=4$, $\overline{AC}=5$
ㄴ. $\overline{BC}=3$, $\angle A=110°$, $\angle B=70°$
ㄷ. $\angle A=30°$, $\angle B=40°$, $\angle B=110°$
ㄹ. $\overline{AB}=5$, $\overline{AC}=3$, $\angle B=30°$

❻ 삼각형의 합동

두 삼각형이 다음 세 경우 중 하나에 해당하면 서로 합동이다.
① 대응하는 세 변의 길이가 각각 같을 때 ⇨ SSS 합동

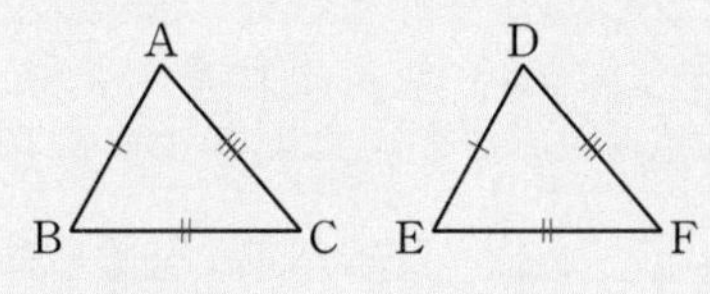

② 대응하는 두 변의 길이가 같고, 그 끼인각의 크기가 같을 때 ⇨ SAS 합동

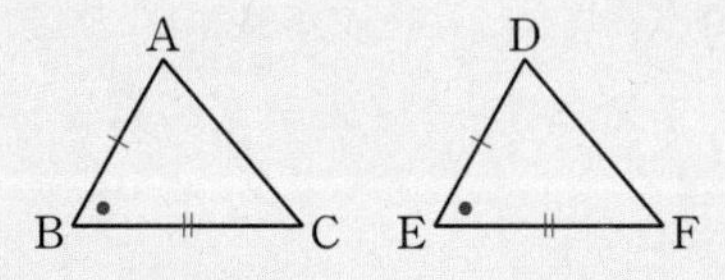

③ 대응하는 한 변의 길이가 같고, 그 양 끝각의 크기가 각각 같을 때
⇨ ASA 합동

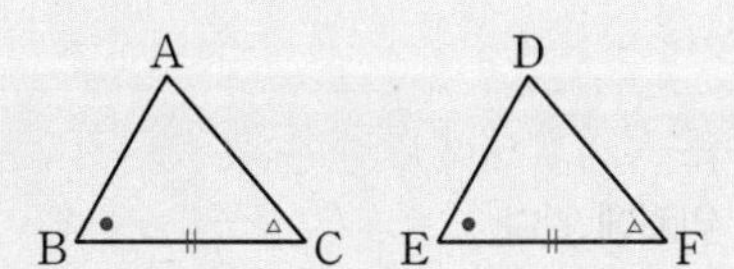

예 오른쪽 그림에서 $\overline{AB}=\overline{DF}=5$, $\overline{BC}=\overline{FE}=7$, $\overline{AC}=\overline{DE}=6$, 즉 대응하는 세 변의 길이가 각각 같으므로 SSS 합동이다.

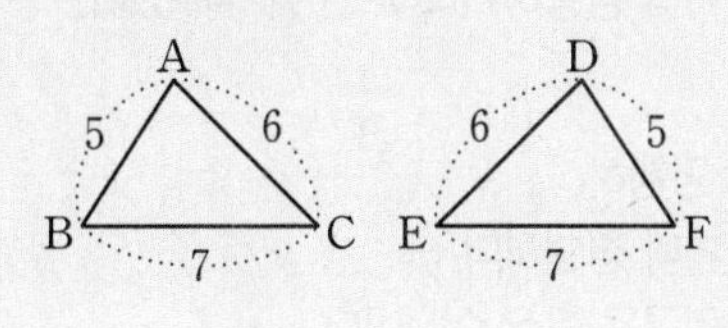

[확인 ❺]
그림에서 $\triangle ABC \equiv \triangle EFD$일 때, 다음을 구하여라.

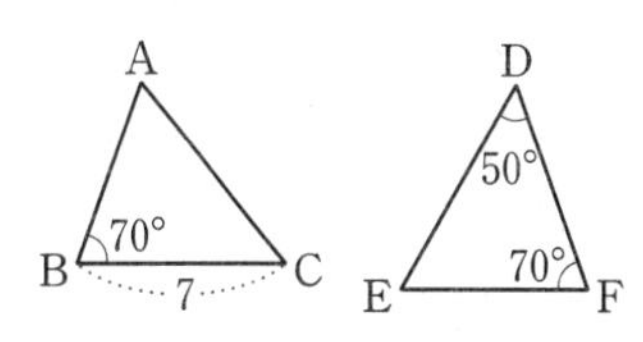

(1) $\overline{DF}$의 길이

(2) $\angle A$의 크기

STEP 1 억울하게 울리는 문제 (1)

도형의 위치 유형

다음 중 참인 것을 모두 말하여라.

1 ㄱ. 공간에서 두 직선이 한 점에서 만날 때, 두 직선은 한 평면 위에 있다.

ㄴ. 직선 l과 평면 P가 만나지 않을 때, 직선 l과 평면 P는 꼬인 위치에 있다고 한다.

ㄷ. 공간에서 두 직선이 만나지 않고 한 평면 위에 있지 않을 때, 두 직선은 평행하다고 한다.

ㄹ. 직선 l과 평면 P가 한 점 H에서 만나고 직선 l이 점 H를 지나는 평면 P 위의 한 직선과 수직일 때, 직선 l을 평면 P의 수선이라 한다.

ㅁ. 평행한 두 직선은 한 평면 위에 있다.

ㅂ. 공간에서 한 직선과 직교하는 서로 다른 두 직선은 서로 평행이다.

ㅅ. 한 평면 위에 있고 서로 만나지 않는 두 직선은 꼬인 위치에 있다.

ㅇ. 한 평면에 수직인 두 직선은 서로 평행이다.

ㅈ. 한 직선과 꼬인 위치에 있는 두 직선은 꼬인 위치에 있다.

ㅊ. 공간에서 한 직선과 평행한 서로 다른 두 직선은 평행하다.

ㅋ. 한 평면에 평행한 서로 다른 두 직선은 평행하다.

ㅌ. 한 평면에 대하여 수직인 직선과 평행한 직선은 꼬인 위치에 있다.

ㅍ. 한 직선을 지나는 평면은 오직 하나뿐이다.

상위권의 눈

▶ 공간에서 세 직선의 위치 유형
- 한 직선에 평행한 두 직선은 항상 평행하다.
- 한 직선에 평행한 직선과 수직인 직선은 수직이거나 꼬인 위치에 있다.
- 한 직선에 수직인 두 직선은 만나거나 평행하거나 꼬인 위치에 있다.

▶ 공간에서 세 평면의 위치 유형
- 한 평면에 평행한 두 평면은 항상 평행하다.
- 한 평면에 수직인 두 평면은 만나거나 평행하다.
- 한 평면에 평행한 평면과 수직인 평면은 항상 수직이다.

정답과 풀이 10쪽

삼각형의 결정 조건

다음 조건에서 $\triangle ABC$가 하나로 정해지는 것을 모두 말하여라.

2 ㄱ. $\overline{AB}=6\text{ cm}$, $\overline{BC}=10\text{ cm}$, $\overline{CA}=3\text{ cm}$

ㄴ. $\overline{AB}=5\text{ cm}$, $\overline{BC}=8\text{ cm}$, $\angle C=30^\circ$

ㄷ. $\angle A=50^\circ$, $\angle B=70^\circ$, $\angle C=60^\circ$

ㄹ. $\overline{AB}=5\text{ cm}$, $\angle A=40^\circ$, $\angle C=100^\circ$

ㅁ. $\overline{AB}=4\text{ cm}$, $\overline{BC}=5\text{ cm}$, $\angle B=50^\circ$

ㅂ. $\overline{AB}=5\text{ cm}$, $\angle A=85^\circ$, $\angle B=95^\circ$

ㅅ. $\overline{AC}=6\text{ cm}$, $\overline{BC}=10\text{ cm}$, $\angle C=100^\circ$

ㅇ. $\overline{AB}=6\text{ cm}$, $\overline{AC}=10\text{ cm}$, $\angle C=90^\circ$

ㅈ. $\overline{BC}=5\text{ cm}$, $\angle B=45^\circ$, $\angle A=45^\circ$

ㅊ. $\overline{AB}=5\text{ cm}$, $\overline{BC}=8\text{ cm}$, $\angle B=180^\circ$

상위권의 눈

▶ 삼각형이 하나로 정해지지 않는 경우
- 두 변의 길이의 합이 나머지 한 변의 길이보다 작거나 같은 경우
- 두 변의 길이와 그 끼인각이 아닌 다른 한 각의 크기가 주어진 경우 (삼각형이 그려지지 않거나 삼각형이 두 개 존재할 수 있다.)
- 세 각의 크기가 주어진 경우 (모양은 같고 크기가 다른 무수히 많은 삼각형이 존재한다.)

정답과 풀이 11쪽

도형의 합동

주어진 다음 두 도형이 합동이 아닌 것을 모두 말하여라.

3 ㄱ. 넓이가 같은 두 정삼각형

ㄴ. 한 밑각의 크기가 같은 두 이등변삼각형

ㄷ. 직각을 낀 두 대응변의 길이가 각각 같은 두 직각삼각형

ㄹ. 빗변의 길이와 한 예각의 크기가 각각 같은 두 직각삼각형

ㅁ. 꼭지각의 크기와 밑각의 크기가 각각 같은 두 이등변삼각형

ㅂ. 꼭지각의 크기와 밑변의 길이가 각각 같은 두 이등변삼각형

ㅅ. 대응하는 한 변의 길이와 그 양 끝각의 크기가 각각 같은 두 삼각형

ㅇ. 밑변의 길이와 한 밑각의 크기가 각각 같은 두 이등변삼각형

ㅈ. 대응하는 한 변의 길이가 같은 정삼각형

ㅊ. 한 변의 길이가 같은 두 마름모

ㅋ. 넓이가 같은 두 정사각형

ㅌ. 둘레의 길이가 같은 두 이등변삼각형

ㅍ. 둘레의 길이가 같은 두 원

상위권의 눈

▶ 두 도형이 합동이면 두 도형의 둘레의 길이와 넓이는 각각 같다. 하지만 둘레의 길이와 넓이가 같다고 해서 반드시 합동이 되는 것이 아님에 특히 주의한다.

평면에서 도형 사이의 위치

01

한 평면에 서로 다른 n개의 직선을 그려서 나누어진 부분의 개수의 최댓값을 $f(n)$이라 하자. 예를 들어 $f(1)=2$이다. 이때 보기의 설명 중 옳은 것을 모두 골라라.

보기

ㄱ. $f(2)=4$　　ㄴ. $2f(2)<f(3)$

ㄷ. $f(4)=f(3)+4$

공간에서 도형 사이의 위치

02

그림은 밑면이 사다리꼴인 사각기둥을 점 B, D, E를 지나는 평면으로 잘라 얻은 입체도형이다. 이때 $\overline{DE}$와 꼬인 위치에 있는 모서리는 모두 몇 개인지 말하여라.

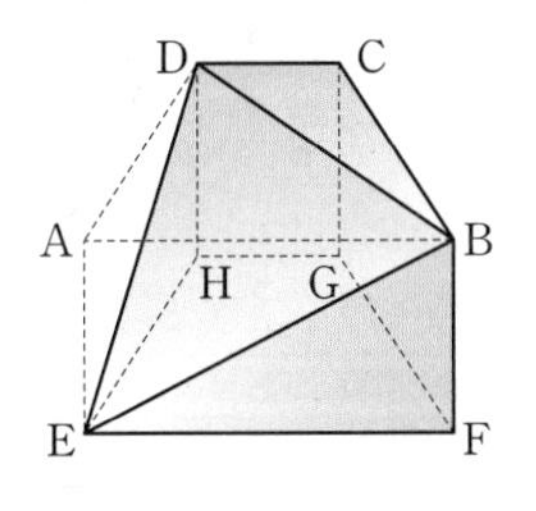

03

그림은 면 FCG로 정육면체를 자른 것이다. 다음 설명 중 옳은 것은?

① 평면 EFG와 평면 FCG는 서로 평행하다.

② 모서리 AB와 모서리 CF는 꼬인 위치에 있다.

③ 평면 EFG와 모서리 CG는 수직이다.

④ 평면 ABFE와 평면 EFG의 교선은 $\overline{FG}$이다.

⑤ 평면 EFG와 평면 ABCD사이의 거리는 $\overline{FC}$이다.

04

그림의 정육면체에서 두 점 P, Q는 각각 $\overline{EF}$, $\overline{FG}$의 중점이다. 이 정육면체를 면 APQC로 잘랐을 때 생기는 큰 쪽의 입체도형에 대한 다음 설명 중 옳지 않은 것은?

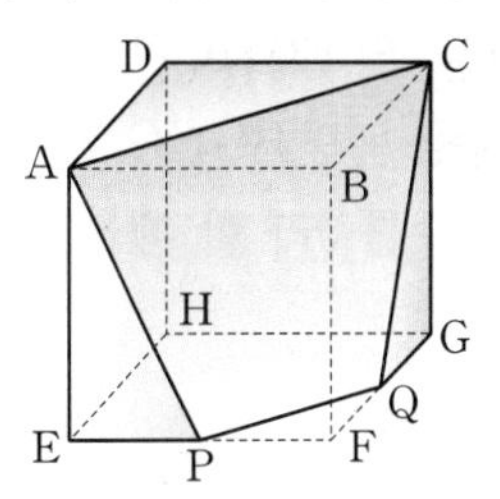

① 모서리 AP와 꼬인 위치에 있는 모서리는 6개다.

② 모서리 CG와 수직인 모서리는 4개다.

③ 모서리 AD에 평행한 면은 2개다.

④ 면 HEPQG와 만나는 면은 4개다.

⑤ 모서리 DH와 한 점에서 만나는 면은 2개다.

05

그림은 면 MGHN으로 직육면체를 잘라낸 입체도형이다. 이때 두 점 M, N은 차례로 모서리 BC, AD의 중점이다. 면 MGHN과 평행한 모서리 개수를 a, 한 점에서 만나는 모서리 개수를 b라 할 때, $a+b$의 값을 구하여라.

(단, 모서리는 모서리를 포함하는 직선, 면은 그 면을 포함하는 평면으로 생각한다.)

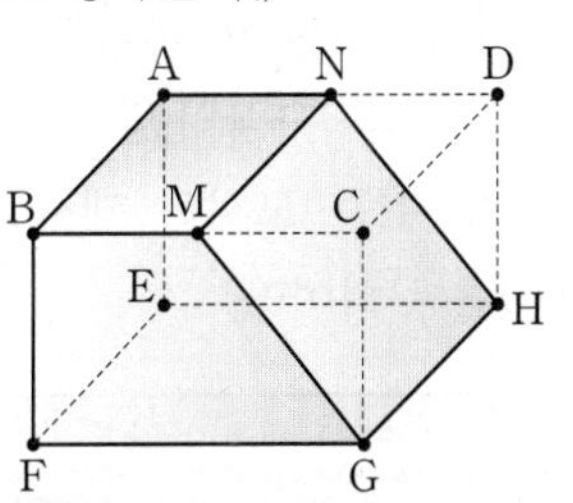

06

그림의 오각기둥에서 각 모서리를 연장한 직선을 그을 때 직선 BC와 직선 BG에 동시에 꼬인 위치에 있는 직선의 개수를 a, 면 BGHC와 평행한 직선의 개수를 b, 면 BGHC와 수직인 면의 개수를 c라 할 때 $a+b-c$의 값은?

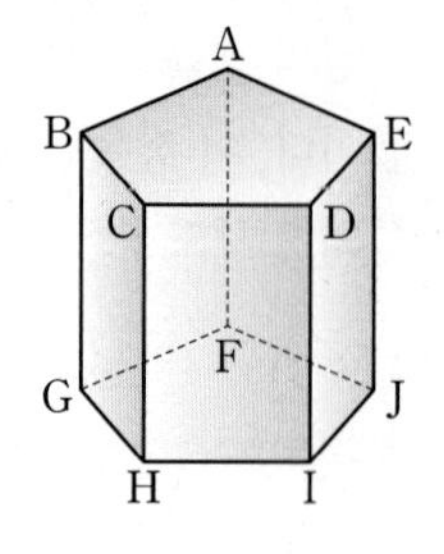

① 1 ② 2 ③ 3
④ 4 ⑤ 5

07

그림은 정오각기둥의 두 밑면에 $\overline{AC}$, $\overline{AD}$, $\overline{FH}$, $\overline{FI}$를 그은 것이다. $\overline{AB}$와 평행한 모서리 개수를 a, $\overline{AC}$와 꼬인 위치에 있는 모서리 개수를 b, $\overline{CD}$와 수직인 모서리 개수를 c라 할 때, $a+b+c$의 값을 구하여라.

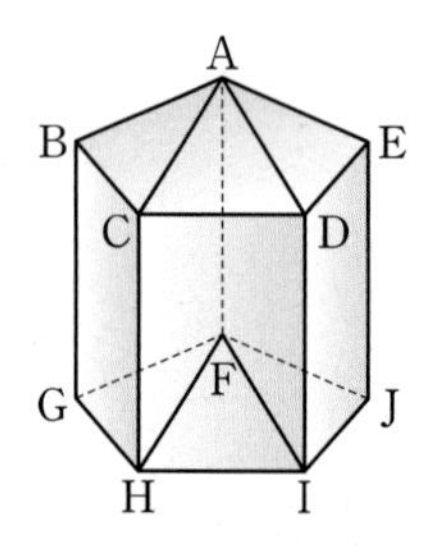

08

그림은 직육면체에서 삼각기둥을 떼 낸 것이다. 모서리 DK와 수직인 모서리 개수를 a, 모서리 BI와 평행인 면의 개수를 b, 면 ABCD와 수직인 면의 개수를 c, 모서리 FG와 꼬인 위치에 있는 모서리 개수를 d라 할 때, $a+b+c+d$의 값을 구하여라.

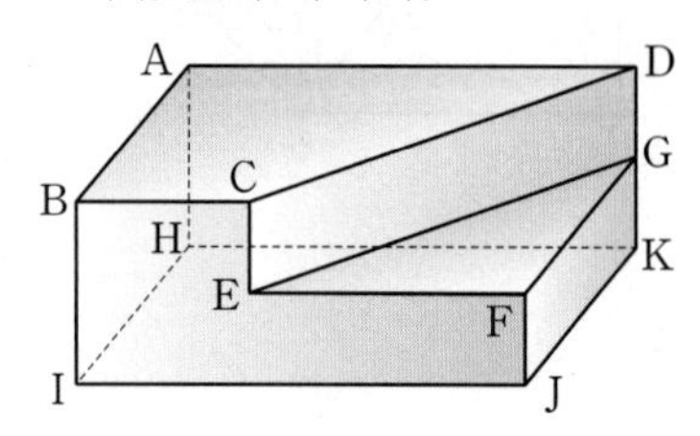

전개도로 주어진 입체도형

09

정사각형 색종이 ABCD가 있다. $\overline{AB}$와 $\overline{BC}$의 중점을 각각 E, F라 할 때, 그림에서 점선을 따라 접어 만든 입체도형에 대하여 면 EBF와 수직인 면의 개수는 a, $\overline{DE}$와 꼬인 위치에 있는 모서리의 개수는 b라 할 때, $a+b$의 값을 구하여라.

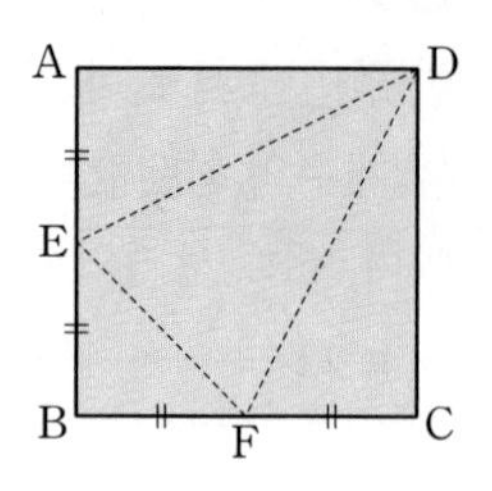

10

그림과 같은 삼각기둥 전개도로 만든 입체도형에 대한 보기의 설명 중 옳은 것을 모두 고른 것은?

(단, $\angle JIH=90°$이다.)

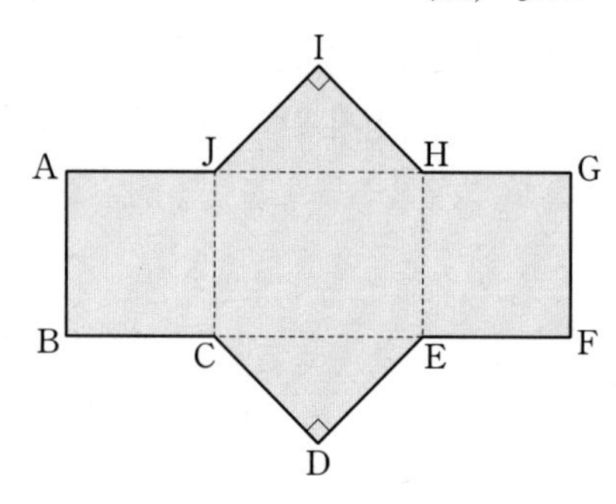

| 보기 |

ㄱ. 면 IJH와 수직인 모서리는 3개이다.
ㄴ. 면 CDE와 평행한 모서리는 3개이다.
ㄷ. 면 HEFG와 평행한 모서리는 1개이다.
ㄹ. 모서리 IJ와 수직인 모서리는 2개이다.
ㅁ. 모서리 AB와 평행한 모서리는 3개이다.
ㅂ. 모서리 IJ와 꼬인 위치에 있는 모서리는 3개이다.

① ㄱ, ㄴ, ㄷ, ㅂ ② ㄱ, ㄴ, ㅁ, ㅂ ③ ㄱ, ㄷ, ㄹ, ㅁ
④ ㄱ, ㄷ, ㄹ, ㅂ ⑤ ㄱ, ㄴ, ㄷ, ㄹ, ㅂ

11

그림과 같은 전개도로 입체도형을 만들 때, $\overline{AB}$와 꼬인 위치에 있는 모서리 개수를 a개, $\overline{AB}$와 평행한 면의 개수를 b개라 할 때, $a-b$의 값을 구하여라.

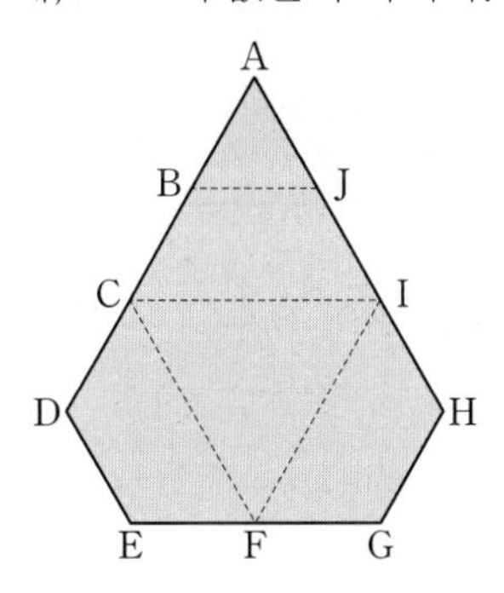

12

그림과 같은 전개도로 정육면체를 만들었을 때, 다음 설명 중 옳지 않은 것은?

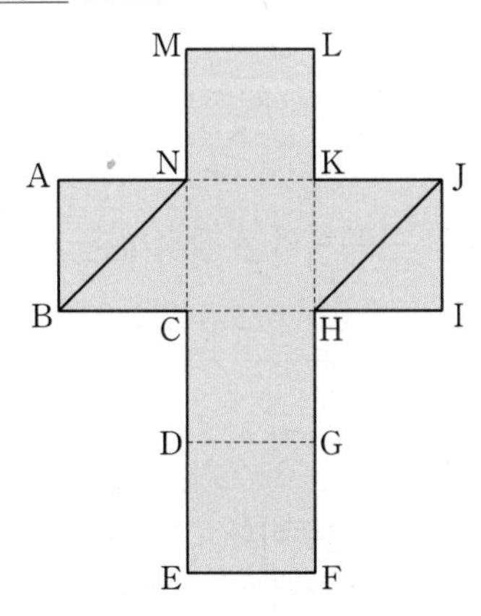

① $\overline{DG}$와 평행한 모서리는 3개이다.
② $\overline{BN}$과 $\overline{HJ}$는 서로 꼬인 위치에 있다.
③ 면 DEFG와 면 NCHK는 서로 평행한 면이다.
④ $\overline{DE}$와 면 CDGH는 수직이다.
⑤ 면 CDGH와 수직인 면은 면 DEFG와 면 CHKN뿐이다.

공간에서 세 직선, 세 평면의 위치 관계

13

공간에서 서로 다른 세 평면 P, Q, R와 서로 다른 세 직선 l, m, n에 대한 보기의 설명에서 옳은 것을 모두 고른 것은?

보기
ㄱ. $l /\!/ m$이고 $l /\!/ n$이면 $m /\!/ n$이다.
ㄴ. $l \perp m$이고 $l \perp n$이면 $m /\!/ n$이다.
ㄷ. $l /\!/ P$이고 $m \perp P$이면 $l /\!/ m$이다.
ㄹ. $l \perp P$이고 $m \perp P$이면 $l /\!/ m$이다.
ㅁ. $l \perp P$이고 $l \perp Q$이면 $P /\!/ Q$이다.
ㅂ. $P \perp R$이고 $P /\!/ Q$이면 $Q /\!/ R$이다.

① ㄱ, ㄴ, ㄷ ② ㄴ, ㄷ, ㅁ ③ ㄱ, ㄹ, ㅁ
④ ㄷ, ㄹ, ㅁ ⑤ ㄴ, ㅁ, ㅂ

기본 작도

14

그림은 $\angle XOY$와 크기가 같은 각을 반직선 AB를 한 변으로 하여 작도하는 과정이다. 보기에서 옳은 것을 모두 골라라.

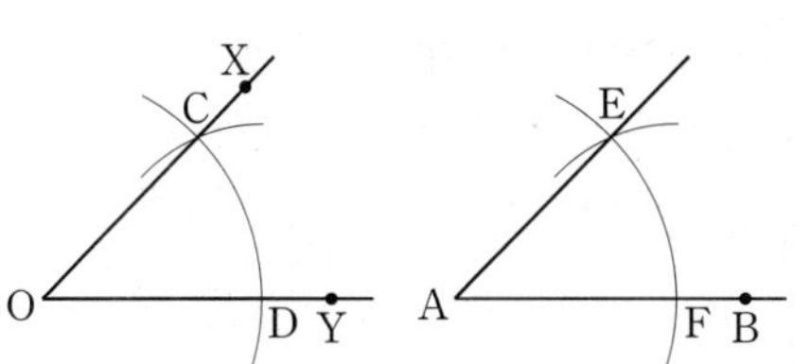

보기
ㄱ. $\overline{OY}=\overline{AB}$ ㄴ. $\overline{OX}=\overline{OY}$
ㄷ. $\overline{OC}=\overline{CD}$ ㄹ. $\overline{OD}=\overline{AE}$
ㅁ. $\overline{CD}=\overline{EF}$ ㅂ. $\angle COD=\angle EAF$

15

그림은 점 P를 지나고 직선 l에 평행한 직선 m을 작도한 것이다. 보기에서 옳은 것을 모두 골라라.

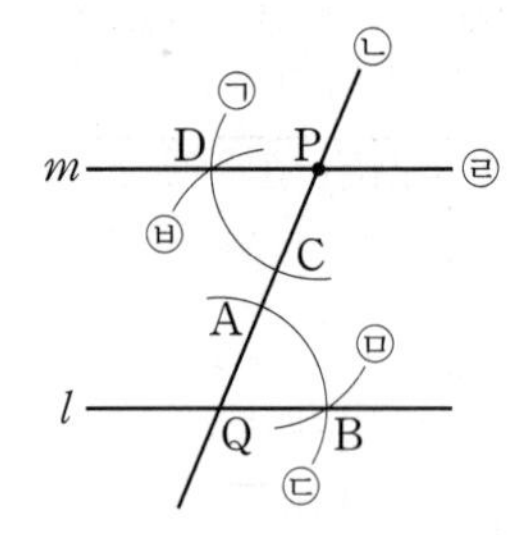

보기

ㄱ. $\overline{PD}=\overline{DC}$

ㄴ. $\overline{AB}=\overline{CD}$

ㄷ. $\angle CPD \neq \angle AQB$

ㄹ. 작도 순서는 ㉡ - ㉢ - ㉠ - ㉤ - ㉥ - ㉣이다.

16

그림은 점 P를 지나고 직선 XY에 평행한 직선 l을 작도한 것이다. 보기의 ①~⑤에 들어갈 내용으로 알맞지 않은 것은?

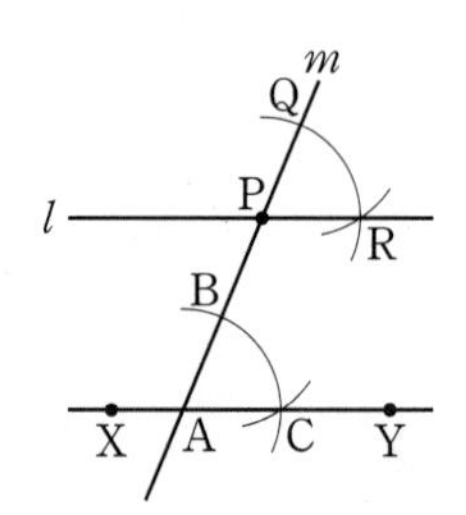

보기

ㄱ. $\overline{AB}$=(①)　　ㄴ. $\overline{BC}$=(②)

ㄷ. $\overline{PQ}$=(③)　　ㄹ. $\angle BAC$=(④)

ㅁ. '평행한 두 직선이 다른 한 직선과 만날 때, (⑤)의 크기는 같다.'는 성질을 이용한 작도이다.

① $\overline{BC}$　② $\overline{QR}$　③ $\overline{PR}$
④ $\angle QPR$　⑤ 동위각

17

그림에서 주어진 세 점 A, B, C를 꼭짓점으로 하는 평행사변형 ABCD의 나머지 한 꼭짓점 D를 작도하여라.

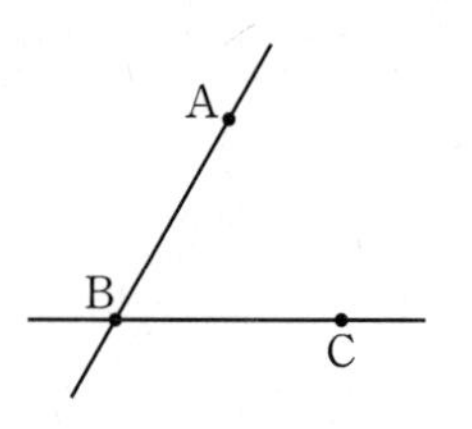

삼각형의 세 변의 길이 관계

18

다음 조건을 모두 만족시키는 삼각형은 모두 몇 개인지 구하여라.

(가) 이등변삼각형이다.
(나) 삼각형 둘레의 길이는 30이다.
(다) 세 변의 길이는 자연수이다.

19

세 변의 길이가 각각 x, $x+2$, $x+5$이고, 둘레 길이가 22보다 작은 삼각형에서 가장 긴 변의 길이를 구하여라.

(단, x는 자연수이다.)

20

길이가 1 cm, 2 cm, 3 cm, 4 cm, 5 cm, 6 cm인 이쑤시개가 각각 한 개씩 있다. 이중에서 3개를 택하여 둘레 길이의 합이 소수인 삼각형을 만든다고 할 때, 만들 수 있는 서로 다른 삼각형은 모두 몇 개인지 구하여라.

삼각형의 합동

21

그림에서 $\overline{AD}=\overline{DC}$이다. 섬에 있는 P지점과 육지에 있는 A지점 사이의 거리와 이때 이용한 삼각형의 합동조건은?

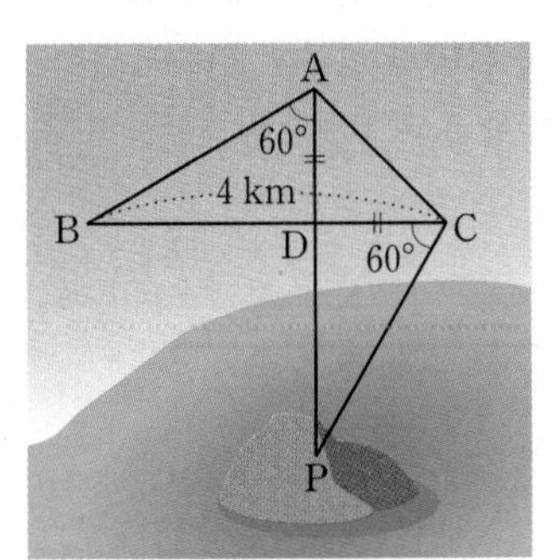

① 2 km, SSS 합동　② 2 km, SAS 합동
③ 4 km, SSS 합동　④ 4 km, SAS 합동
⑤ 4 km, ASA 합동

22

그림과 같이 정사각형 ABCD의 두 변 BC, CD 위에 $\angle EAF=45°$, $\angle AEF=70°$가 되도록 점 E, F를 각각 잡았을 때, $\angle AFD$의 크기를 구하여라.

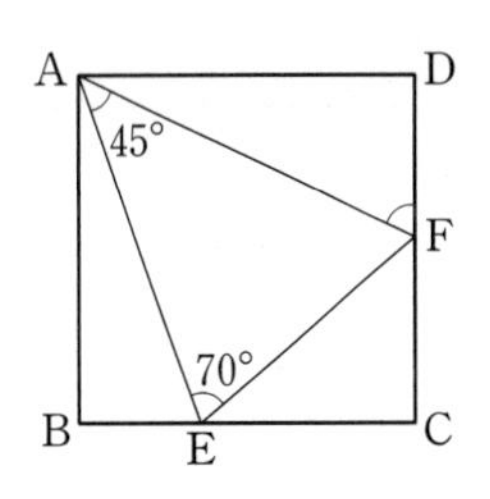

23

그림에서 사각형 ABCD와 사각형 GCEF는 한 변의 길이가 각각 5, 6인 정사각형이다. 이때 $\triangle DCE$의 넓이를 구하여라.

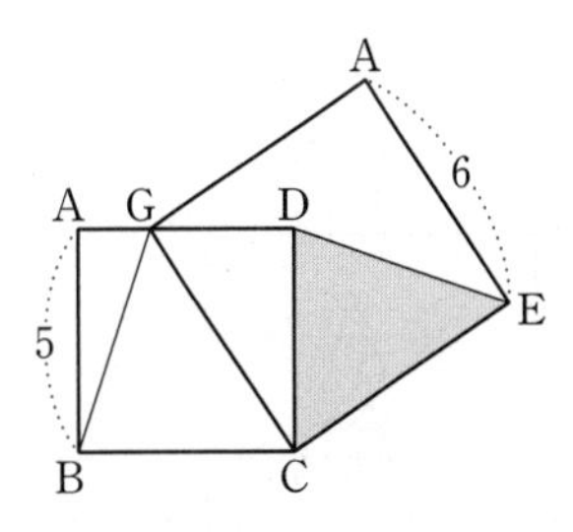

24

그림에서 정삼각형 ABC의 변 AB 위의 점 D에서 그은 선분이 변 AC의 연장선과 만나는 점을 E라 하고, 변 BC와 만나는 점을 F라 하자. $\overline{BD}=\overline{CE}=4$, $\overline{DE}=10$일 때, $\overline{DF}$의 길이를 구하여라.

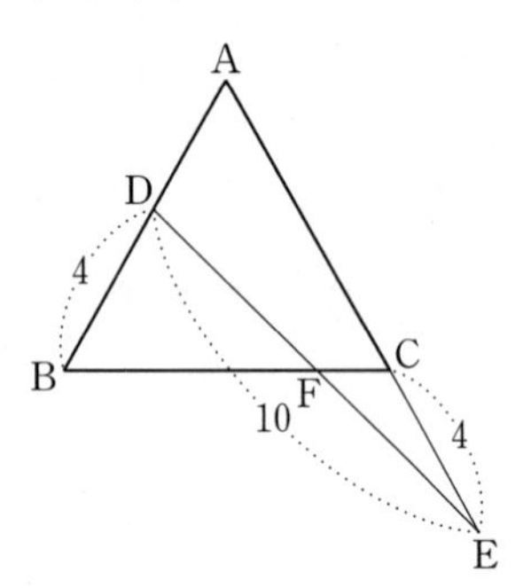

25

한 변의 길이가 8인 정사각형 ABCD에서 두 대각선이 만나는 점이 O이다. 그림과 같이 직각삼각형 POQ가 정사각형의 한 꼭짓점 C와 접하고, 이 삼각형과 정사각형이 만나는 점을 각각 M, N이라 하자. 이때 사각형 OMCN의 넓이를 구하여라.

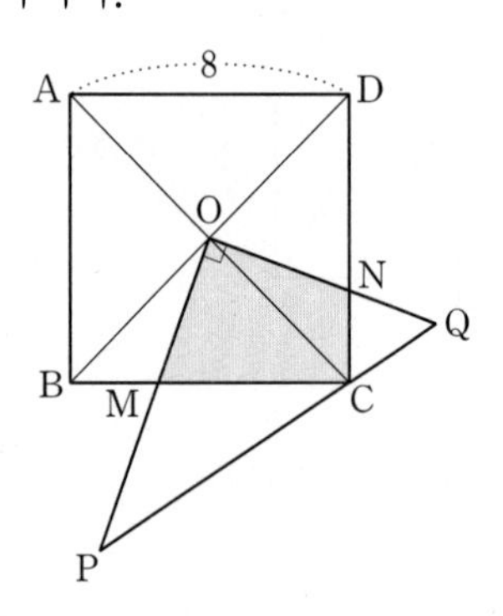

26

그림과 같이 정삼각형 ABC의 한 변 BC 위에 점 D를 잡고, $\overline{AD}$를 한 변으로 하는 정삼각형 ADE를 그렸다. 또 $\overline{AC}$와 $\overline{DE}$의 교점 F에 대하여 $\overline{AF}$를 한 변으로 하는 정삼각형 AFG를 그렸을 때, 보기에서 옳은 것은 모두 몇 개인지 구하여라.

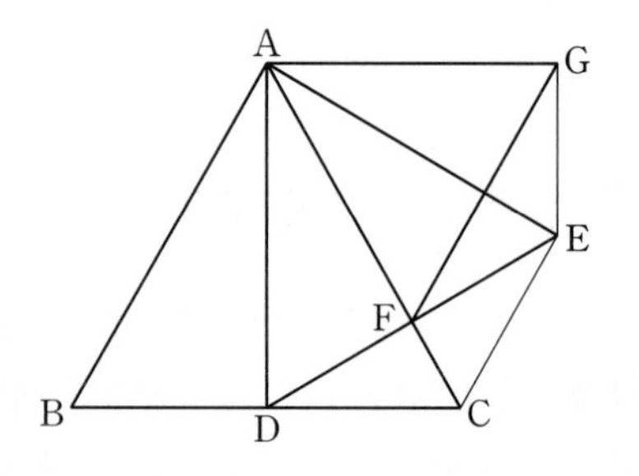

보기

ㄱ. $\angle DAF=\angle DEC$　　ㄴ. $\angle ADB=\angle AEC$

ㄷ. $\overline{AB}=\overline{AE}$　　ㄹ. $\overline{BD}=\overline{CE}$

ㅁ. $\angle ADF=\angle AEG$　　ㅂ. $\overline{DC}=\overline{EG}$

27

그림처럼 △DCE에서 두 변 $\overline{DC}$, $\overline{EC}$로 만든 두 정사각형 ABCD, ECGF에 대하여 $\overline{DG}$와 $\overline{BE}$의 교점을 O라 할 때, ∠DOE의 크기 x를 구하여라.

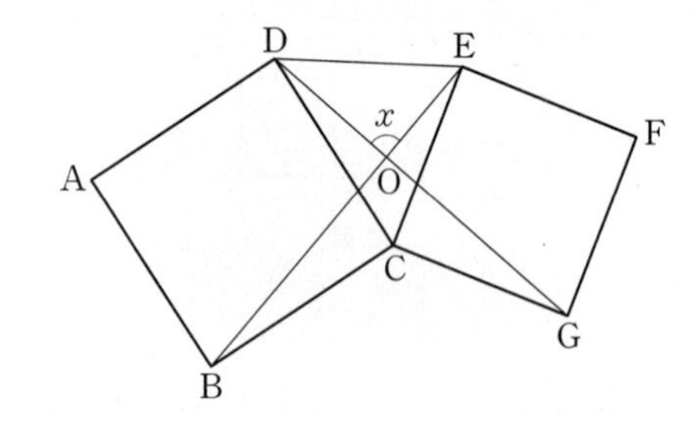

1

그림은 정육면체 ABCD−EFGH에서 면 ABCD의 네 모서리 중점을 이은 정사각형이 밑면인 정육면체를 얹어 놓은 입체도형이다. 다음을 구하여라.

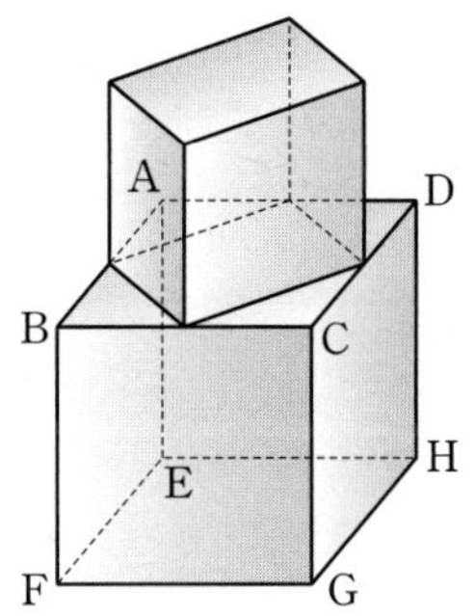

(1) 모서리 BF와 평행한 면의 개수

(2) 모서리 CD와 만나는 모서리 개수

풀이

2

그림은 직육면체를 자른 입체도형의 전개도이다. 이 전개도로 만든 입체도형에서 모서리 BC와 꼬인 위치에 있는 모서리는 모두 몇 개인지 구하여라.

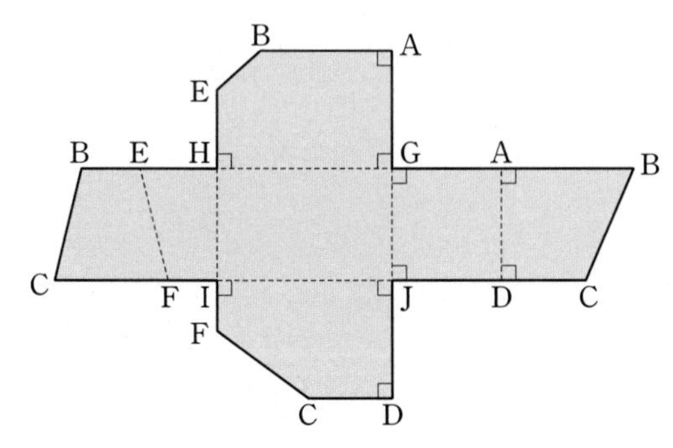

풀이

3

길이가 모두 같은 이쑤시개로 삼각형을 만들려고 한다. 표와 같이 두 변에 놓인 이쑤시개 개수가 정해졌을 때, ㉠~㉣ 은 나머지 한 변에 가능한 이쑤시개 개수이다. 이때 다음을 구하여라.

두 변의 이쑤시개 개수	나머지 한 변의 이쑤시개 개수
2, 2	㉠
3, 1	㉡
4, 3	㉢
5, 4	㉣

(1) ㉠으로 가능한 모든 수의 합

(2) ㉠~㉣에 공통으로 들어갈 수 있는 모든 수

(3) ㉠~㉣에 들어갈 수 있는 수 중 가장 큰 수

풀이

4 창의+융합

$\angle B = \angle C = 80^\circ$인 이등변삼각형 ABC의 변 CA, AB 위에 그림처럼 $\angle CBD = 60^\circ$, $\angle BCE = 50^\circ$가 되도록 두 점 D, E를 잡았다. 이때 $\angle BDE$의 크기를 구하시오.

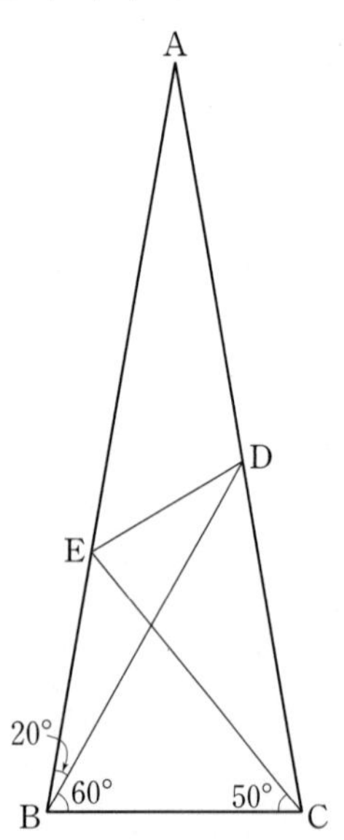

풀이

II

평면도형

01. 다각형

02. 원과 부채꼴

01 다각형

❶ 다각형

변 꼭짓점 내각 외각

(1) 3개 이상의 선분으로 둘러싸인 평면도형을 **다각형**이라 한다.
  ① **변** : 다각형을 이루는 각 선분
  ② **꼭짓점** : 각 변의 끝점
  ③ **내각** : 다각형에서 이웃하는 두 변으로 이루어진 각
  ④ **외각** : 한 내각의 꼭짓점에서 한 변과 그 변에 이웃한 변의 연장선이 이루는 각
(2) 모든 변의 길이가 같고, 모든 내각의 크기가 같은 다각형을 **정다각형**이라 한다.

[확인 ❶]
구각형의 한 꼭짓점에서 그을 수 있는 대각선의 개수가 a이고, 대각선의 총 개수가 b일 때, $a+b$의 값을 구하여라.

❷ 다각형의 대각선

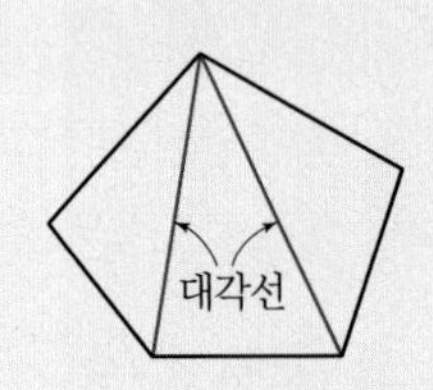

다각형에서 이웃하지 않은 두 꼭짓점을 이은 선분을 대각선이라 한다. n각형의 한 꼭짓점에서 그을 수 있는 대각선은 $(n-3)$개이므로 n각형의 대각선의 총 개수는 $\boldsymbol{\dfrac{n(n-3)}{2}}$

[확인 ❷]
그림처럼 $\overline{BC}=\overline{AC}=\overline{AD}$이고, $\angle ABC=35^\circ$일 때, x의 크기를 구하여라.

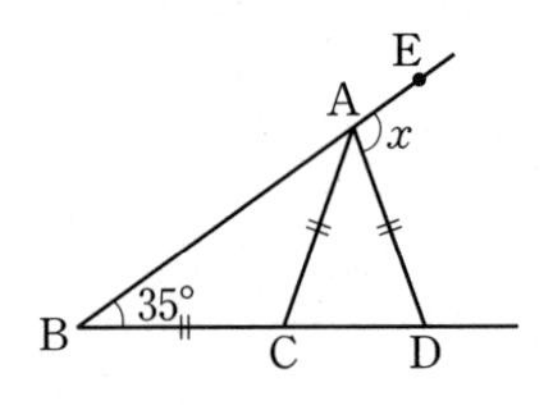

❸ 삼각형의 내각과 외각

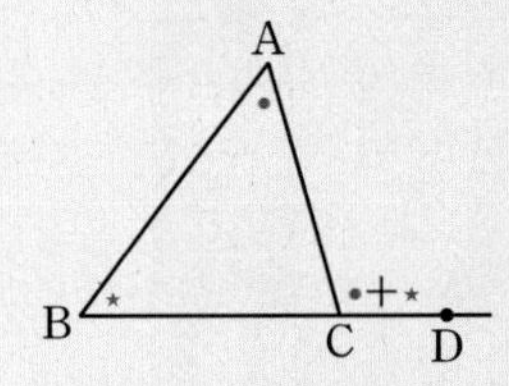

삼각형의 한 외각의 크기는 그와 이웃하지 않은 두 내각 크기의 합과 같다. 즉 $\triangle ABC$에서 $\angle C$의 외각은 $\angle ACD$이고, $\angle ACD=\angle A+\angle B$

❹ 다각형의 내각

(1) n각형의 한 꼭짓점에서 대각선을 그어 생기는 삼각형 ⇨ $(n-2)$개
(2) n각형의 내각 크기의 합 ⇨ $\mathbf{180^\circ \times (n-2)}$
(3) 정n각형의 한 내각의 크기 ⇨ $\dfrac{180^\circ \times (n-2)}{n}$

[확인 ❸]
그림에서 x의 크기를 구하여라.

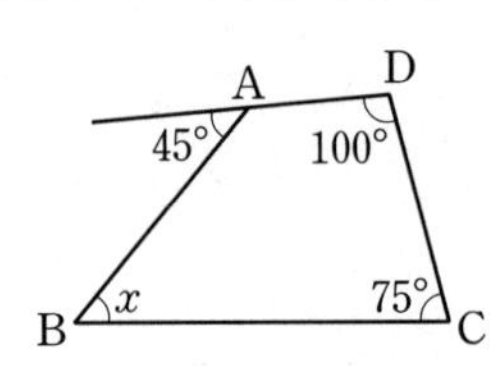

❺ 다각형의 외각

(1) n각형의 외각 크기의 합은 항상 360°이다.
(2) 정n각형의 한 외각의 크기 ⇨ $\dfrac{360^\circ}{n}$

참고 n각형의 각 꼭짓점에서 내각 크기와 외각 크기의 합은 180°이므로 n각형에서
(내각 크기의 합)+(외각 크기의 합)$=180^\circ \times n$
(외각 크기의 합)$=180^\circ \times n-$(내각 크기의 합)
$=180^\circ \times n-180^\circ \times (n-2)=360^\circ$

개념+ 공식처럼 기억하기

① 모양에서 각의 크기 구하기

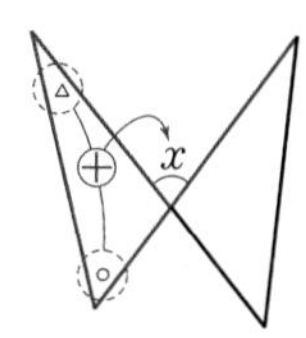

$x=\triangle+\circ$

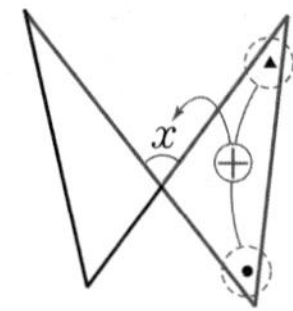

$x=\blacktriangle+\bullet$

⇨

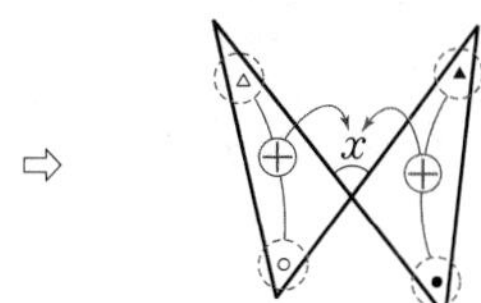

$\therefore$ $\boldsymbol{x=\triangle+\circ=\blacktriangle+\bullet}$

② 모양에서 각의 크기 구하기

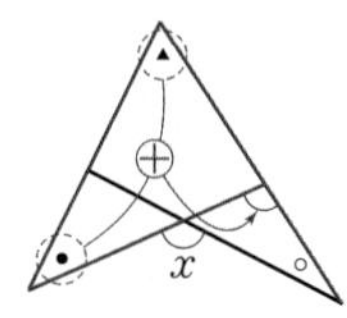
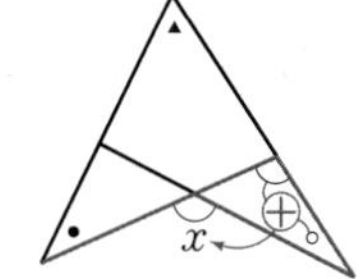

⇨

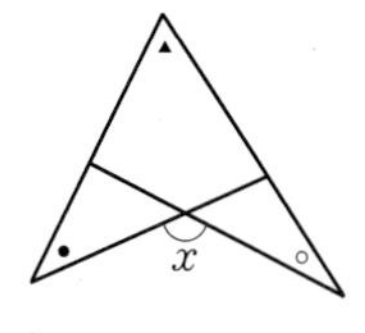

$\therefore$ $\boldsymbol{x=\blacktriangle+\bullet+\circ}$

③ 모양에서 각의 크기 구하기

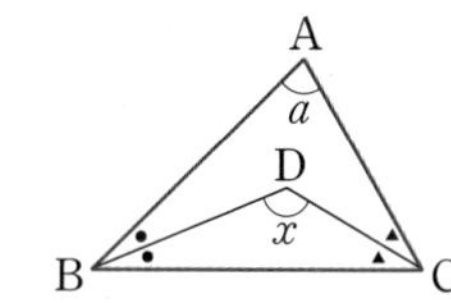

(i) △ABC에서 $a+2\bullet+2\blacktriangle=180^\circ$

(ii) △DBC에서 $x+\bullet+\blacktriangle=180^\circ$

⇨

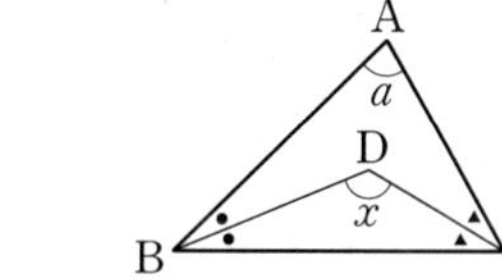

$\therefore$ $\boldsymbol{x=180^\circ-(\bullet+\blacktriangle)}$

④ 모양에서 각의 크기 구하기

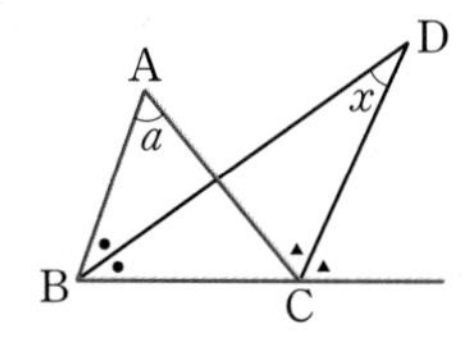

(i) △ABC에서 $a+2\bullet=2\blacktriangle$ $\therefore$ $a=2(\blacktriangle-\bullet)$

(ii) △DBC에서 $x+\bullet=\blacktriangle$ $\therefore$ $x=\blacktriangle-\bullet$

⇨

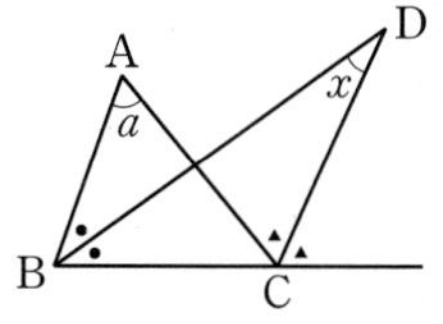

$\therefore$ $\boldsymbol{2x=a}$

⑤ 모양에서 각의 크기 구하기

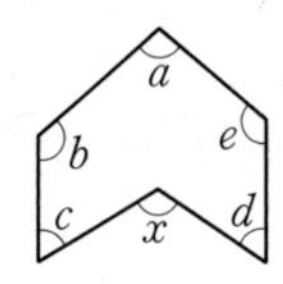

⇨

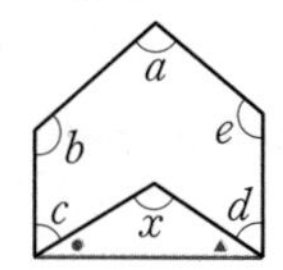

$a+b+c+d+e+\bullet+\blacktriangle=540^\circ$

에서 $\bullet+\blacktriangle$을 구한 다음

$x=180^\circ-(\bullet+\blacktriangle)$임을 이용한다.

[확인 ❹]

그림에서 x의 크기를 구하여라.

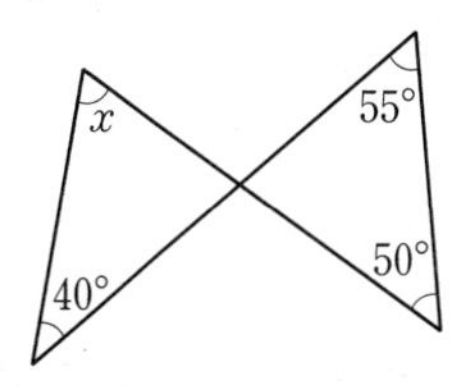

[확인 ❺]

그림에서 $x+y$의 크기를 구하여라.

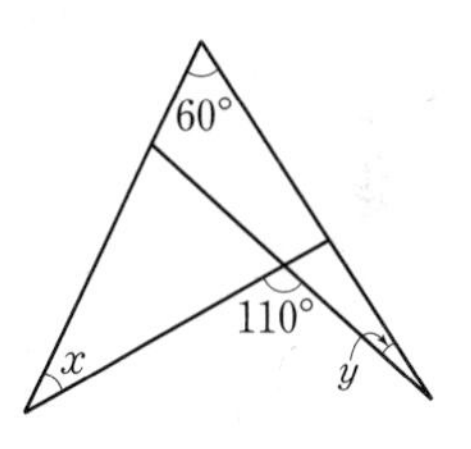

[확인 ❻]

그림에서 x의 크기를 구하여라.

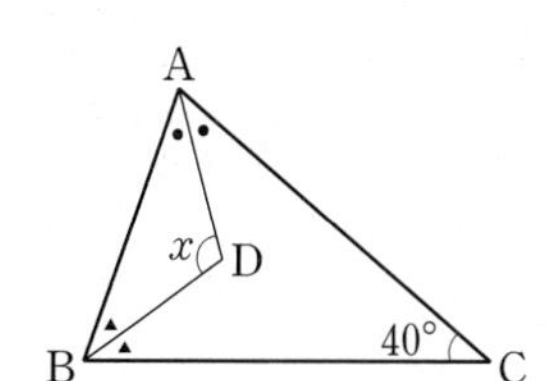

STEP 1 억울하게 울리는 문제 (1)

다각형

다음 중 참인 것을 모두 말하여라.

1 ㄱ. 변의 길이가 모두 같은 다각형은 정다각형이다.

ㄴ. n각형의 한 꼭짓점에서 그을 수 있는 대각선은 $(n-2)$개다.

ㄷ. 정다각형은 한 내각의 크기와 한 외각의 크기가 같다.

ㄹ. 네 내각의 크기가 같은 사각형은 정사각형이다.

ㅁ. 정다각형의 종류는 모두 5가지뿐이다.

ㅂ. 열 명이 서로 한 번씩 악수할 때 악수한 총 횟수는 십각형의 대각선 개수와 같다.

ㅅ. 한 외각의 크기가 둔각인 다각형은 정삼각형뿐이다.

ㅇ. 정n각형의 한 내각의 크기는 $180° - \frac{360°}{n}$이다.

ㅈ. 정n각형의 한 외각의 크기가 $x°$일 때, x의 값이 정수가 되는 n의 개수는 24개이다.

ㅊ. 다각형의 변의 개수와 대각선의 개수를 곱한 값은 항상 양수이다.

상위권의 눈

▶ 다각형에서 (한 내각의 크기)+(한 외각의 크기)$=180°$이다. 정다각형이면 한 내각의 크기가 일정하므로 외각의 크기도 모두 일정하다. 또 정다각형의 외각 크기의 총합이 $360°$이므로 (정n각형의 한 외각 크기)$=\frac{360°}{n}$

정답과 풀이 17쪽

다각형의 대각선 개수

다음 물음에 답하여라.

2-1 한 꼭짓점에서 그을 수 있는 대각선이 8개인 다각형의 내각 크기의 합을 구하여라.

2-2 한 꼭짓점에서 그을 수 있는 대각선을 모두 그으면 8개의 삼각형으로 나누어지는 다각형이 있다. 이 다각형의 대각선 개수를 구하여라.

3-1 어떤 다각형의 이웃한 두 꼭짓점 A, B가 있다. $\overline{AB}$ 위에서 A, B가 아닌 한 점을 잡고 그 점에서 점 A와 점 B를 제외한 나머지 모든 꼭짓점으로 연결하는 선분을 그으면 다각형이 8개의 삼각형으로 나누어진다. 이 다각형의 대각선 개수를 구하여라.

3-2 어떤 다각형의 내부에 임의의 한 점 P를 잡고 점 P에서 다각형의 모든 꼭짓점으로 연결하는 선분을 그으면 다각형이 8개의 삼각형으로 나누어진다. 이 다각형의 대각선 개수를 구하여라.

4-1 어떤 다각형의 한 꼭짓점에서 한 개의 대각선을 그으면 다각형이 삼각형과 오각형으로 나누어진다. 이 다각형의 대각선 개수를 구하여라.

4-2 내각의 크기와 외각의 크기의 합이 $2340°$인 다각형의 대각선의 개수를 구하여라.

상위권의 눈

▶ 주어지는 조건의 유형이 다양할 수 있으므로 조건을 꼼꼼히 읽고 조건에 맞게 그림으로 표현해 가며 어떤 다각형인지 찾아야 한다.

정답과 풀이 18쪽

삼각형의 내각과 외각

다음 물음에 답하여라.

5-1 그림과 같은 △ABC에서 $\overline{AD}$, $\overline{BE}$가 각각 ∠A, ∠B의 이등분선일 때, x의 크기를 구하여라.

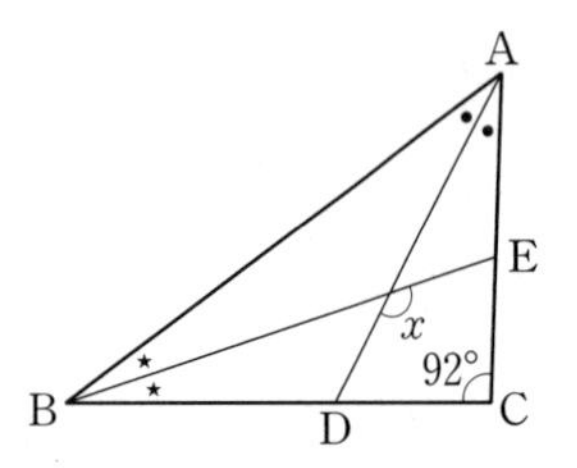

5-2 그림과 같은 △ABC에서 $\overline{BE}$, $\overline{CD}$는 각각 ∠B, ∠C의 이등분선이고, $\overline{BE}$와 $\overline{CD}$의 교점을 점 I라 하자. ∠A$=50°$일 때, ∠ADI$+$∠AEI의 크기를 구하여라.

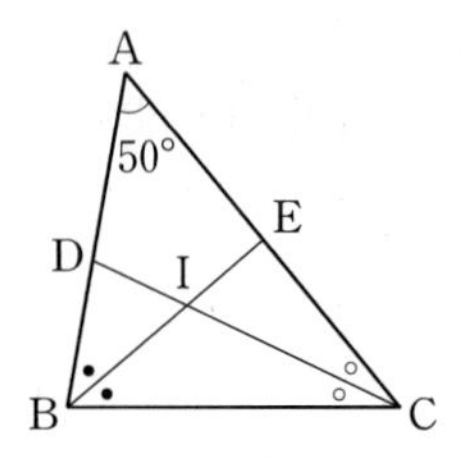

6-1 그림과 같은 △ABC에서 ∠A의 외각의 이등분선과 ∠C의 외각의 이등분선의 교점을 점 P라 하자. ∠APC$=65°$일 때, ∠ABC의 크기를 구하여라.

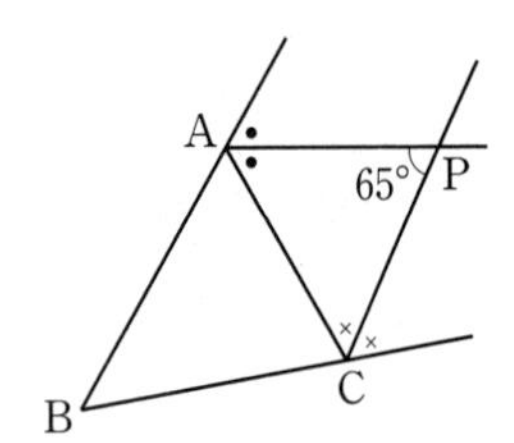

6-2 그림과 같이 $\overrightarrow{OD}$, $\overrightarrow{OC}$로 나타낸 두 개의 거울이 $42°$의 각도로 놓여 있다. P지점을 통과한 빛이 A, B 지점에 반사되어 다시 P지점을 통과하였을 때, x의 크기를 구하여라. (단, 빛의 입사각과 반사각의 크기는 같다.)

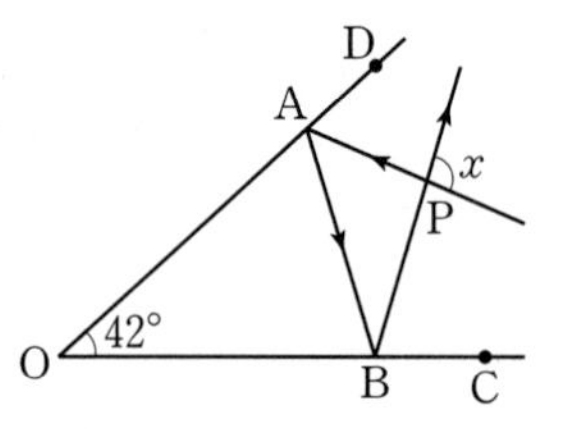

7-1 그림에서 x의 크기를 구하여라.

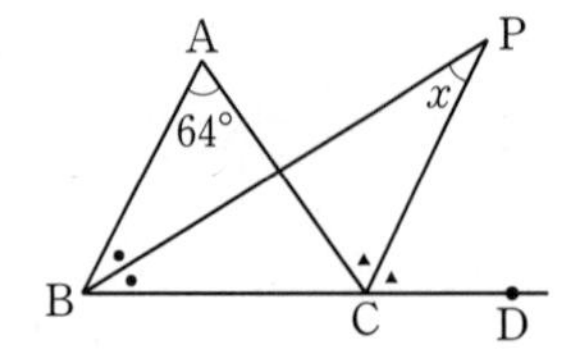

7-2 그림에서 x의 크기를 구하여라.

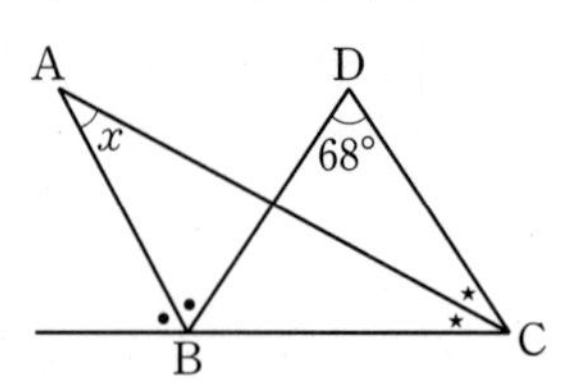

상위권의 눈

- 각의 이등분선 또는 같은 각이 등장하는 문제에서는 이등분되는 각의 크기를 하나 하나 알아내려 하지 말고 각의 크기를 문자로 나타내어 식을 세워가며 풀어본다.
- 내각의 이등분선이나 외각의 이등분선이 이루는 각의 크기에 관한 문제에서 식을 세워가며 푸는 방법과 공식을 활용하는 방법을 모두 알아두자.

다각형

01

보기에 주어진 다각형에 대한 다음 설명 중 몇 각형인지 알 수 없는 것을 모두 말하여라.

보기
ㄱ. 꼭짓점이 8개이다.
ㄴ. 대각선이 14개이다.
ㄷ. 내각 크기의 합이 540°이다.
ㄹ. 외각 크기의 합이 360°이다.
ㅁ. 한 내각의 크기가 90°이다.
ㅂ. 한 꼭짓점에서 그을 수 있는 대각선은 6개다.

다각형의 대각선 개수

02

꼭짓점 개수를 a, 한 꼭짓점에서 그을 수 있는 대각선 개수를 b, 한 꼭짓점에서 대각선을 그어 생기는 삼각형 개수를 c라 할 때, $a+b+c=19$가 되는 다각형이 있다. 이 다각형에서 변의 개수는?

① 5 ② 6 ③ 7
④ 8 ⑤ 9

03

15명의 학생이 원형으로 둘러서 있다. 이웃한 학생끼리는 서로 한 번씩 악수를 하고, 이웃하지 않은 학생끼리는 서로 한 번씩 고개를 숙여 목례를 했다. 악수한 총 횟수를 a번, 고개 숙여 목례를 한 총 횟수를 b번이라고 할 때 $b-a$의 값을 구하여라.

04

천재중학교 1학년 1반부터 10반까지 모든 반이 자신의 반을 제외한 다른 반과 한 번씩 축구 경기를 하는 리그 방식으로 경기를 하고자 한다. 1학년에서 치러지는 전체 경기 수를 구하여라.

05

사거리 한 모퉁이에서 반대편 모퉁이로 갈 때, 횡단보도를 두 번 건너야 하는 불편함을 줄이기 위하여 다음 그림과 같이 대각선 횡단보도도 2개 설치하였다. 오거리에서도 이와 같이 불편함이 없도록 모든 방향으로 횡단보도를 건널 수 있게 하려면 필요한 횡단보도는 몇 개인지 구하여라.

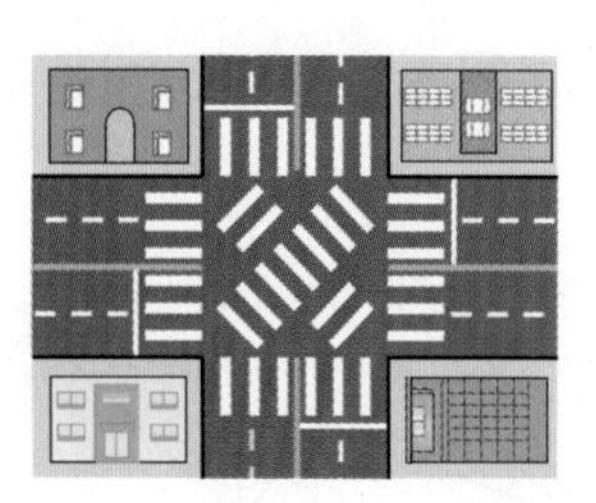

삼각형의 내각과 외각

06

그림에서 $\overline{OA}=\overline{AB}=\overline{BC}=\overline{CD}$이고, $\angle AOB=27°$일 때, $\angle CDE$의 크기는?

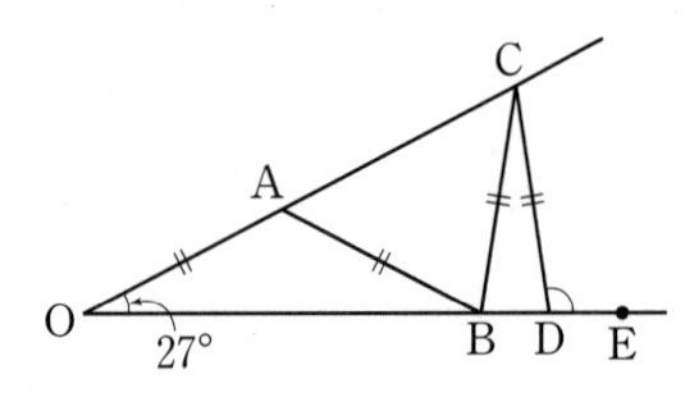

① 96° ② 97° ③ 98°
④ 99° ⑤ 100°

07

그림에서 $y=45°$일 때, $x+z$의 크기를 구하여라.

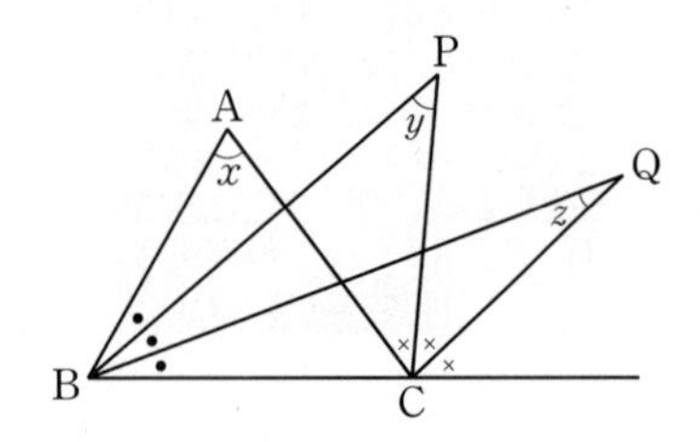

08

그림에서 점 G는 $\angle EBF$의 이등분선과 $\angle CDF$의 이등분선이 만나는 점이다. $\angle EAC=80°$, $\angle BGD=120°$일 때 $\angle EFC$의 크기를 구하여라.

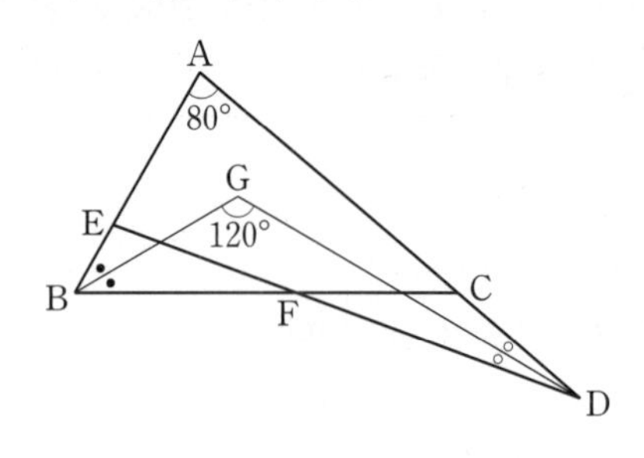

09

그림처럼 $\angle A=75°$인 $\triangle ABC$에서 $\angle B$의 삼등분선과 $\angle C$의 삼등분선을 이용해 사각형 IJKL을 얻었다. 이때 $\angle IJK+\angle ILK$의 크기를 구하여라.

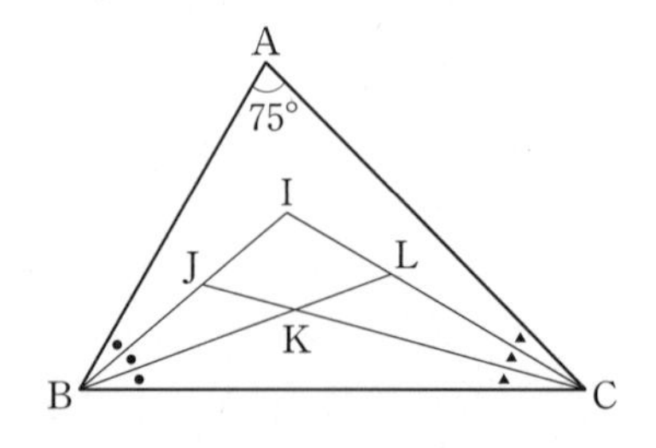

10

그림에서 $y-x$의 크기를 구하여라.

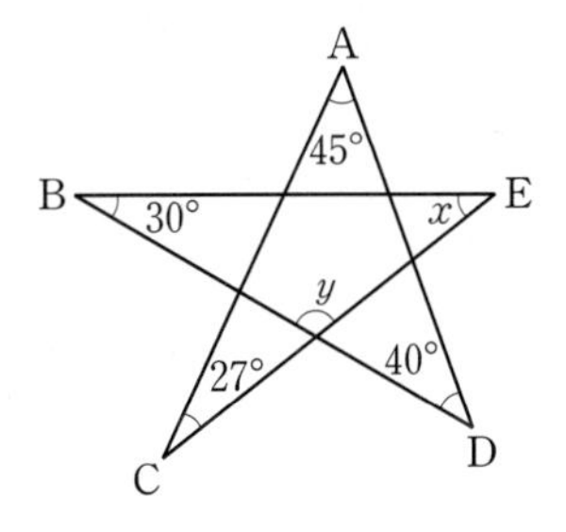

11

그림에서 $\angle BAD=60°$, $\angle BCD=150°$이고, $\overline{BF}$와 $\overline{ED}$는 각각 $\angle EBC$와 $\angle ADC$를 이등분한다. 이때 x의 크기를 구하여라.

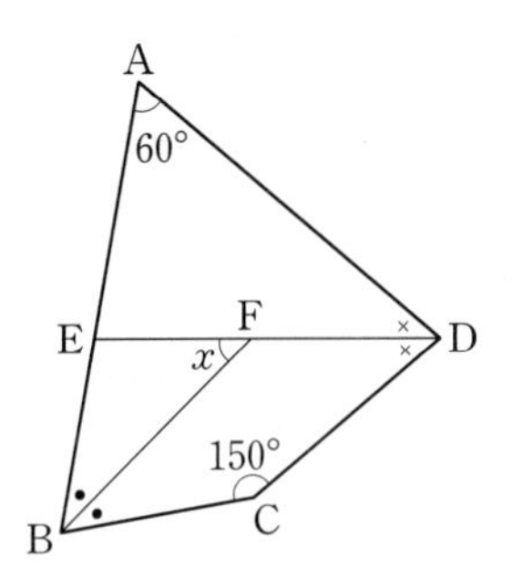

12

그림과 같이 $\angle ABD=\angle DBE=\angle EBC$이고, $\angle ACD=\angle DCE$일 때 $\angle BEC$의 크기를 구하여라.

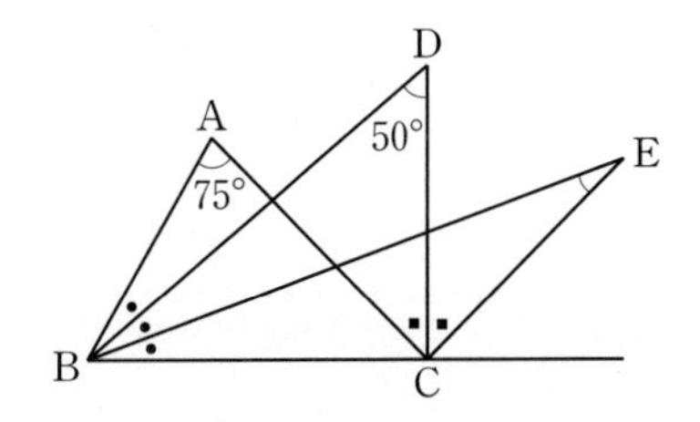

13

그림과 같이 $\angle BDC=70°$, $\angle BAC=45°$, $\angle BEC=52°$이고 $\angle DBH=\angle HBI=\angle IBG$, $\angle ECK=\angle KCJ=\angle JCG$일 때, x의 크기를 구하여라.

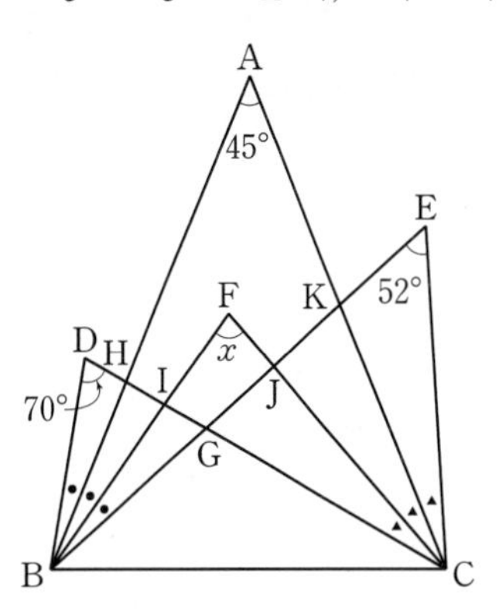

14

그림과 같이 $\triangle ABC$에 대하여 $\overline{DE}$를 접는 선으로 하여 접어서 꼭짓점 A가 이동한 점을 A′이라 하자. 또 $\angle B$와 $\angle C$의 외각의 이등분선이 만나는 점을 F라 하자. $\angle BFC=62°$일 때, $\angle A'DB$와 $\angle A'EC$의 크기의 합을 구하여라.

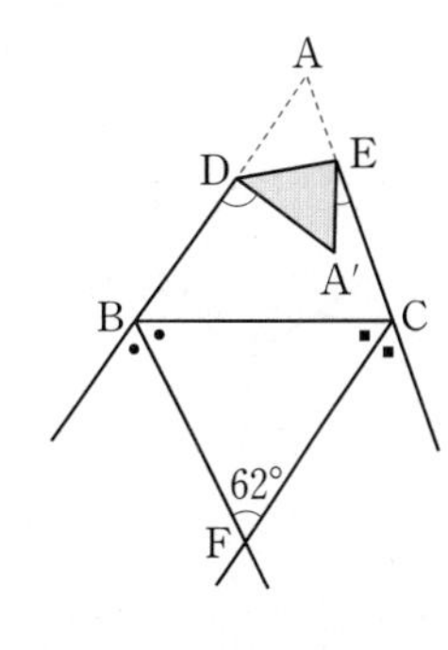

다각형의 내각과 외각

15

그림과 같이 사각형 ABCD에서 $\angle A$와 $\angle C$의 이등분선이 만나는 점을 O라 하자. $\angle B=70°$, $\angle D=130°$일 때, x의 크기는?

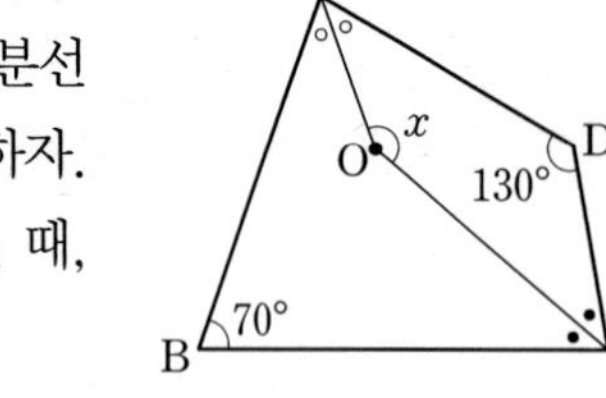

① 145° ② 150° ③ 155° ④ 160° ⑤ 165°

16

그림에서 $\angle A+\angle B+\angle C+\angle D+\angle E+\angle F+\angle G+\angle H+\angle I+\angle J$의 크기를 구하여라.

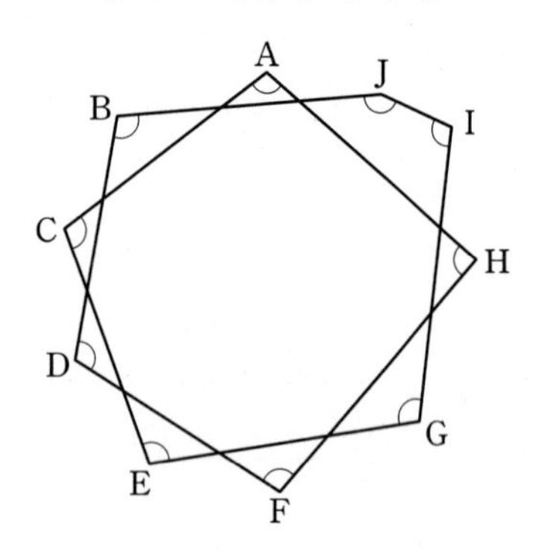

17

그림과 같이 합동인 사다리꼴 6개를 이어 붙인 아치형 구조물에서 $\angle ABC$의 크기를 구하여라.

(단, $\angle A=\angle D$, $\angle B=\angle C$)

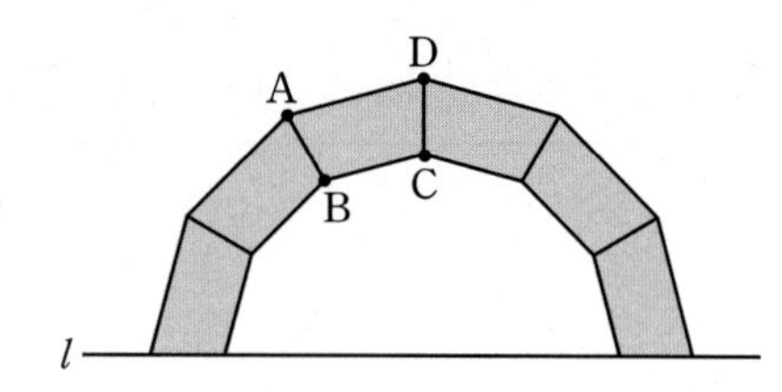

18

그림에서 두 직선 l, m이 서로 평행하다. 이때 x의 크기를 구하여라.

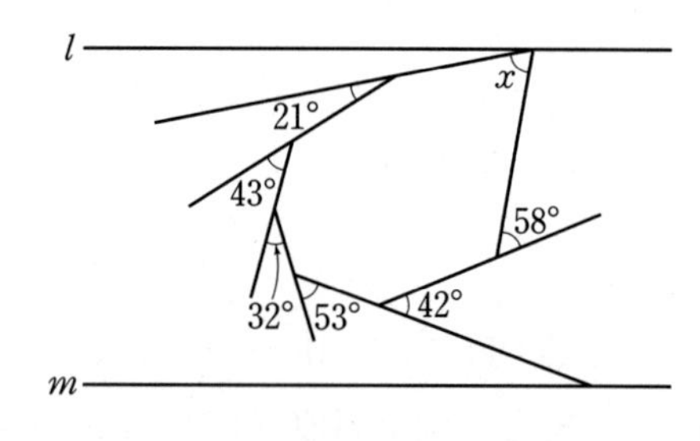

정다각형의 내각과 외각

19

그림과 같이 한 변의 길이가 서로 같은 정육각형 2개와 정오각형 1개가 한 꼭짓점에서 만나도록 붙일 때, x의 크기는?

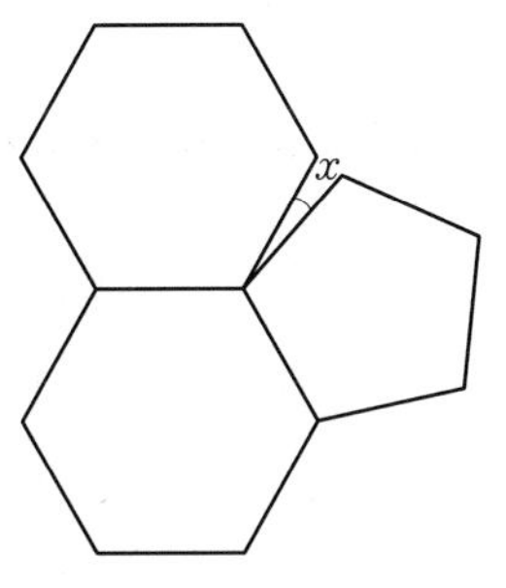

① 8°　② 12°　③ 18°
④ 23°　⑤ 28°

20

한 변의 길이가 서로 같은 정오각형 ABCDE와 정사각형 AGHE, 정삼각형 CDF가 그림과 같이 주어져 있을 때, x의 크기를 구하여라.

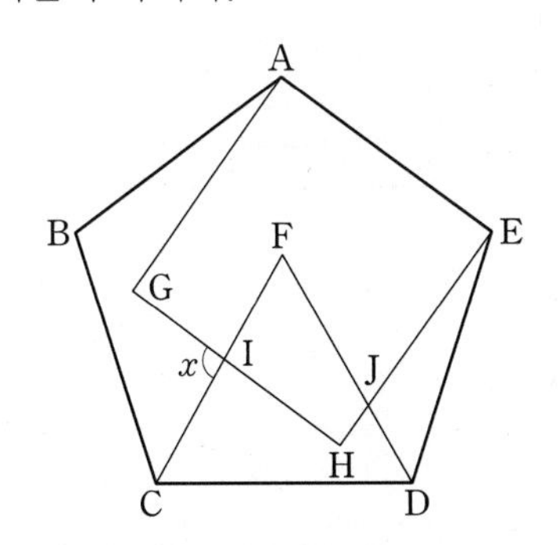

21

그림과 같이 정팔각형의 내부에 정육각형과 정오각형을 그렸을 때, x의 크기를 구하여라. (단, 세 정다각형의 한 변의 길이는 모두 같다.)

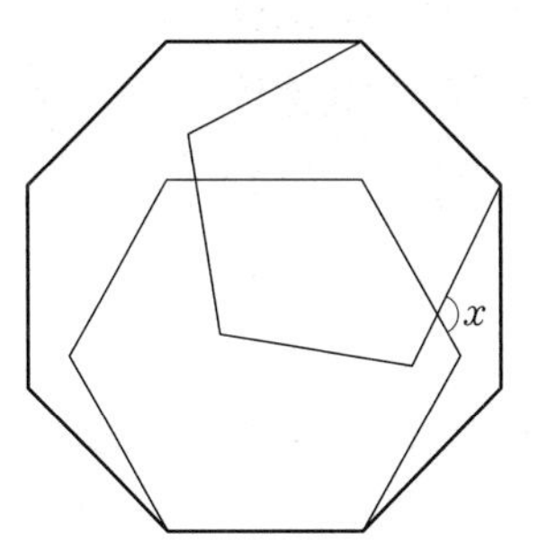

22

그림과 같이 한 변의 길이가 서로 같은 정육각형의 한 변의 연장선과 정팔각형의 한 변의 연장선이 만날 때, x의 크기를 구하여라.

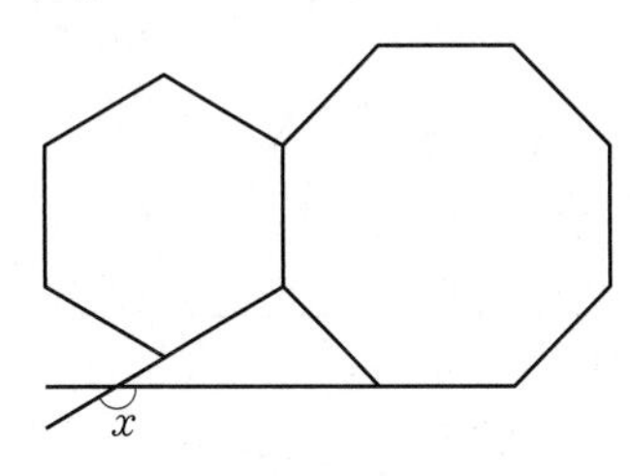

23

그림과 같이 한 변의 길이가 서로 같은 정사각형, 정오각형, 정팔각형이 한 변씩 겹쳐 있고, 정팔각형의 한 꼭짓점과 정사각형의 한 꼭짓점을 선분으로 이었을 때, $x+y$의 크기를 구하여라.

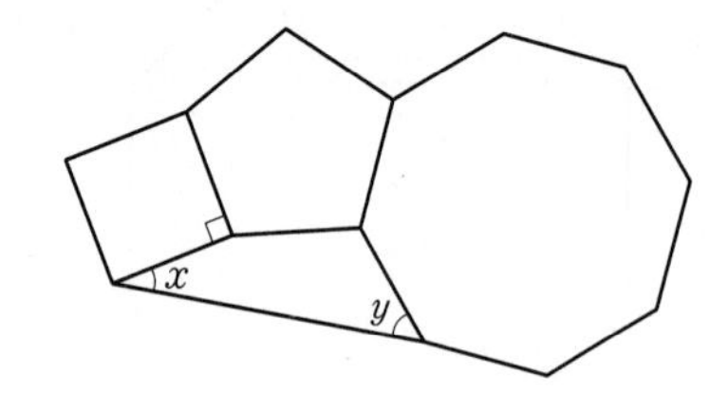

24

그림처럼 한 변의 길이가 서로 같은 정오각형 ABCDE와 정삼각형 PCD가 있다. 이때 $x+y-z$의 크기는?

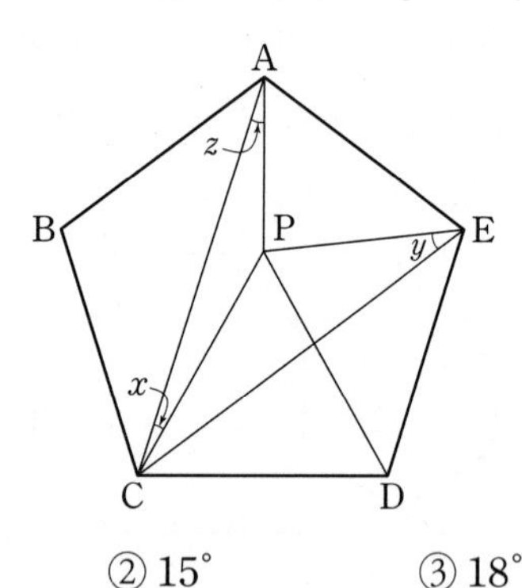

① 12° ② 15° ③ 18°
④ 21° ⑤ 24°

25

세 내각의 크기가 30°, 60°, 90°이고 서로 합동인 삼각형을 내각의 크기가 직각인 꼭짓점과 60°인 꼭짓점이 서로 일치하도록 겹치는 부분 없이 반복하여 붙인다고 할 때, 붙일 수 있는 삼각형은 최대 몇 개인지 구하여라.

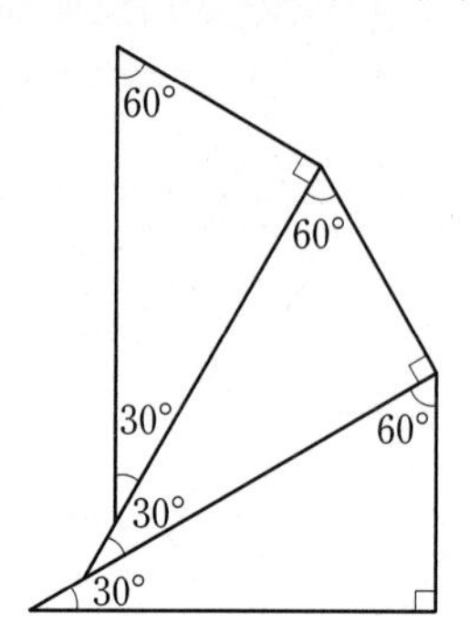

26

그림과 같이 합동인 정오각형 2개를 한 변이 겹치도록 배열하였다. 같은 방법으로 한 변이 겹치도록 배열하여 어떤 원의 둘레를 완벽하게 채웠다. 이때 필요한 정오각형은 모두 몇 개인지 구하여라.

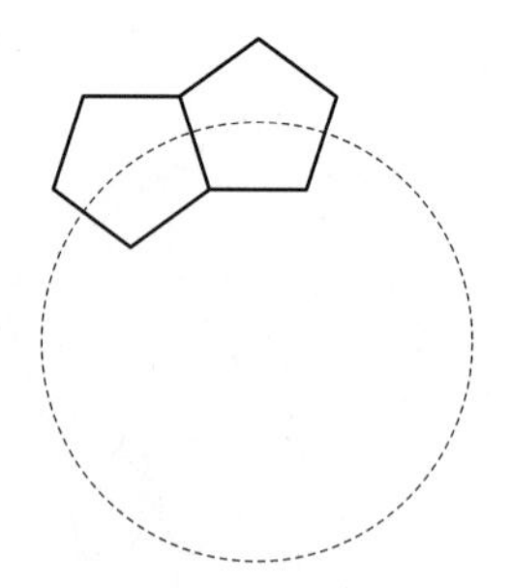

정답과 풀이 24쪽

1 창의력

그림에서 $a+b+c+d+e+f$의 크기는?

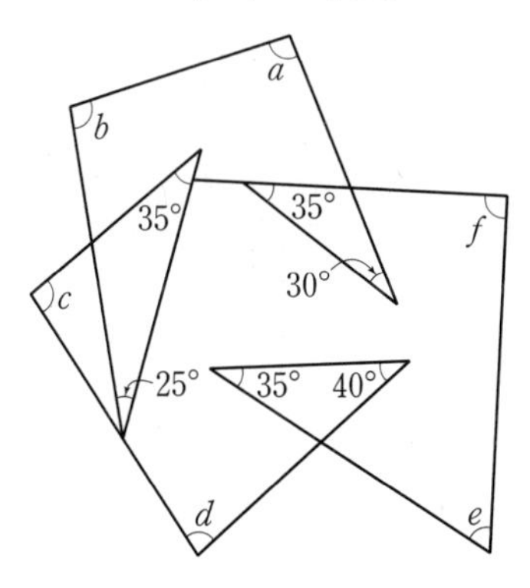

① 200°　② 520°　③ 720°　④ 880°　⑤ 1080°

풀이

2

그림에서 ∠AFB=32°일 때, $a+b+c+d+e$의 크기를 구하여라.

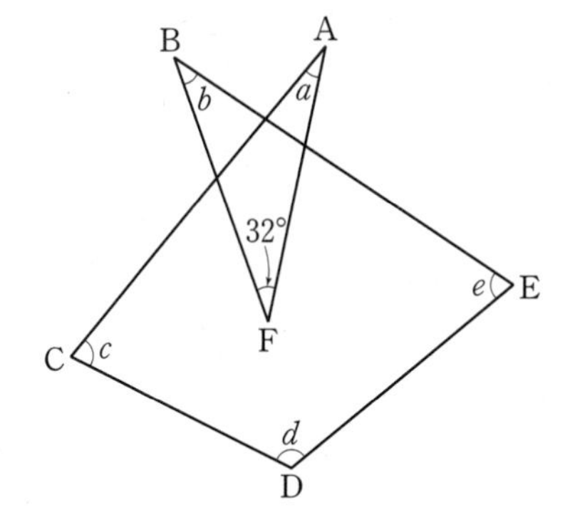

풀이

3

그림과 같이 사각형 ABCD에서 변 CD의 연장선과 변 BA의 연장선이 만나는 점을 E, 변 AD의 연장선과 변 BC의 연장선이 만나는 점을 F라 하자. 또 $\angle BEC$의 이등분선과 $\angle CFD$의 이등분선이 만나는 점을 G라 하자. $\angle BAD+\angle BCD=164°$일 때, $\angle EGF$의 크기를 구하여라.

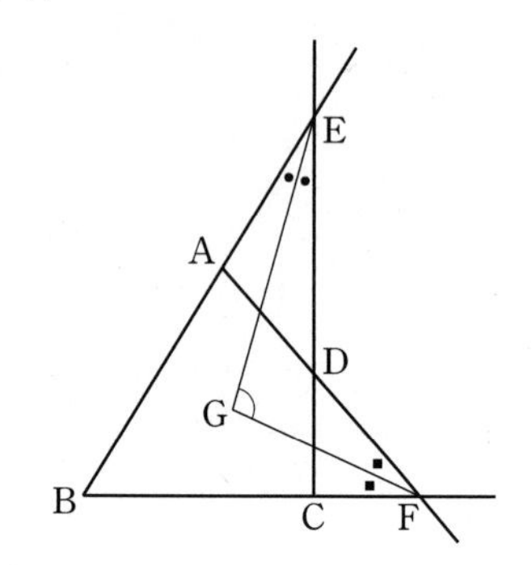

풀이

4 서술형

그림과 같은 $\triangle ABC$가 있다. 변 AC 위에 $\angle DBC=\angle DCB$가 되도록 점 D를 잡고, $\overline{BD}$ 위에 $\angle BEC=2\angle BAC$가 되도록 점 E를 잡는다. $\overline{BE}=3$, $\overline{EC}=8$일 때, 변 AC의 길이를 구하여라.

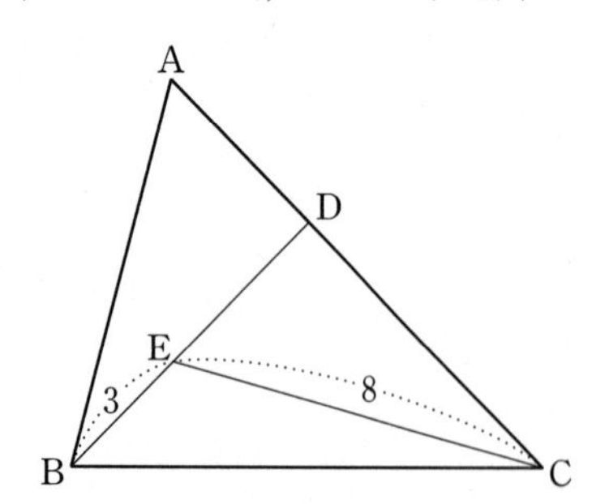

풀이

5 창의+융합

그림과 같은 △ABC가 있다. ∠B의 이등분선이 ∠C의 이등분선과 만나는 점을 E, 변 AC와 만나는 점을 F, ∠ACD의 이등분선과 만나는 점을 G라 하자. 또 ∠C의 이등분선이 변 AB와 만나는 점을 H라 하고, 꼭짓점 B를 지나면서 $\overline{CG}$와 평행한 직선이 $\overline{CE}$의 연장선과 만나는 점을 I라 하자. $\overline{IH}=1$, $\overline{HE}=5$이고, △BHE의 넓이가 15라 할 때, ∠A의 크기를 구하여라.

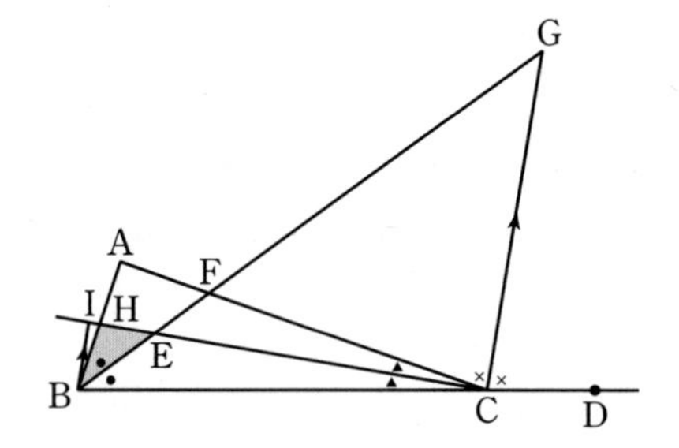

풀이

6 창의력

$\angle BA_0C=14°$인 두 반직선 A_0B, A_0C 위에 다음 규칙에 따라 점 A_1, A_2, A_3, $\cdots$, A_n을 찍는다고 할 때, n의 최댓값을 구하여라.

(가) 먼저 점 A_1을 반직선 A_0B 위에 임의로 찍는다. (단, $A_0 \neq A_1$)
(나) 점 A_{n-1}이 반직선 A_0B 위에 있으면 점 A_n을 반직선 A_0C 위에, 점 A_{n-1}이 반직선 A_0C 위에 있으면 점 A_n을 반직선 A_0B 위에 찍는다. $(n \geq 2)$
(다) $\overline{A_{n-2}A_{n-1}}=\overline{A_{n-1}A_n}$ $(n \geq 2)$

풀이

02 원과 부채꼴

❶ 원

평면 위의 한 점 O에서 일정한 거리에 있는 점들로 이루어진 도형을 **원**이라 한다. 오른쪽 그림에서

호 AB($\widehat{AB}$) : 원 위의 두 점 A, B를 양 끝으로 하는 원의 일부분

현 : 원 위의 두 점을 잇는 선분

부채꼴 : 원 O에서 두 반지름 OA, OB와 호 AB로 이루어진 도형

중심각 : 부채꼴에서 두 반지름이 이루는 각 ⇨ ∠AOB(또는 ∠BOA)

활꼴 : 원 O에서 호 CD와 현 CD로 이루어진 도형

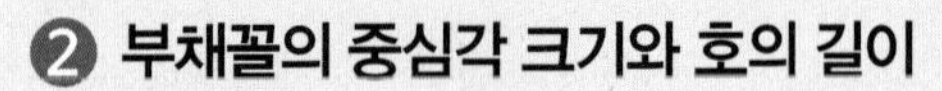

❷ 부채꼴의 중심각 크기와 호의 길이

한 원 또는 합동인 두 원에서

① 중심각 크기가 같은 두 부채꼴의 호의 길이는 같다.

② 호의 길이가 같은 두 부채꼴 중심각의 크기는 같다.

③ 부채꼴의 호의 길이는 중심각 크기에 정비례한다.

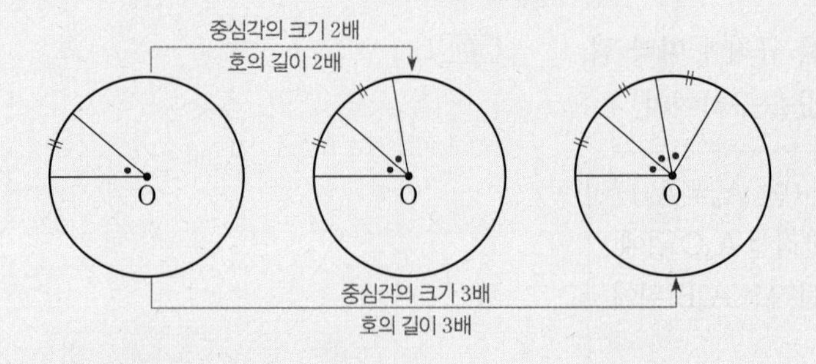

❸ 부채꼴의 중심각 크기와 넓이

한 원 또는 합동인 두 원에서

① 중심각 크기가 같은 두 부채꼴의 넓이는 같다.

② 넓이가 같은 두 부채꼴의 중심각 크기는 같다.

③ 부채꼴의 넓이는 중심각 크기에 정비례한다.

❹ 부채꼴의 중심각 크기와 현의 길이

한 원 또는 합동인 두 원에서

① 중심각 크기가 같은 두 부채꼴의 현의 길이는 같다.

② 현의 길이가 같은 두 부채꼴 중심각의 크기는 같다.

③ 현의 길이는 중심각 크기에 정비례하지 않는다.

참고 오른쪽 그림에서 ∠AOB=∠BOC일 때,
△AOB≡△BOC이므로
$\overline{AB}=\overline{BC}$이고, $\overline{AC}\neq2\overline{AB}$

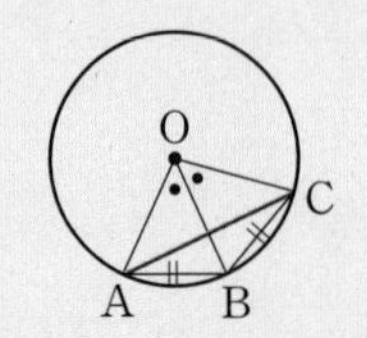

[확인 ❶]

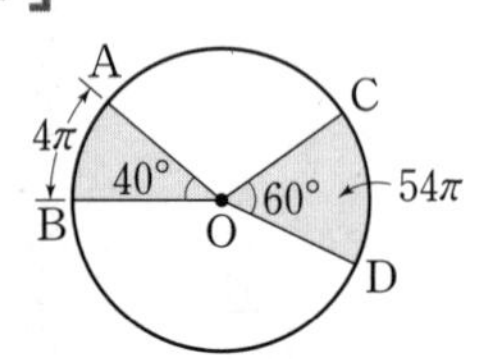

그림에서 $\widehat{AB}=4\pi$이고
(부채꼴 COD의 넓이)$=54\pi$일 때, 다음을 구하여라.

(1) $\widehat{CD}$의 길이

(2) 부채꼴 AOB의 넓이

[확인 ❷]

그림에서 ∠COD=2∠AOB일 때, 다음 중 옳은 것을 골라라.

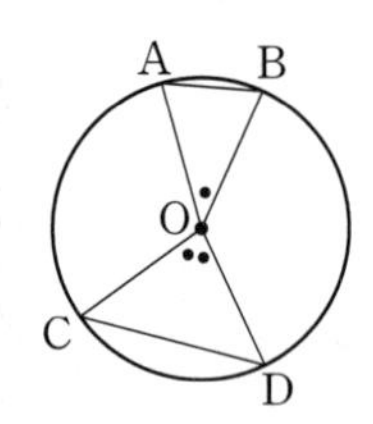

ㄱ. $\widehat{AB}=\frac{1}{2}\widehat{CD}$

ㄴ. $2\overline{AB}=\overline{CD}$

ㄷ. $\overline{OC}=\overline{CD}$

ㄹ. △OCD=2△OAB

❺ 원의 둘레 길이와 반지름 길이

① **원주율** : 원의 지름의 길이에 대한 원의 둘레 길이의 비

즉 (원주율)$=\dfrac{(\text{원의 둘레 길이})}{(\text{원의 지름 길이})}=\pi$

② 반지름 길이가 r인 원의 둘레 길이를 l, 넓이를 S라 하면

$$\boldsymbol{l=2\pi r,\ S=\pi r^2}$$

❻ 부채꼴의 호의 길이와 넓이

반지름 길이가 r, 중심각의 크기가 $a°$인 부채꼴에서 호의 길이를 l, 넓이를 S라 하면

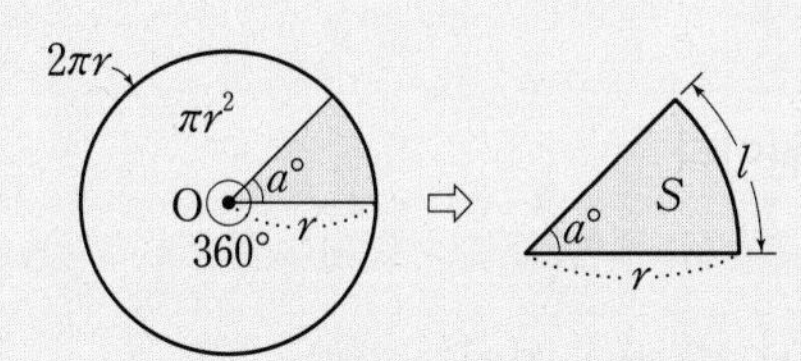

$$\boldsymbol{l=2\pi r\times\frac{a}{360}},$$

$$\boldsymbol{S=\pi r^2\times\frac{a}{360}=\frac{1}{2}rl}$$

개념+

① **색칠한 부분의 둘레 길이 구하기**

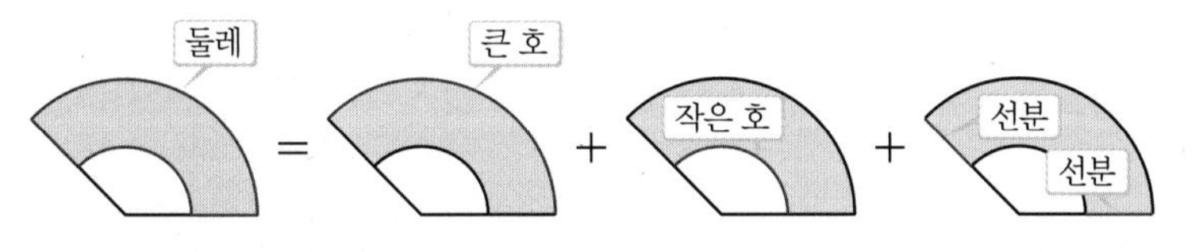

(색칠한 부분의 둘레 길이)

=(큰 호의 길이)+(작은 호의 길이)+(선분의 길이)×2

② **색칠한 부분의 넓이 구하기**

• (전체 넓이)−(색칠하지 않은 부분의 넓이)임을 이용한다.

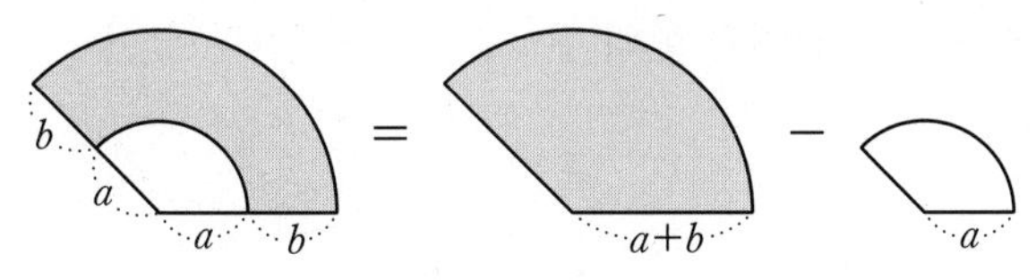

(색칠한 부분의 넓이)=(큰 부채꼴의 넓이)−(작은 부채꼴의 넓이)

• 적당한 부분을 자르고 이동하여 색칠한 부분의 모양을 바꾼다.

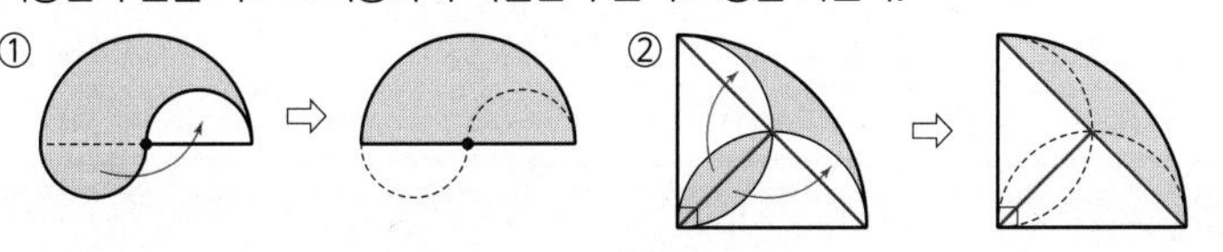

[확인 ❸]

반지름 길이가 4이고 넓이가 10π인 부채꼴의 중심각의 크기를 구하여라.

[확인 ❹]

아래 그림에서 색칠한 부분의 둘레 길이를 구하여라.

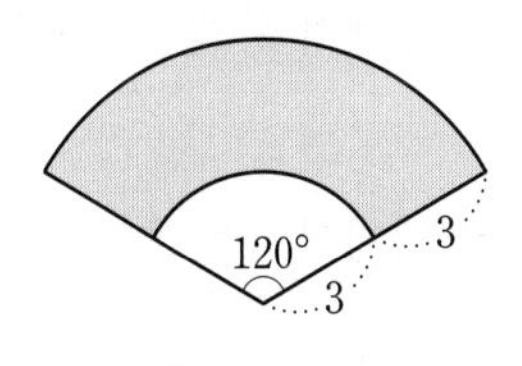

[확인 ❺]

그림에서 색칠한 부분의 넓이를 구하여라.

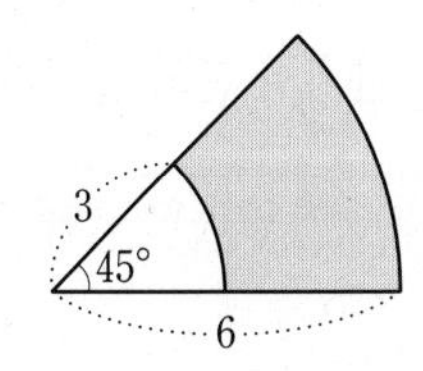

STEP 1 억울하게 울리는 문제 (1)

원과 부채꼴

다음 중 참인 것을 모두 말하여라.

1 ㄱ. 원 위의 두 점을 잡으면 나누어지는 원의 두 부분을 활꼴이라 한다.

ㄴ. 한 원에서 지름보다 긴 현이 존재한다.

ㄷ. 원 위의 두 점을 이은 선분을 현이라 한다.

ㄹ. 중심각의 크기가 $90°$인 부채꼴은 반원이다.

ㅁ. 두 원에서 부채꼴의 중심각 크기가 같으면 현의 길이도 같다.

ㅂ. 한 원에서 현의 길이는 중심각의 크기에 정비례한다.

ㅅ. 한 원에서 부채꼴의 호의 길이와 넓이는 각각 중심각의 크기에 정비례한다.

ㅇ. 한 원에서 부채꼴이면서 활꼴이 되는 경우는 존재하지 않는다.

ㅈ. 한 원에서 같은 크기의 중심각에 대한 호의 길이와 현의 길이는 같지만 부채꼴의 넓이는 같지 않다.

ㅊ. 한 원에서 부채꼴의 중심각 크기가 $60°$일 때, 부채꼴의 반지름 길이와 현의 길이가 같게 된다.

ㅋ. 한 원에서 길이가 가장 긴 현은 원의 중심을 반드시 지난다.

ㅌ. 한 원에서 현의 길이가 2배가 되면 중심각의 크기도 2배가 된다.

상위권의 눈

- 한 원에서 호의 길이와 부채꼴의 넓이는 중심각의 크기에 정비례하지만 현의 길이와 중심각의 크기는 정비례하지 않는다.
- 원과 부채꼴을 설명하는 용어의 뜻을 정확하게 기억한다.

정답과 풀이 26쪽

오려 붙이기(옮기기), 더하고 빼기

다음 물음에 답하여라.

2-1 그림에서 색칠한 부분의 둘레 길이를 $a\pi$, 넓이를 b라 할 때, $a+b$의 값을 구하여라.

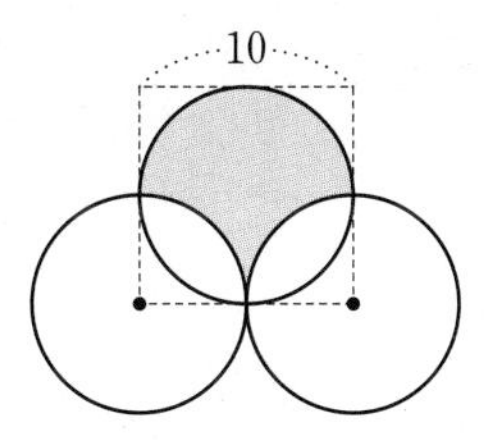

2-2 그림에서 색칠한 부분의 넓이를 구하여라.

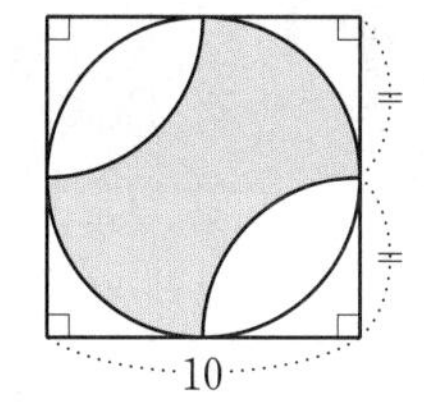

2-3 그림은 대각선 길이가 12인 정사각형 ABCD를 꼭짓점 D를 중심으로 60° 회전한 것이다. 이때 색칠한 부분의 넓이를 구하여라.

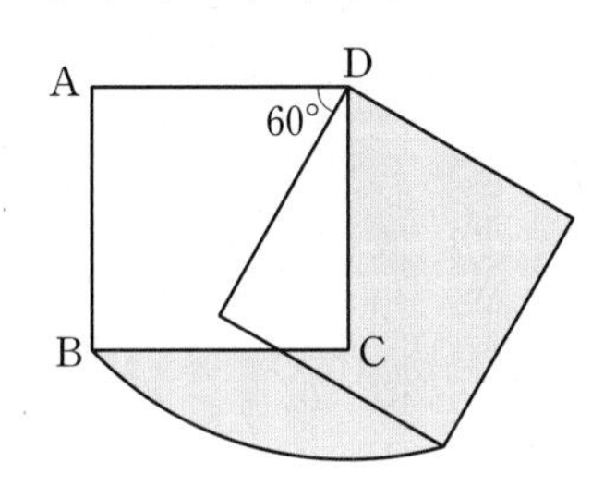

3-1 그림은 가로 길이가 16, 세로 길이가 12인 직사각형 ABCD와 $\overline{AB}$가 지름인 반원을 붙인 것이다. 색칠한 부분의 넓이가 $(a\pi+b)$일 때, $a+b$의 값을 구하여라. (단, $\overset{\frown}{AM}=\overset{\frown}{BM}$이다.)

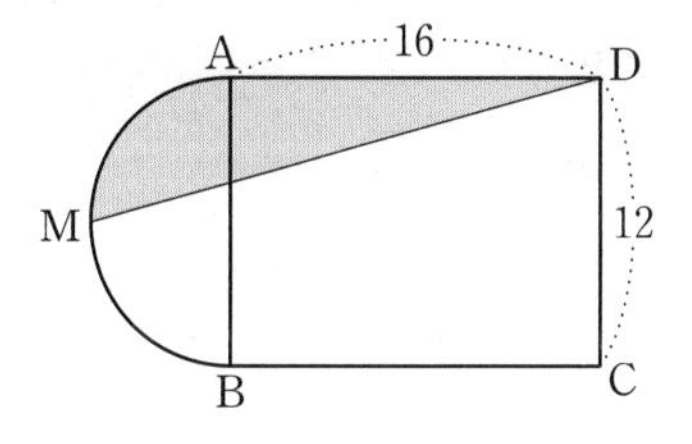

3-2 그림처럼 직각삼각형 ABC의 세 변을 각각 지름으로 하는 반원을 그렸다. 이때 색칠한 부분의 넓이를 구하여라.

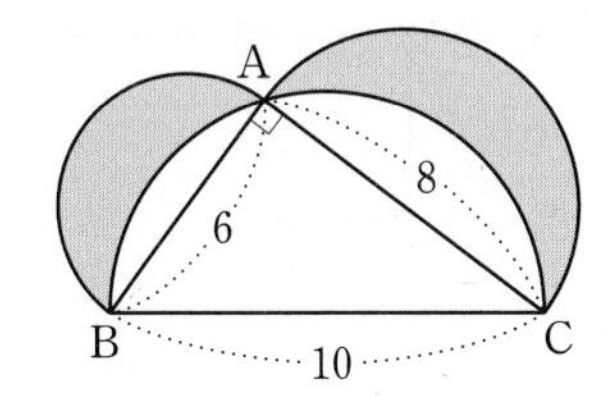

3-3 그림은 반지름 길이가 6인 반원 ACB와 이 반원을 점 A를 중심으로 시계방향으로 30° 회전한 반원 AED를 나타낸 것이다. 색칠한 부분의 넓이가 $a\pi$일 때, a값을 구하여라.

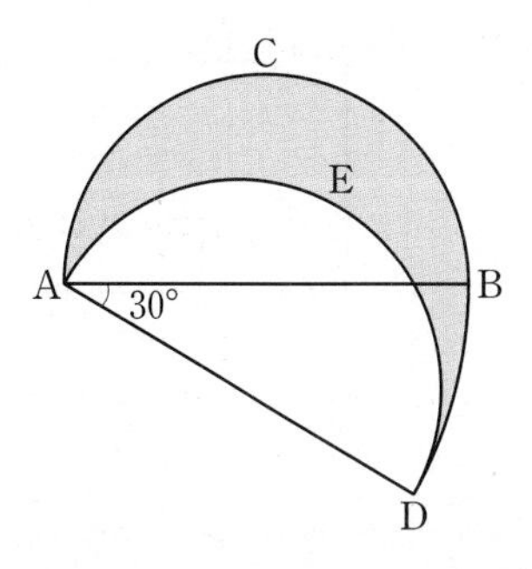

상위권의 눈

- 복잡해 보이는 도형에서는 어느 부분을 오려서 다른 부분에 붙이는 방식으로 편한 모양으로 맞추어서 넓이를 구한다.
- 전체 넓이에서 어느 부분을 빼서 넓이를 구해야 할 때, 뺄 부분의 넓이를 구할 수 있는 경우에서 생각한다.

정답과 풀이 27쪽

원을 움직이는 경우

다음 물음에 답하여라.

4-1 그림은 $\overline{AB}=8$, $\overline{BC}=10$, $\overline{CA}=6$인 직각삼각형과 $\overline{BC}$를 지름으로 하는 반원과 반지름 길이가 2인 원을 나타낸 것이다. 이 원이 도형 ABDC의 둘레 위를 한 바퀴 돌 때, 가장 바깥에 그려지는 도형의 둘레 길이는 $a\pi+b$이다. $a+b$의 값을 구하여라.

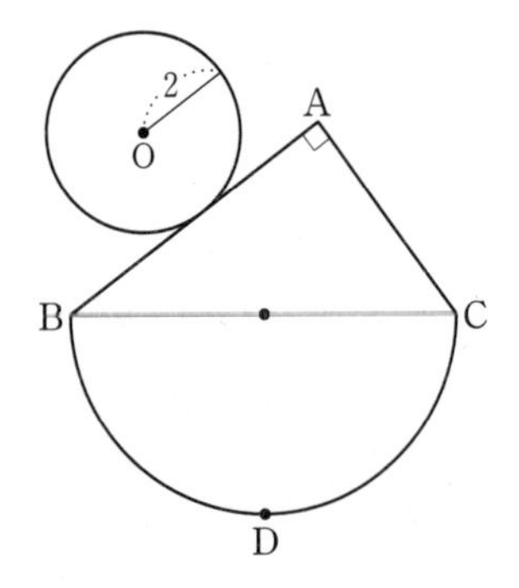

4-2 그림은 $\overline{AB}=8$, $\overline{BC}=10$, $\overline{CA}=6$인 직각삼각형과 $\overline{BC}$를 지름으로 하는 반원과 반지름 길이가 2인 원을 나타낸 것이다. 이 원이 도형 ABDC의 둘레 위를 한 바퀴 돌 때, 원이 그리는 영역의 넓이는 $a\pi+b$이다. $a+b$의 값을 구하여라.

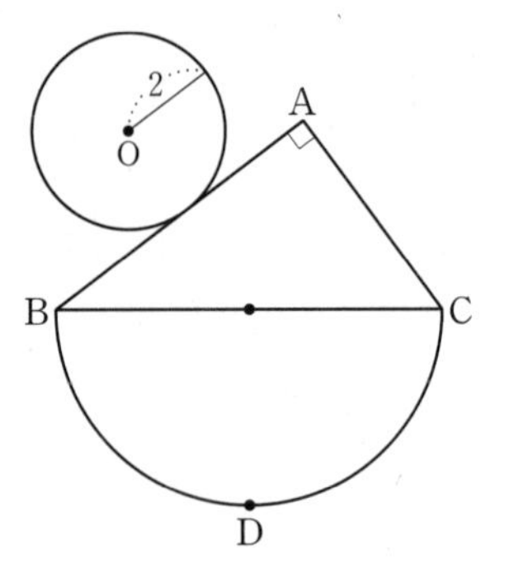

5-1 가로 길이가 20, 세로 길이가 10인 직사각형 ABCD가 있다. 그림과 같이 반지름 길이가 1인 원이 직사각형의 변을 따라 한 바퀴 돌 때, 원의 중심 P가 움직인 거리는 $a\pi+b$이다. $a+b$의 값을 구하여라.

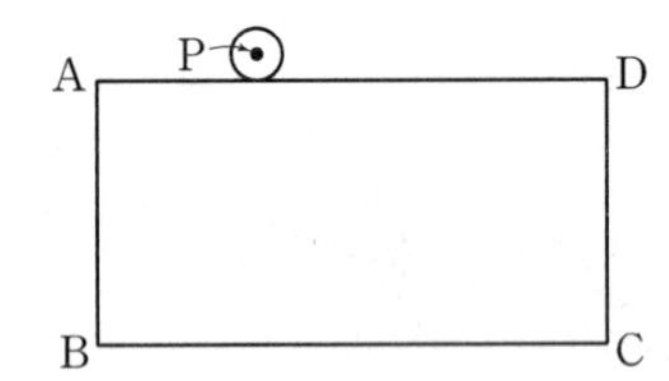

5-2 가로 길이가 20, 세로 길이가 10인 직사각형 ABCD가 있다. 그림과 같이 반지름 길이가 0.5인 원이 직사각형의 변을 따라 안쪽에서 한 바퀴 돌 때, 원의 중심 Q가 움직인 거리를 구하여라.

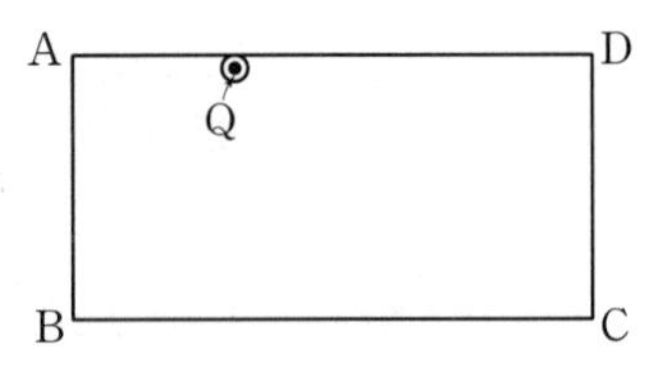

상위권의 눈

- 원의 중심이 이동하는 모양을 그려서 그 모양이 직선인지, 부채꼴의 호인지 파악한다.
- 원의 중심이 이동하면서 부채꼴의 궤적을 만들어내는 경우, 그 부채꼴의 반지름과 중심각을 정확히 파악한다.
- 원의 중심의 이동거리를 구하는 문제인지, 원이 지나간 영역의 넓이를 구하는 문제인지 정확히 확인하고 푼다.

STEP 2 반드시 등수 올리는 문제

정답과 풀이 28쪽

중심각의 크기와 호, 현, 넓이 사이의 관계

01

그림에서 $\overline{AD} /\!/ \overline{BC}$이고, $\overline{AD}$, $\overline{CE}$는 중심이 O인 원의 지름이다. $\angle ADE=15^\circ$이고 $\overset{\frown}{AE}=\pi$일 때, 다음 중 옳은 것을 모두 고른 것은?

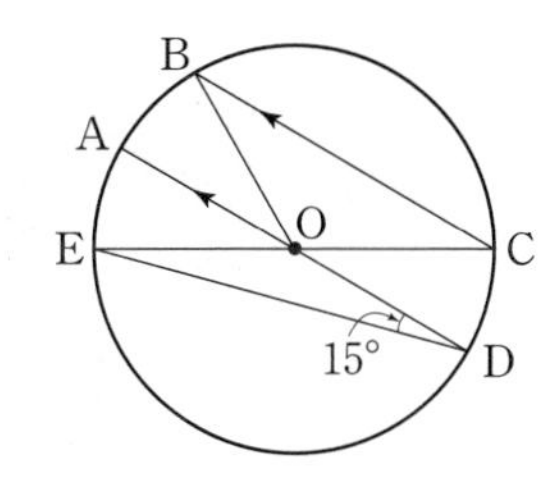

보기

ㄱ. $\overset{\frown}{AB}=\overset{\frown}{CD}$　　ㄴ. $\overline{BC}=2\overline{BE}$

ㄷ. $\overset{\frown}{BC}=4\pi$　　ㄹ. $\overline{AD}=12$

ㅁ. $\overline{BE} /\!/ \overline{CD}$

① ㄱ, ㄷ　② ㄱ, ㅁ　③ ㄱ, ㄷ, ㄹ
④ ㄱ, ㄷ, ㅁ　⑤ ㄱ, ㄷ, ㄹ, ㅁ

02

$\overline{AB}$는 중심이 O인 원의 지름이고 이 원 위의 점 C에 대해 $\overline{CO}=\overline{CD}$가 되도록 $\overline{BC}$의 연장선 위에 점 D를 잡았다. 점 E는 $\overline{OD}$와 원의 교점이고, $\angle BOC=80^\circ$, $\overset{\frown}{CE}=3\pi$일 때, $\overset{\frown}{AE}$의 길이를 구하여라.

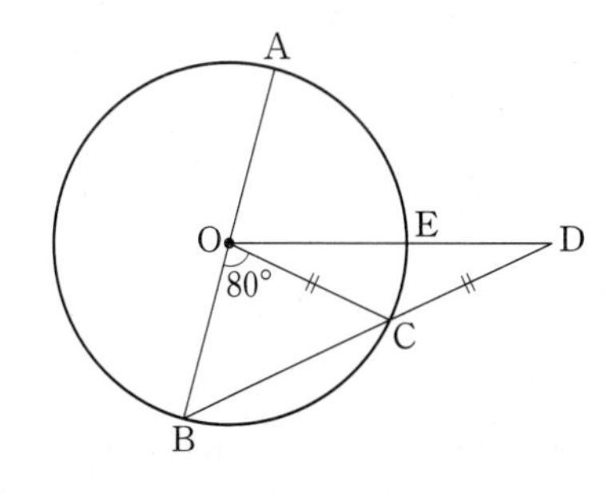

03

그림과 같은 중심이 O인 원에서 $\overline{AD} /\!/ \overline{OC}$, $\overset{\frown}{BD}=8$, $\angle BOC=30^\circ$일 때, $\overset{\frown}{AD}$의 길이를 구하여라.

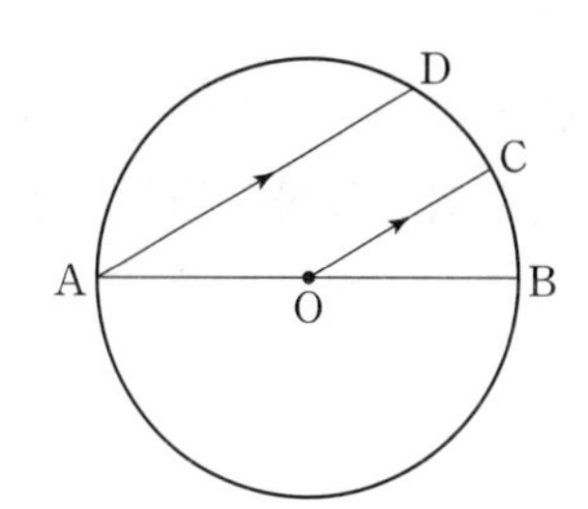

04

그림과 같은 중심이 O인 원에서 점 A, B는 원 위의 점이고 $\overline{PA}=\overline{OA}$, $\angle BOD=90^\circ$, $\overset{\frown}{AB}=3\pi$일 때, 이 원의 반지름 길이를 구하여라.

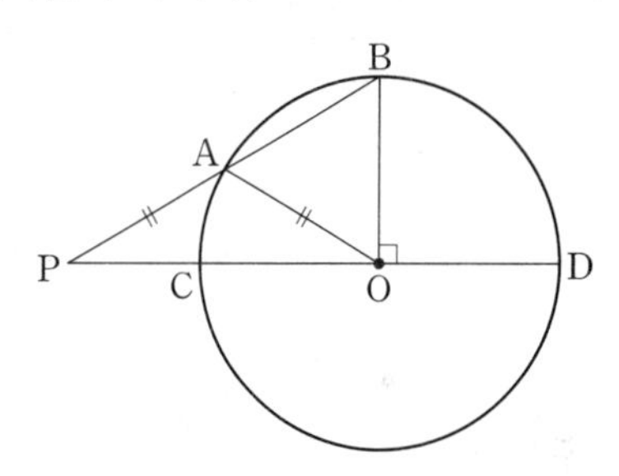

05

그림에서 $\overline{AB}$는 원의 지름이고 $7\overset{\frown}{AC}=2\overset{\frown}{BC}$일 때, x의 크기는?

① 20°　② 22°
③ 24°　④ 26°
⑤ 28°

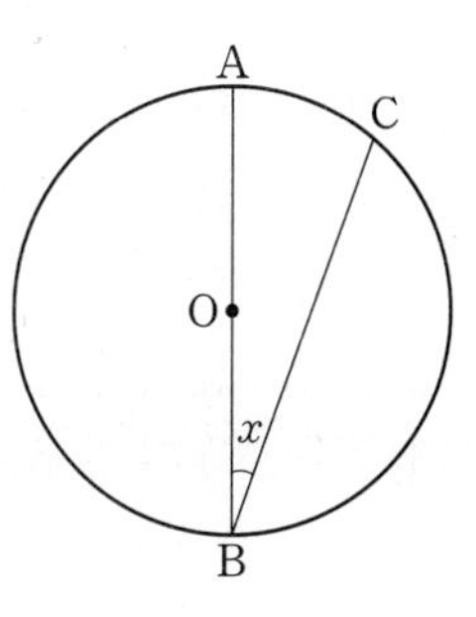

06

그림과 같이 $\overline{AB}$, $\overline{CD}$를 지름으로 하는 원이 있다. $\widehat{BE}:\widehat{CE}=3:4$이고 $\angle BAE=15°$일 때, x의 크기를 구하여라.

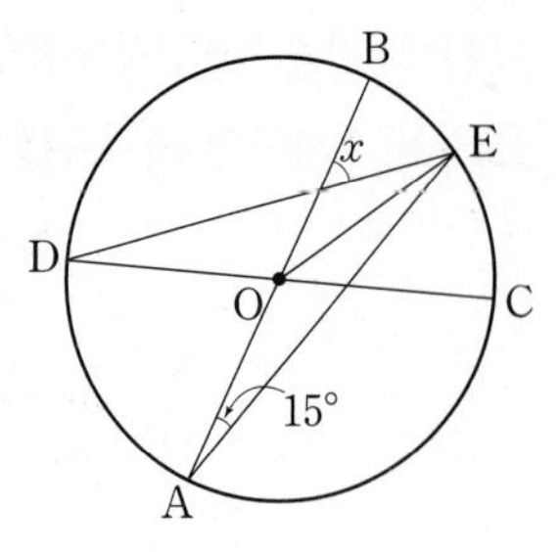

원의 둘레의 길이와 넓이

07

그림의 합동인 세 원에서 한 원은 다른 두 원의 중심을 지난다. 색칠한 부분의 둘레 길이가 4π일 때, 한 원의 넓이를 구하여라.

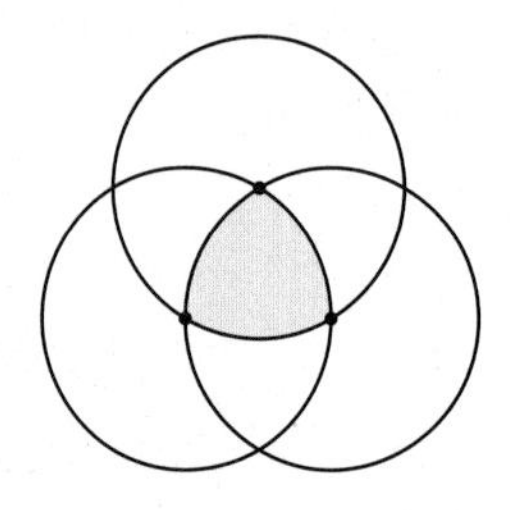

08

한 변의 길이가 20인 정사각형 안에 지름 길이가 20이고, 중심이 O인 원이 있다. 또 사등분된 정사각형 안에 지름 길이가 10이고, 중심이 O′인 원이 있다. 그림에서 색칠한 영역의 넓이를 각각 T, S라 할 때, $T-S$의 값을 구하여라.

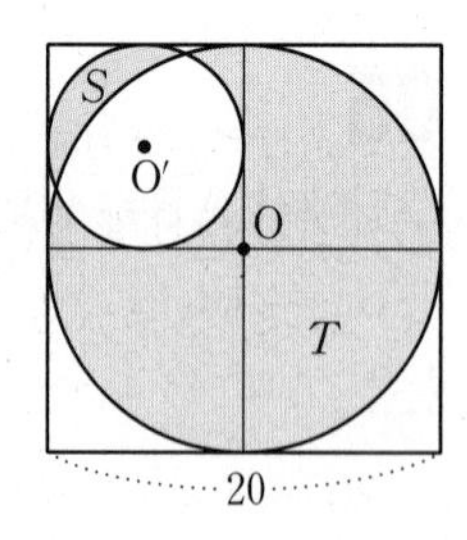

09

그림은 반지름 길이가 모두 3으로 같고 중심이 각각 A, B, E인 세 원에서 두 원이 만나는 점이 C, D임을 나타낸 것이다. 사각형 ABCD의 넓이가 S일 때, 보기에서 옳은 것을 모두 고른 것은?

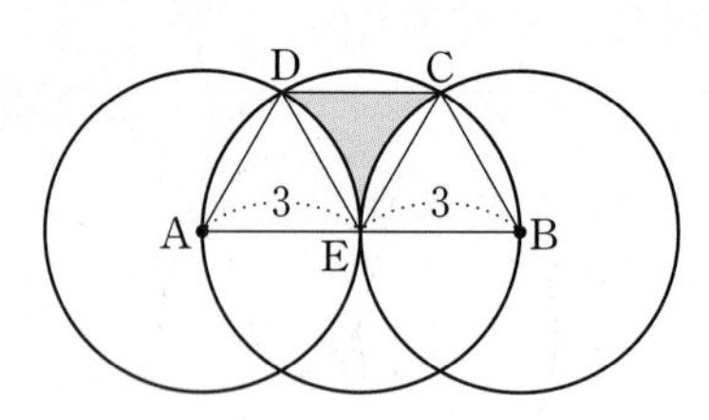

보기

ㄱ. △DEC는 정삼각형이다.

ㄴ. 색칠한 부분의 넓이는 $S-3\pi$이다.

ㄷ. $\overline{CD}\,/\!/\,\overline{AB}$

ㄹ. 점 D에서 변 AB에 내린 수선의 발까지의 거리는 $\frac{2}{9}S$이다.

① ㄱ, ㄴ ② ㄱ, ㄷ ③ ㄷ, ㄹ
④ ㄱ, ㄷ, ㄹ ⑤ ㄱ, ㄴ, ㄷ, ㄹ

10

그림은 반지름 길이가 4 cm인 음료수 캔 네 개를 묶은 것을 위에서 본 모양이다. 색칠한 부분의 넓이는?

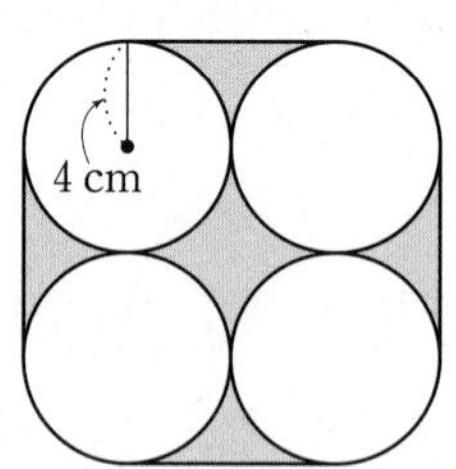

① $(140-36\pi)$ cm^2 ② $(192-36\pi)$ cm^2
③ $(140-48\pi)$ cm^2 ④ $(192-48\pi)$ cm^2
⑤ $(140-64\pi)$ cm^2

부채꼴의 호의 길이와 넓이

11

중심이 O인 원에서 $\widehat{BC} : \widehat{AB} : \widehat{AC} = 7 : 8 : 9$일 때, 다음을 구하여라.

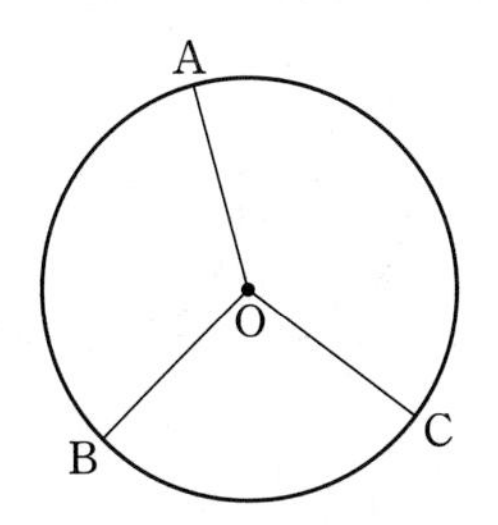

(1) $\angle AOB$의 크기

(2) 이 원의 지름 길이가 8일 때, 부채꼴 AOC의 넓이

12

그림과 같이 한 변의 길이가 6인 정사각형에서 색칠한 부분의 넓이는?

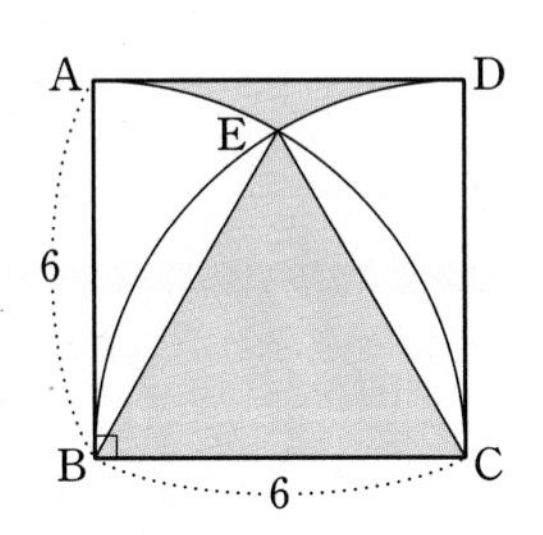

① $36-2\pi$ ② $36-3\pi$ ③ $36-4\pi$
④ $36-5\pi$ ⑤ $36-6\pi$

13

그림과 같이 원의 지름 PQ의 연장선과 현 AB의 연장선의 교점이 C이고, $\overline{BC}=\overline{OB}$, $\angle AOP=45°$이다. 부채꼴 AOP의 넓이가 3π일 때, 부채꼴 AOB의 넓이를 구하여라.

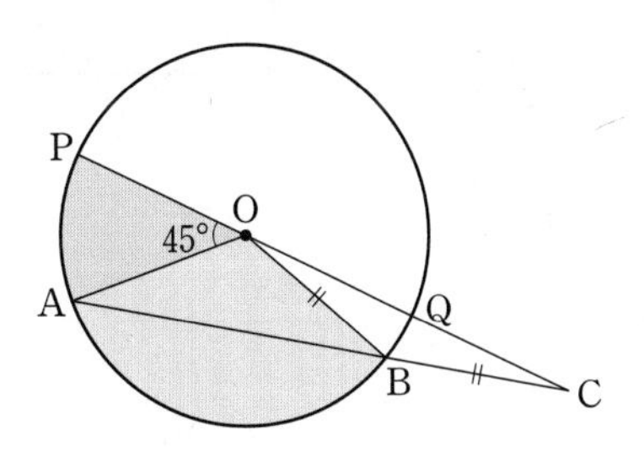

14

반지름 길이가 각각 3, 2인 두 반원을 나타낸 그림에서 색칠한 두 부분의 넓이가 같을 때, 부채꼴 AOB의 넓이를 구하여라.

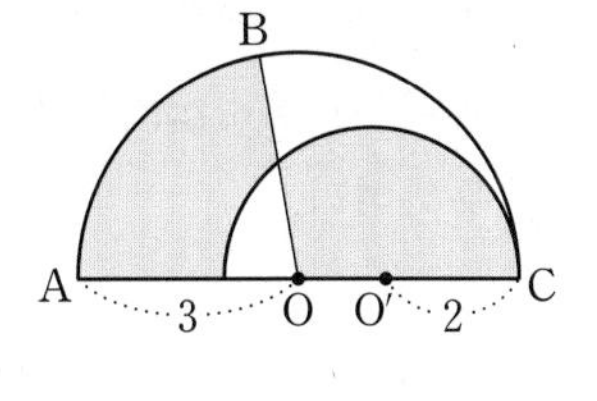

15

그림과 같이 한 변의 길이가 8인 정사각형에서 색칠한 부분의 둘레 길이를 구하여라.

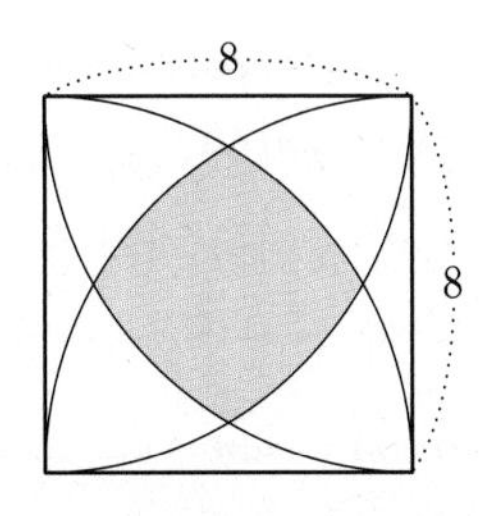

16

그림에서 점 O는 반원의 중심이고 $\overline{AB}=6$, $\overline{AE}=9$일 때, 색칠한 부분의 넓이는?

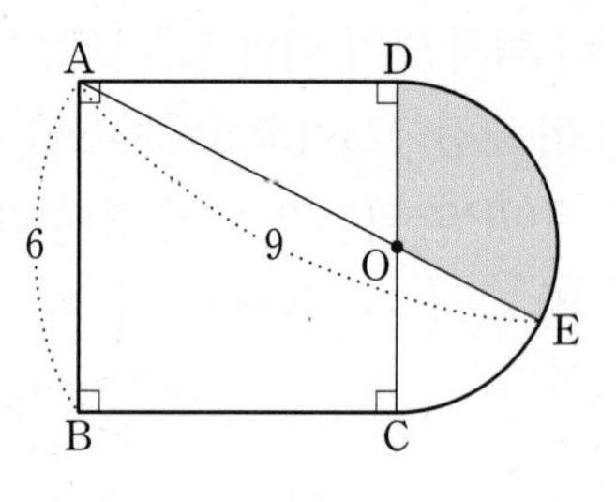

① 3π ② $\frac{10}{3}\pi$ ③ $\frac{11}{3}\pi$ ④ 4π ⑤ $\frac{13}{3}\pi$

17

그림에서 지름 길이가 8인 반원의 넓이는 부채꼴 ABC 넓이의 2배이다. 색칠한 부분의 둘레 길이가 $8+a\pi$일 때, a값을 구하여라.

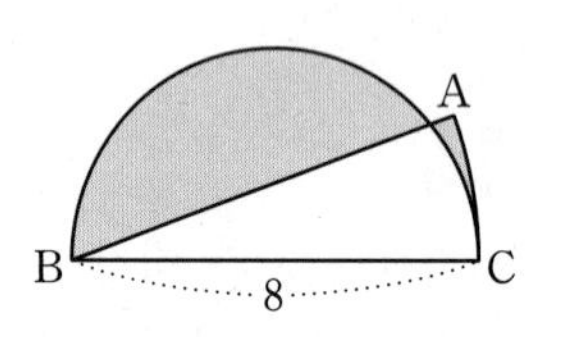

18

그림은 한 변의 길이가 10인 정사각형과 두 꼭짓점 A, C를 중심으로 반지름 길이가 8인 부채꼴을 그린 것이다. 색칠한 세 부분의 넓이를 각각 S_1, S_2, S_3라 할 때, $S_1+S_3-S_2$의 값은?

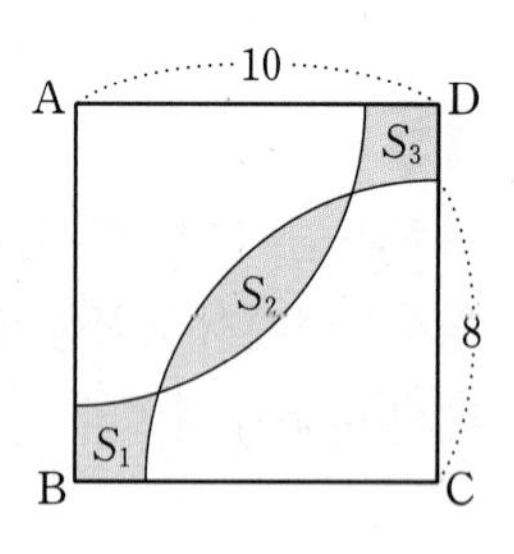

① $64-32\pi$ ② $64+32\pi$ ③ $100-16\pi$ ④ $100-32\pi$ ⑤ $100+32\pi$

19

그림처럼 중심이 O이고, 지름 길이가 12인 반원에 지름 길이가 각각 4, 8인 두 반원이 접한다. $\angle A=90^\circ$이고 $\overline{AB}=\overline{AC}$일 때, 색칠한 부분의 넓이는?

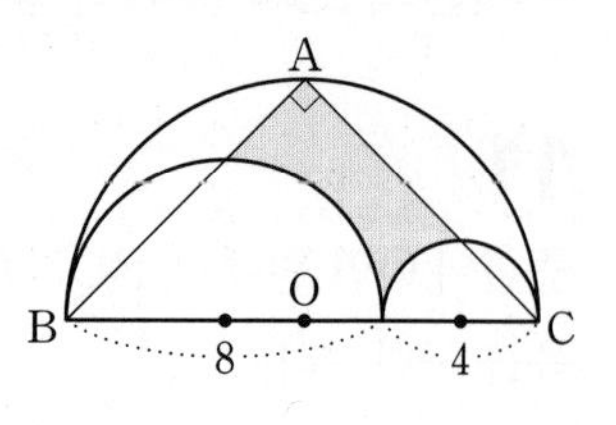

① $26-5\pi$ ② $26-4\pi$ ③ $36-5\pi$ ④ $36-4\pi$ ⑤ $26-10\pi$

20

그림에서 □ABCD 안에 있는 각 사각형은 모두 정사각형이고, 각 정사각형 안에는 그 정사각형의 한 변이 반지름인 부채꼴이 있다. 가장 작은 정사각형 한 변의 길이가 1일 때, 색칠한 부분의 넓이를 구하여라.

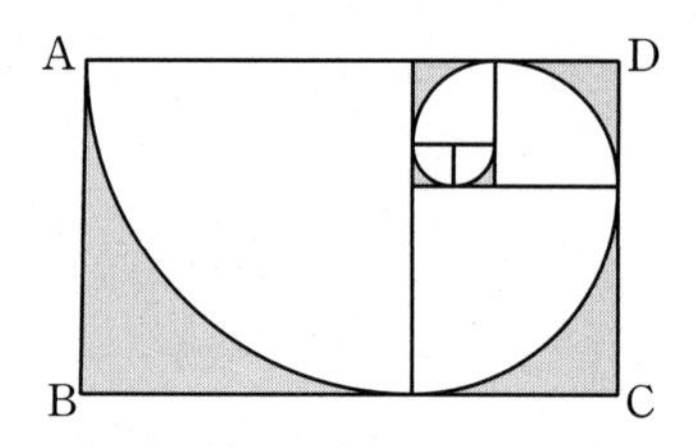

활용

21

둘레 길이가 80 cm인 원 모양 시계가 있다. 그림과 같이 시계가 10시 12분 정각을 가리킬 때, 시침과 분침 사이의 호의 길이가 x cm이다. x값을 구하여라.

22

그림은 같은 크기의 원기둥 모양의 음료수 캔 6개를 위에서 본 모양이다. 캔을 묶는데 사용한 끈에서 매듭을 제외한 최소한의 끈 길이가 $(a\pi+b)$ cm라 할 때, a와 b 사이의 관계는?

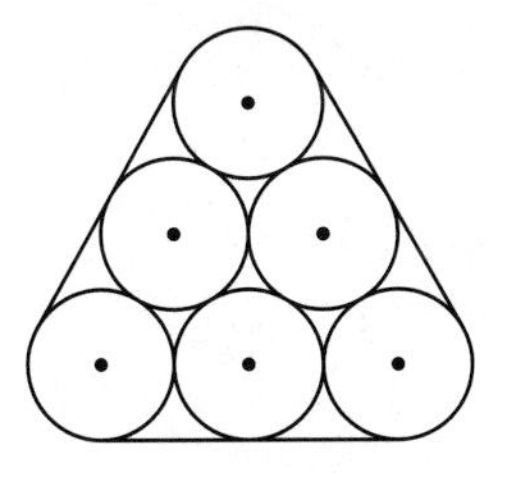

① $b=\frac{a}{6}$ ② $b=6a$ ③ $b=12a$
④ $b=\frac{a}{12}$ ⑤ $b=\frac{a^2}{36}$

23

그림은 반지름 길이가 2인 원과 $\overline{AB}=3$, $\overline{BC}=4$, $\overline{CD}=3$, $\overline{DE}=3$, $\overline{AE}=4$인 오각형을 나타낸 것이다. 원이 오각형의 변 위를 한 바퀴 돌 때, 원의 중심 O가 움직인 거리는?

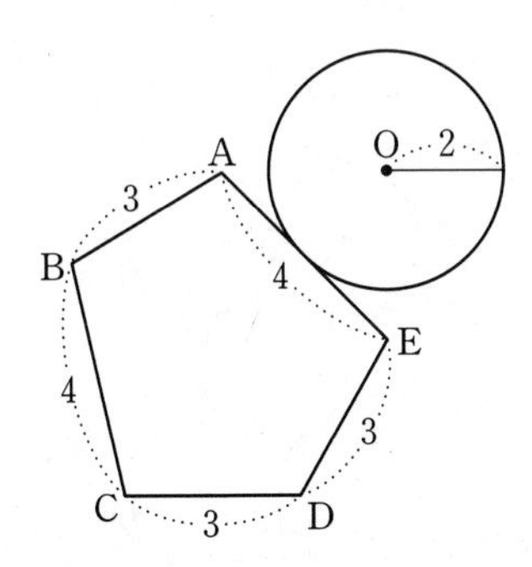

① $17+4\pi$ ② $17+6\pi$ ③ $17+8\pi$
④ $17+10\pi$ ⑤ $17+12\pi$

24

그림과 같이 반지름 길이가 2인 원이 한 변의 길이가 5인 정팔각형의 변에 접하면서 바깥쪽에서 돈다. 이 원이 정팔각형 둘레를 한 바퀴 돌아 다시 제자리에 도착했을 때, 원의 중심이 이동한 거리는?

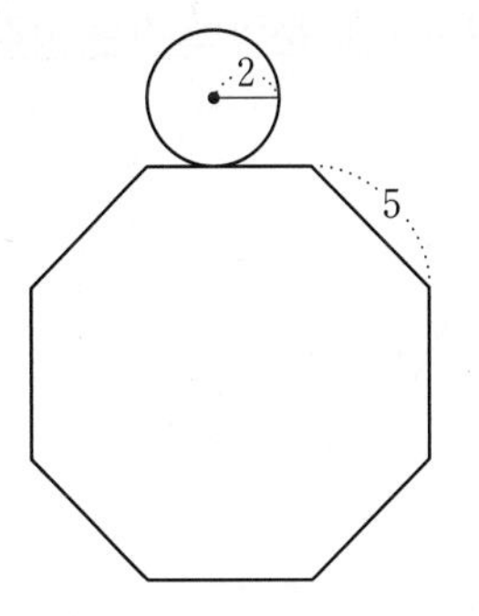

① $40+\pi$ ② $40+2\pi$ ③ $40+4\pi$
④ $48+\pi$ ⑤ $48+2\pi$

25

그림과 같이 반지름 길이가 10이고 중심각 크기가 60°인 부채꼴을 따라 반지름 길이가 2인 원을 한 바퀴 돌렸을 때, 원이 지나간 자리의 넓이는?

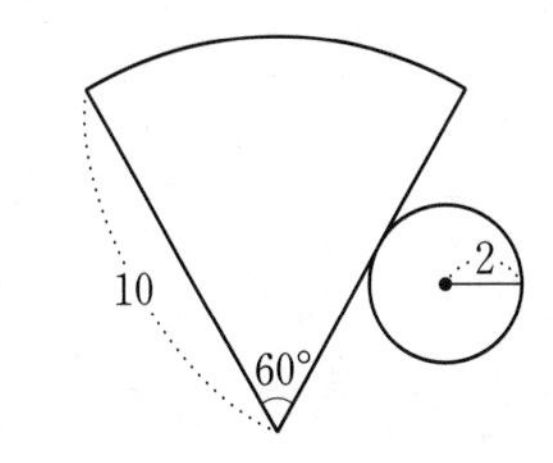

① $\frac{38}{2}\pi+40$ ② $\frac{53}{2}\pi+80$ ③ $\frac{50}{3}\pi+40$
④ $\frac{58}{3}\pi+40$ ⑤ $\frac{88}{3}\pi+80$

26

그림과 같이 한 변의 길이가 3 m인 정육각형 모양의 울타리가 있다. 울타리 내부의 중앙에 말뚝을 박아 7 m인 줄에 염소를 묶어 놓았다. 울타리에 염소가 다닐 수 있는 문을 만들어 놓았을 때, 염소가 울타리 밖에서 움직일 수 있는 부분의 넓이는? (단, 문의 크기는 생각하지 않는다.)

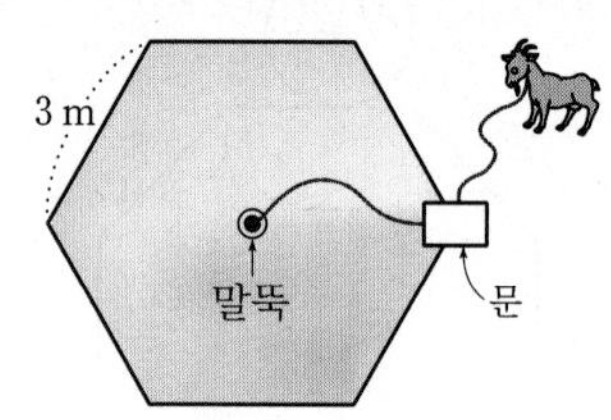

① 10π m^2 ② 11π m^2 ③ 12π m^2
④ 13π m^2 ⑤ 14π m^2

27

반지름 길이가 1인 원을 그림과 같은 도형 둘레를 따라 한 바퀴 돌렸을 때, 이 원이 지나간 자리의 넓이는?

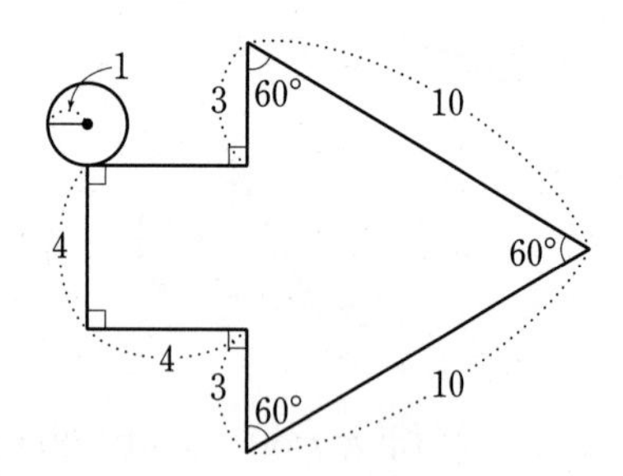

① $68+\frac{3}{2}\pi$ ② $68+3\pi$ ③ $66+\frac{13}{2}\pi$
④ $76+\frac{3}{2}\pi$ ⑤ $76+3\pi$

28

한 변의 길이가 4인 두 정사각형에 대하여 그림과 같이 정사각형 EFGH의 꼭짓점 E가 정사각형 ABCD의 두 대각선의 교점일 때, 색칠한 부분의 넓이는?

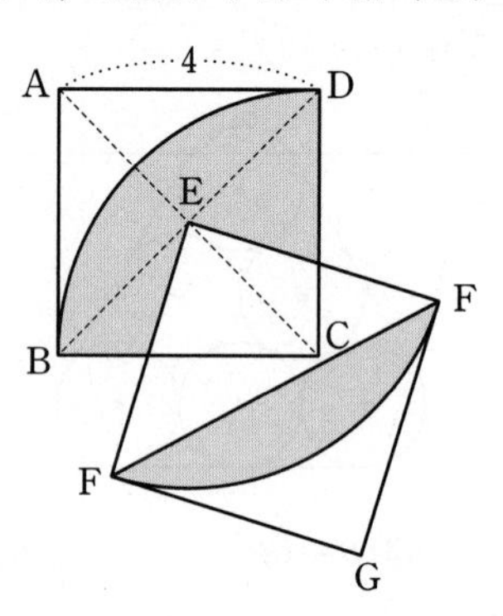

① $4\pi-12$ ② $4\pi-8$ ③ $8\pi-12$
④ $8\pi-8$ ⑤ $12\pi-8$

29

그림과 같이 반지름 길이가 4인 작은 원 7개와 큰 원 1개가 서로 접해 있을 때, 색칠한 부분의 넓이는 $\frac{n}{m}\pi$이다. m, n이 서로소인 자연수일 때, $m+n$의 값을 구하여라.

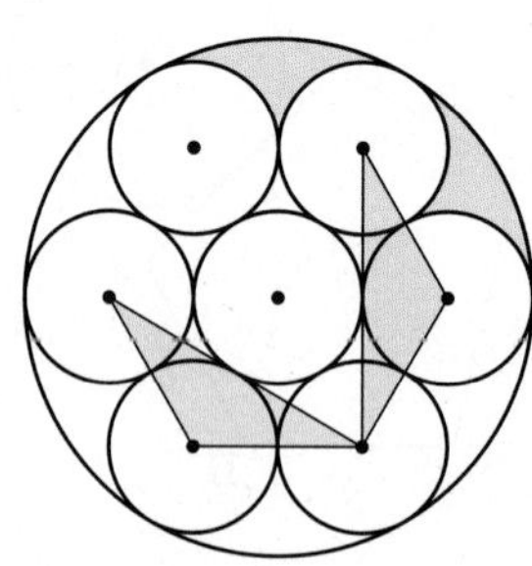

30

그림과 같이 한 변의 길이가 5인 정오각형의 한 변 위에 한 변의 길이가 5인 정삼각형이 있다. 정오각형의 변을 따라 이 정삼각형이 내부를 한 바퀴 돌아 다시 제자리에 왔을 때, 점 A가 이동한 거리를 구하여라.

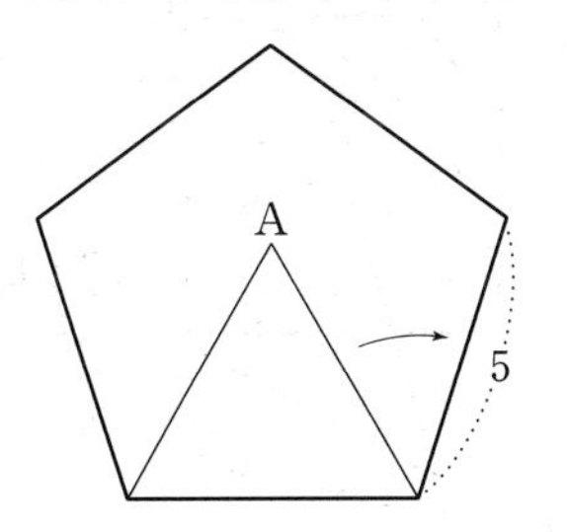

31

그림과 같이 중심이 같고 반지름 길이가 1 cm, 2 cm, 3 cm, 4 cm인 원 4개를 그린 다음 팔등분하였다. 색칠한 부분에 색종이를 붙여 다트 판을 꾸미려고 할 때, 필요한 색종이 넓이는?

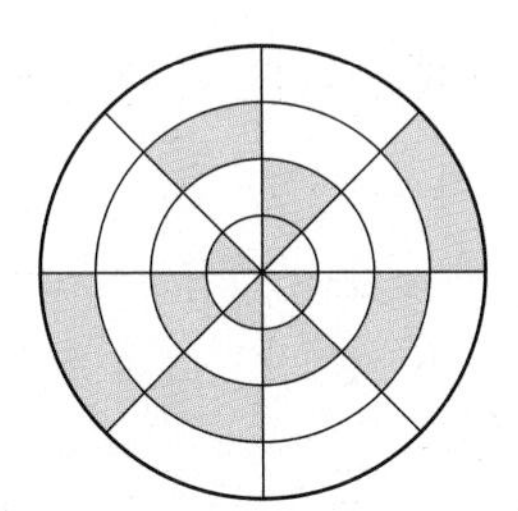

① $\frac{21}{8}\pi\ \text{cm}^2$ ② $\frac{21}{4}\pi\ \text{cm}^2$ ③ $\frac{21}{2}\pi\ \text{cm}^2$
④ $\frac{41}{8}\pi\ \text{cm}^2$ ⑤ $\frac{41}{4}\pi\ \text{cm}^2$

32

그림은 $\overline{AB}=6$, $\overline{AC}=9$인 $\triangle ABC$를 꼭짓점 A를 중심으로 120° 회전하여 $\triangle AB'C'$으로 움직인 것을 나타내고 있다. 이때 색칠한 부분의 넓이를 구하여라.

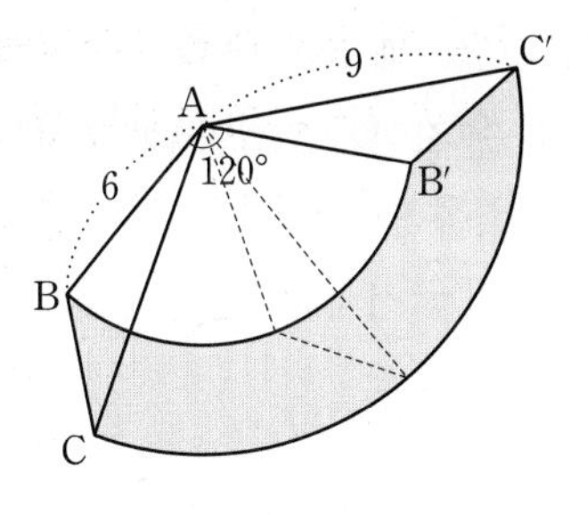

33

잔잔한 호수에 돌멩이를 하나 던지고 나서 4초 후에 18 m 떨어진 곳에 돌멩이 하나를 또 던졌다. 돌멩이를 던졌을 때 생긴 물결은 1초에 3 m씩 일정한 속도로 원을 그리며 퍼져 나아간다. 두 번째 돌멩이를 던진 후 두 물결이 처음 만나는 순간 두 원의 넓이 차는?

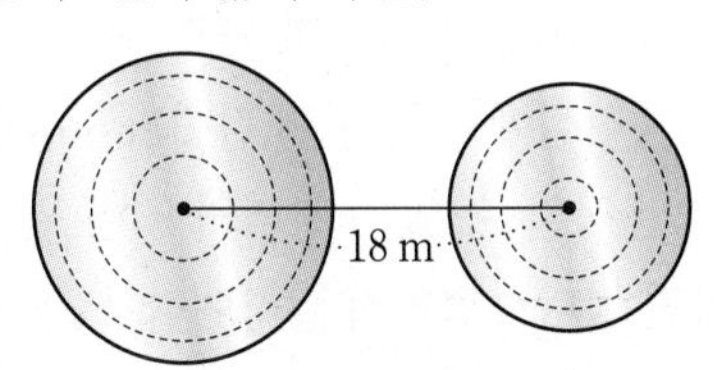

① $176\pi\ \text{m}^2$ ② $189\pi\ \text{m}^2$ ③ $200\pi\ \text{m}^2$
④ $204\pi\ \text{m}^2$ ⑤ $216\pi\ \text{m}^2$

STEP 3 전교 1등 확실하게 굳히는 문제

1

그림은 한 변의 길이가 2 m인 정육각형 모양의 울타리를 간단하게 나타낸 것이다. 이 울타리의 한 변 AB 위에서만 자유롭게 움직일 수 있는 고리에 끈을 매달아 송아지를 묶어 놓았다. 끈 길이가 5 m일 때, 송아지가 울타리 밖에서 움직일 수 있는 영역의 최대 넓이는? (단, 끈의 매듭의 길이, 고리의 굵기와 크기, 송아지의 크기는 고려하지 않는다.)

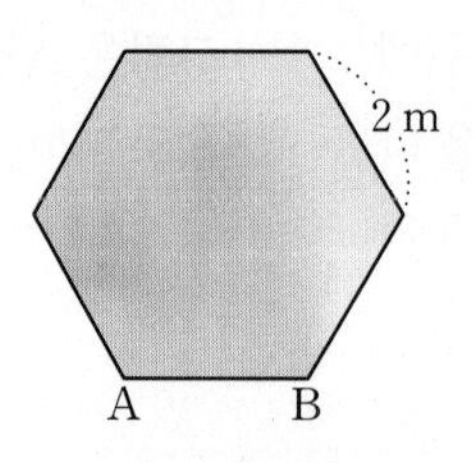

① $\left(10+\frac{125}{6}\pi\right)$ m^2
② $\frac{145}{6}\pi$ m^2
③ $\left(10+\frac{145}{6}\pi\right)$ m^2
④ 45π m^2
⑤ $\left(10+\frac{125}{3}\pi\right)$ m^2

풀이

2

한 변의 길이가 3 m인 정다각형 가축 우리가 있다. 이 정다각형 가축 우리의 한 꼭짓점에 매듭을 뺀 길이가 6 m인 줄로 송아지를 묶었다. 송아지가 움직일 수 있는 영역의 최대 넓이가 27π m^{2}일 때, 가축 우리는 어떤 정다각형인지 말하여라. (단, 묶여 있는 송아지가 움직일 때, 어느 쪽도 겹치는 영역은 없다.)

풀이

3

그림과 같이 반지름 길이가 10인 원에서 중심각 크기가 90°인 부채꼴 2개를 잘라내어 색칠한 부분이 남았다. 색칠한 도형의 둘레를 따라 반지름 길이가 2인 원이 한 바퀴 돌고 제자리로 왔을 때, 이 원이 지나간 부분의 넓이를 구하여라.

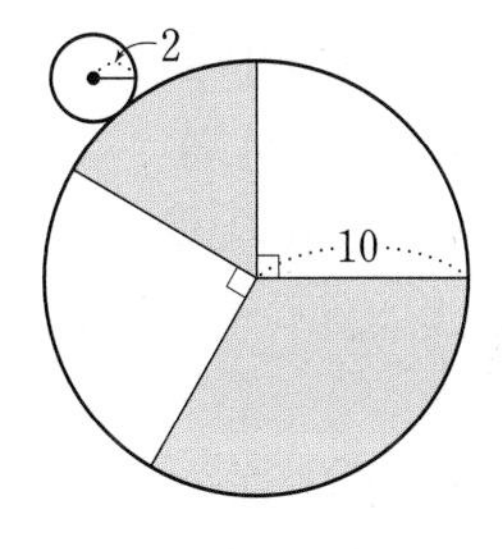

풀이

4

육상 트랙에서 각 레인의 한 바퀴를 도는 거리가 모두 다르므로 똑같은 거리를 달리려면 바깥쪽 레인의 선수가 안쪽 레인에 있는 선수보다 앞에서 출발해야 한다. 각 레인에서 직선 주로의 길이는 80 m, 트랙 맨 안쪽 반원의 반지름 길이는 25 m, 각 레인의 폭은 2 m일 때, 같은 거리를 뛰려면 제5레인의 선수는 제1레인의 선수보다 몇 m 앞에서 출발해야 하는지 구하여라. (단, 각 선수는 모두 자기 레인을 따라 달린다고 한다.)

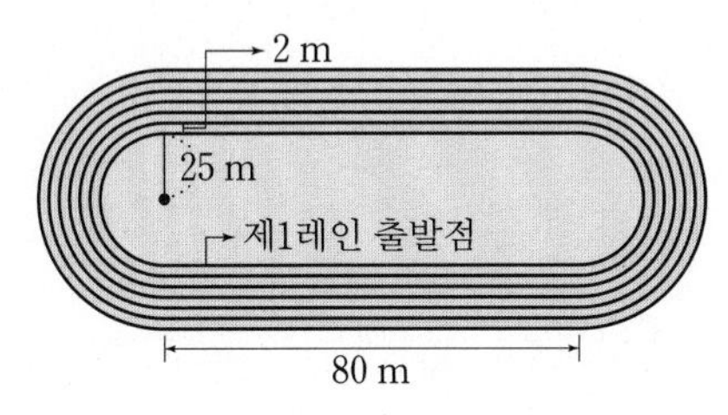

풀이

5

그림과 같이 반지름 길이가 3인 원 세 개가 서로 접하고 있으며 각 점은 중심을 나타낸다. 중심이 O인 원이 다른 두 원에 접하면서 화살선 방향으로 한 바퀴 돌아 처음에 있던 자리로 돌아올 때, 원 O의 중심이 움직인 거리를 구하여라.

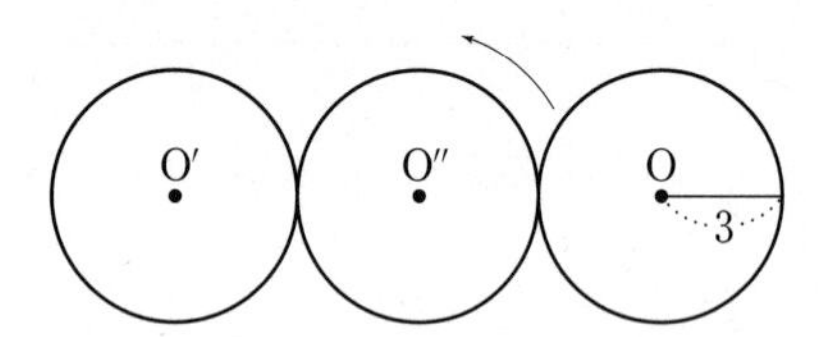

풀이

6 창의력

그림과 같이 직선 l 위를 따라 반지름 길이가 6이고, 중심각의 크기가 60°인 부채꼴을 굴릴 때, 부채꼴이 움직인 영역의 넓이를 구하여라. (단, 처음 위치한 곳과 마지막에 위치한 곳도 구하려는 넓이에 포함한다.)

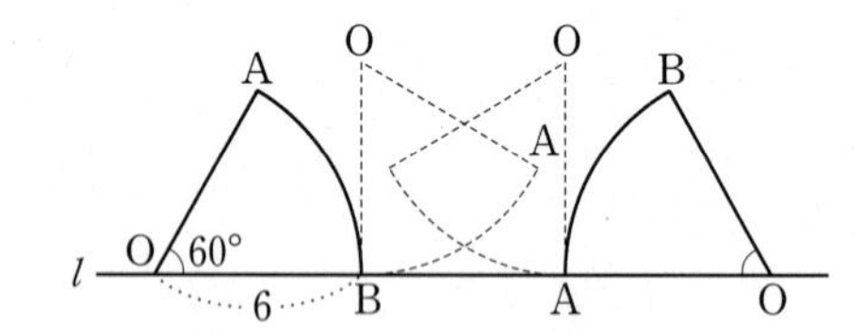

풀이

7 서술형

그림은 정삼각형 ABC의 각 꼭짓점에서 변의 길이가 반지름인 세 부채꼴을 그린 것이므로 각 꼭짓점에서 마주 보는 호까지의 거리가 모두 같아 정폭 도형이 된다. 정삼각형 ABC의 넓이를 S라 하고, 변 AB가 반지름인 원의 넓이를 T라 할 때, 색칠한 정폭 도형의 넓이를 S와 T에 대한 식으로 나타내면 $pT-qS$이다. 두 유리수 p, q에 대하여 pq의 값을 구하여라.

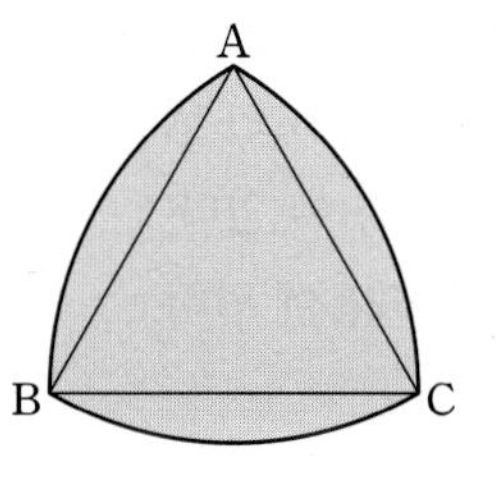

풀이

8

$\angle A=60^\circ$, $\angle B=90^\circ$, $\overline{AC}=4$인 직각삼각형 ABC가 있다. 이 삼각형을 그림과 같이 직선 l 위에서 미끄러짐 없이 1회전할 때, 변 AC의 중점 M이 그리는 자취와 직선 l로 둘러싸인 부분의 넓이를 S라 하고, 직각삼각형 ABC의 넓이를 T라 하자. 이때 $S-T$의 값을 구하여라.

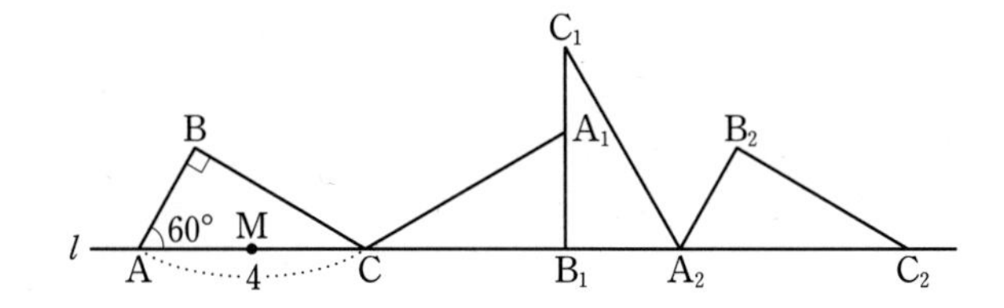

풀이

9 창의+융합

두 인공위성 S_1, S_2가 점 O를 중심으로 각각 반지름 길이가 a, b인 원을 그리며 돌고 있다. 그림은 13시일 때 두 인공위성 S_1, S_2의 위치를 나타낸다. 즉 S_2는 시계방향 기준으로 S_1보다 30° 뒤에 있다. S_1은 60분, S_2는 40분마다 한 바퀴 돈다고 할 때, 다음 물음에 답하여라. (단, 두 인공위성의 공전 궤도면은 일치한다.)

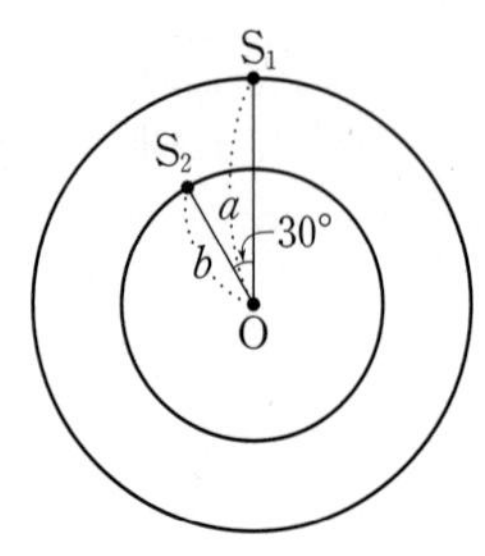

(1) 13시 이후에 S_1, S_2, O가 처음으로 일직선을 이룰 때까지 두 인공위성이 움직인 거리의 합을 a, b를 써서 나타내어라.

(2) 13시 이후에 $\angle S_1OS_2$가 처음으로 180°가 될 때까지 S_1이 움직인 거리와 S_2가 움직인 거리의 비가 $10:9$이다. 이때 a와 b의 비를 서로소인 두 자연수로 나타내어라.

III

입체도형

01 다면체와 회전체

❶ 다면체

(1) 다각형인 면으로만 둘러싸인 도형을 **다면체**라 한다.
⇨ 둘러싸인 면의 개수에 따라 사면체, 오면체, 육면체, …라 한다.

(2) 다면체를 둘러싸고 있는 다각형을 다면체의 면, 다각형의 변을 다면체의 모서리, 다각형의 꼭짓점을 다면체의 꼭짓점이라 한다.

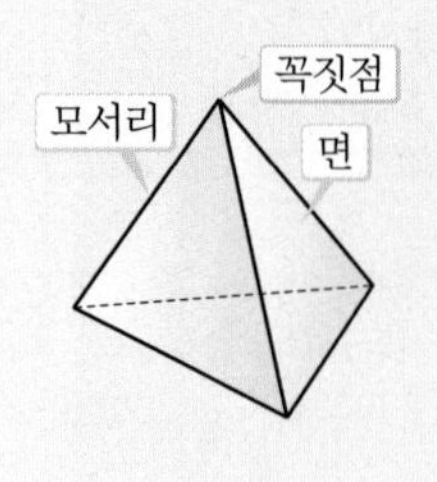

❷ 다면체의 종류

	각기둥	각뿔	각뿔대
정의	두 밑면은 평행하며 합동인 다각형이고 옆면은 모두 직사각형인 입체도형	밑면은 다각형이고 옆면은 모두 한 꼭짓점에서 모이는 삼각형인 입체도형	각뿔을 밑면에 평행한 평면으로 잘라서 생기는 두 입체도형 중 각뿔이 아닌 쪽
겨냥도	밑면, 옆면, 높이, 밑면	높이, 옆면, 밑면	밑면, 옆면, 높이, 밑면
밑면의 개수	2개	1개	2개
옆면 모양	직사각형	삼각형	사다리꼴

❸ 정다면체

(1) 모든 면이 서로 합동인 정다각형이고, 각 꼭짓점에 모인 면의 개수가 같은 다면체를 **정다면체**라 한다.

(2) 정다면체는 정사면체, 정육면체, 정팔면체, 정십이면체, 정이십면체의 5가지만 있다.

정다면체	정사면체	정육면체	정팔면체	정십이면체	정이십면체
겨냥도					
면의 모양	정삼각형	정사각형	정삼각형	정오각형	정삼각형
한 꼭짓점에 모인 면의 개수	3개	3개	4개	3개	5개
면의 개수	4개	6개	8개	12개	20개
꼭짓점 개수	4개	8개	6개	20개	12개
모서리 개수	6개	12개	12개	30개	30개

[확인 ❶]
다음 세 조건에 모두 맞는 다면체의 이름을 말하여라.

(가) 두 밑면은 서로 평행하다.
(나) 옆면은 사다리꼴이다.
(다) 십면체이다.

[확인 ❷]
삼각뿔의 모서리 개수를 a, 사각뿔대의 모서리 개수를 b, 오각기둥의 모서리 개수를 c라 할 때, $a+b-c$의 값을 구하여라.

[확인 ❸]
정이십면체에서 면, 꼭짓점, 모서리는 차례로 각각 몇 개인지 구하여라.

❹ 회전체

(1) 평면도형을 한 직선을 축으로 하여 한 바퀴 돌릴 때 생기는 입체도형을 **회전체**라 한다. 이때 축이 되는 직선을 **회전축**이라 한다.
(2) 회전체에서 옆면을 만드는 선분을 **모선**이라 한다.
(3) 원뿔을 그 밑면에 평행한 평면으로 자를 때 생기는 두 입체도형 중 원뿔이 아닌 부분을 **원뿔대**라 한다.

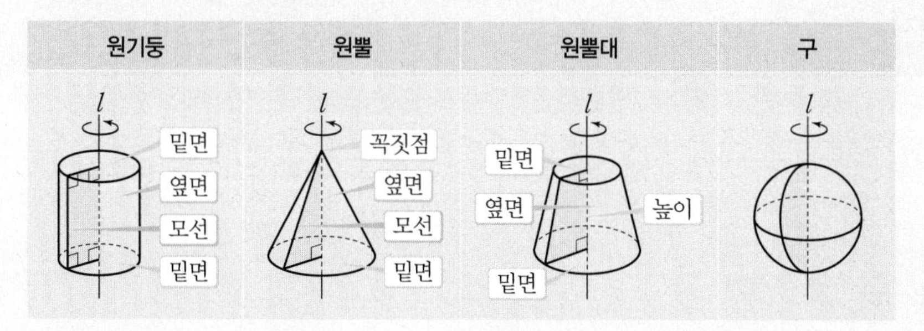

[확인 ❹]
다음 도형에서 회전체를 모두 골라라.

ㄱ. 원기둥 ㄴ. 정팔면체 ㄷ. 반구
ㄹ. 원뿔대 ㅁ. 반원

❺ 회전체의 성질

(1) 회전체를 회전축에 수직인 평면으로 자를 때 생기는 단면은 항상 원이다.

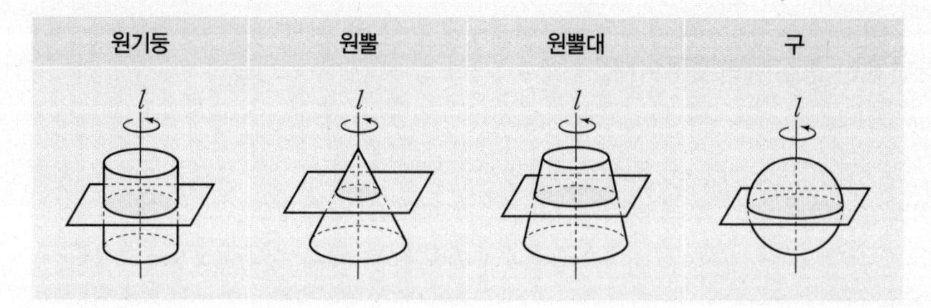

(2) 회전체를 회전축을 포함하는 평면으로 자를 때 생기는 단면은 모두 합동이고, 회전축에 대하여 선대칭도형이다.

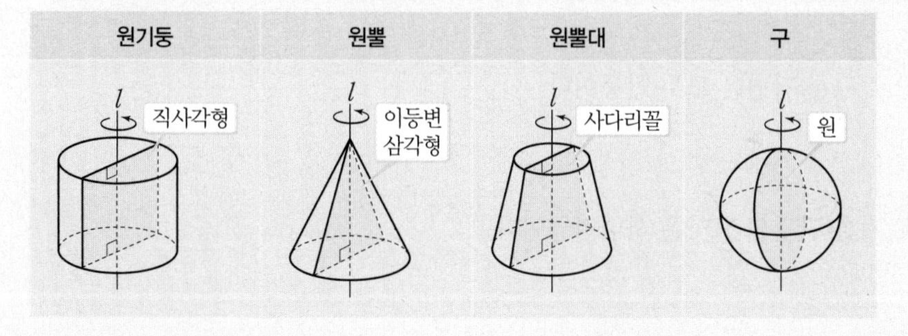

[확인 ❺]
그림은 윗변, 아랫변의 길이가 각각 5, 7이고, 높이가 15인 사다리꼴을 1회전시켜 얻은 원뿔대이다. 이 원뿔대를 회전축을 포함하는 평면으로 자를 때 생기는 단면의 넓이를 구하여라.

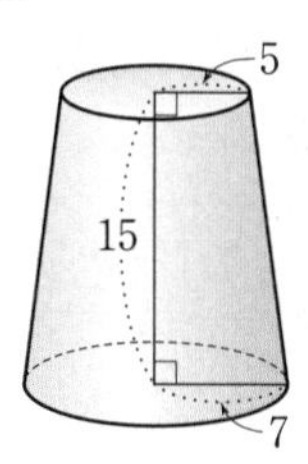

❻ 회전체의 전개도

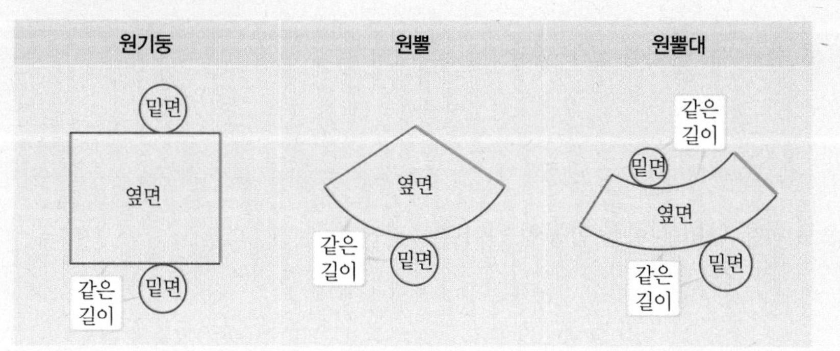

STEP 1 억울하게 울리는 문제 (1)

다면체와 회전체

다음 중 참인 것을 모두 말하여라.

1 ㄱ. 사각뿔은 육면체이다.

ㄴ. n각뿔의 모서리는 모두 $3n$개다.

ㄷ. 오각뿔대의 옆면의 모양은 사다리꼴이다.

ㄹ. 정이십면체의 각 면의 모양은 정오각형이다.

ㅁ. 한 꼭짓점에 4개의 면이 모이는 정다면체는 정십이면체뿐이다.

ㅂ. 정육면체에서 한 모서리에 모이는 면은 3개다.

ㅅ. 반구를 회전축을 포함하는 평면으로 자른 단면은 항상 원이다.

ㅇ. 회전체를 회전축을 포함하는 평면으로 자른 단면은 모두 합동이다.

ㅈ. 원뿔대를 회전축에 수직인 평면으로 자른 단면의 모양은 사다리꼴이다.

ㅊ. 원뿔을 회전축을 포함하는 평면으로 자른 단면의 모양은 직각삼각형이다.

ㅋ. 회전체를 회전축을 포함하는 평면으로 자를 때, 단면은 모두 합동이고, 회전축에 대하여 선대칭도형이다.

ㅌ. 한 회전체를 회전축에 수직인 평면으로 자른 단면은 항상 합동인 원이다.

다면체

다음 물음에 답하여라.

2-1 면의 개수와 꼭짓점 개수의 차가 12인 각기둥이 있다. 이 각기둥의 모서리의 개수는?

① 28 ② 30 ③ 33
④ 39 ⑤ 42

2-2 면이 100개인 각뿔대의 모서리는 모두 몇 개인가?

① 288개 ② 291개 ③ 294개
④ 297개 ⑤ 300개

3-1 어떤 각기둥의 밑면에 대각선을 모두 9개 그을 수 있다. 이 각기둥의 꼭짓점 개수를 a, 면의 개수를 b라 할 때, $a-b$의 값은?

① 2 ② 4 ③ 6
④ 8 ⑤ 12

3-2 n각뿔에서 꼭짓점 개수를 x, 모서리 개수를 y, 면 개수를 z라 할 때, $\frac{x+y+z}{2}=An+B$이다. 이때 $A-B$의 값은?

① 0 ② 1 ③ 3
④ 4 ⑤ 5

4-1 그림의 전개도로 만든 각뿔대와 꼭짓점 개수가 같은 각뿔의 밑면은?

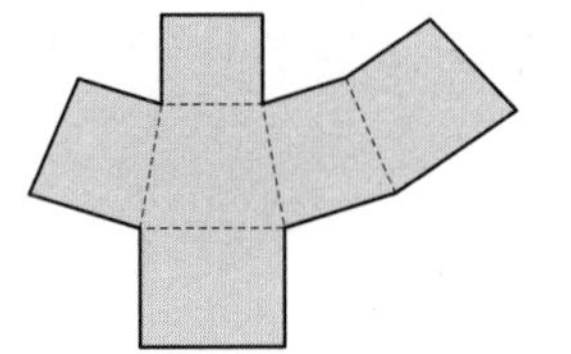
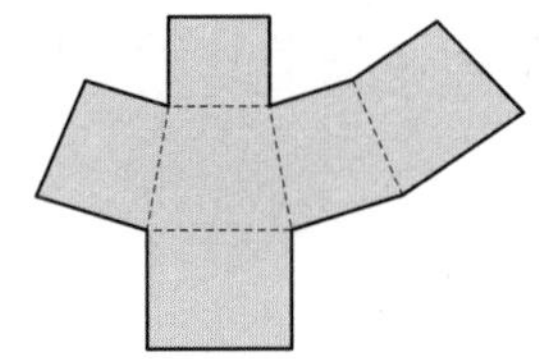

① 사각형
② 오각형
③ 육각형
④ 칠각형
⑤ 팔각형

4-2 다음 중 그림의 전개도로 만든 정다면체와 꼭짓점 개수가 같은 입체도형은?

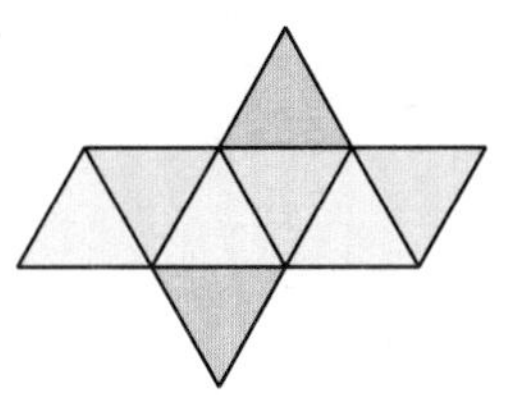

① 삼각기둥
② 사각뿔
③ 사각뿔대
④ 오각뿔대
⑤ 칠각뿔

상위권의 눈

▶ 다면체는 입체도형이므로
· 한 꼭짓점에 3개 이상의 면이 만나야 한다.
· 한 꼭짓점에 모인 각의 크기의 합은 360° 보다 작아야 한다.

회전체

다음 물음에 답하여라.

5-1 다음 평면도형 중 회전체를 회전축을 포함하는 평면으로 자를 때 나올 수 있는 단면 모양이 아닌 것은?

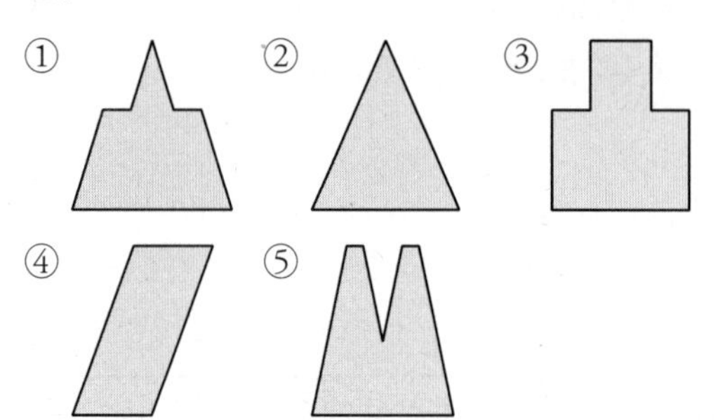

5-2 다음 중 원뿔을 한 평면으로 자를 때 생기는 단면 모양이 아닌 것은?

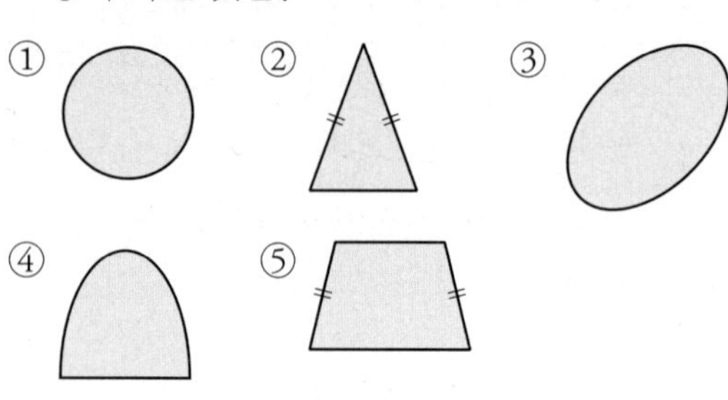

6-1 그림의 평행사변형 ABCD를 대각선 DB를 축으로 하여 1회전시킬 때, 만들어지는 회전체의 겨냥도를 그려라.

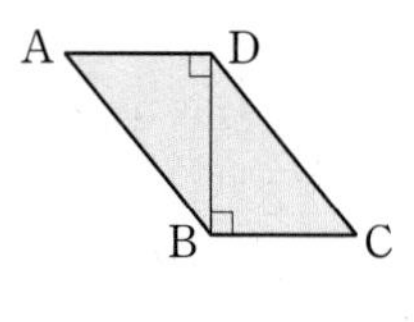

6-2 그림의 직사각형 ABCD를 대각선 AC를 축으로 하여 1회전시킬 때, 만들어지는 회전체의 겨냥도를 그려라.

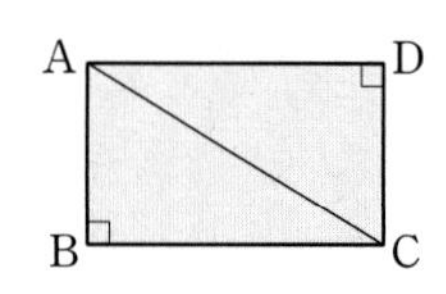

상위권의 눈

▶ 회전체의 겨냥도 그리기
회전축을 대칭축으로 하여 선대칭도형을 그린다. 이때 대응하는 점끼리 선분으로 연결해 이 선분을 지름으로 하는 원을 그린다.

▶ 회전체의 성질
· 회전체를 회전축에 수직인 평면으로 자르면 그 단면은 항상 원이다.
· 회전체를 회전축을 포함하는 평면으로 자르면 그 단면은 항상 합동이고, 회전축에 대하여 선대칭도형이 된다.
· 회전체를 회전축을 포함하는 평면으로 잘랐을 때 단면 모양은 회전체를 정면에서 본 모양과 같다.

다면체와 그 성질

01

정다면체에 대한 다음 대화에서 틀린 말을 한 사람끼리 짝지은 것은?

다랑 : 정다면체는 5개뿐이야. 그 이유는...
하랑 : 한 꼭짓점에 모이는 정다각형의 내각 크기의 합이 360° 보다 작아야 하기 때문이지!
영미 : 면이 되는 정다각형이 최소 3개 이상은 모여야 하잖아.
은정 : 그나저나 정다면체에서도 $v-e+f=2$가 성립하지?
태준 : 응. 그 공식은 모든 입체도형에 대해서 다 적용돼.
승훈 : 그렇다고 정다면체가 모두 같은 특성을 갖는 건 아니야. 예를 들면 한 꼭짓점에 모이는 면의 개수가 모두 같은 건 아냐.
지영 : 예가 틀렸어. 정사면체, 정육면체, 정팔면체는 한 꼭짓점에 모이는 면이 3개로 같아.

(v : 꼭짓점 개수, e : 모서리 개수, f : 면의 개수)

① 영미, 지영 ② 하랑, 태준 ③ 은정, 승훈
④ 태준, 지영 ⑤ 태준, 승훈

02

꼭짓점 개수를 v, 모서리 개수를 e, 면의 개수를 f라 할 때 $v=\frac{1}{2}e$, $f=\frac{2}{3}e$가 되는 정다면체는?

① 정사면체 ② 정육면체 ③ 정팔면체
④ 정십이면체 ⑤ 정이십면체

03

꼭짓점의 개수, 모서리의 개수, 면의 개수를 각각 v, e, f라 할 때, 어떤 정다면체에서 $5f=3v=2e$가 성립하였다. 이 정다면체에서 한 면의 모양을 말하여라.

04

정이십면체를 그림과 같이 다듬어 정오각형인 면이 12개이고, 정삼각형인 면이 80개인 구십이면체를 만들었다. 모든 꼭짓점에 모이는 면의 개수가 같은 이 다면체의 꼭짓점은 몇 개인지 구하여라.

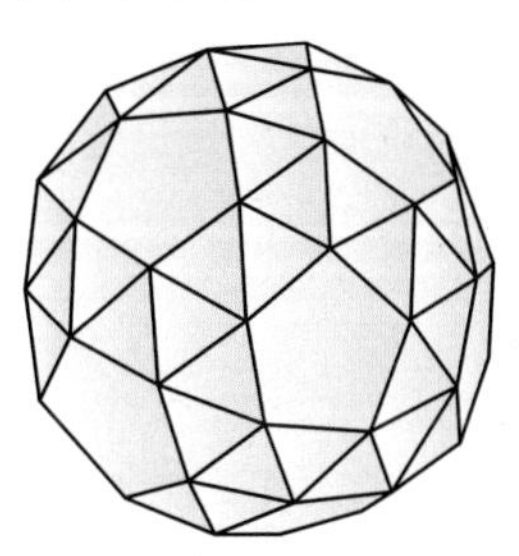

05

그림과 같이 정육면체에서 각 모서리를 삼등분한 점들을 이어서 만들어지는 삼각뿔을 각 꼭짓점에서 잘라냈다. 이때 남은 입체도형에서 꼭짓점 개수를 v, 모서리 개수를 e라 할 때, $e-v$의 값을 구하여라.

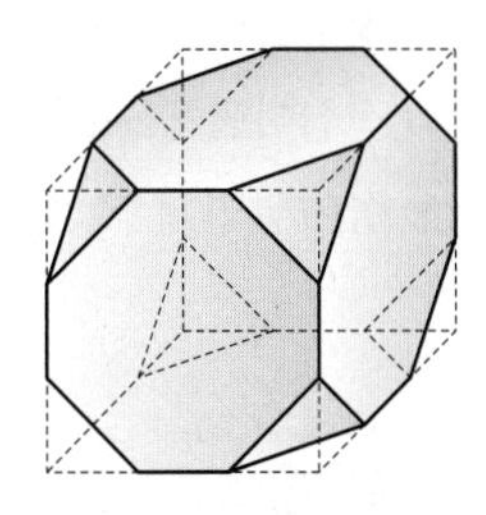

다면체의 관찰

06

보기에서 정육면체를 어느 한 평면으로 잘랐을 때 생기는 단면 모양이 될 수 있는 것은 모두 몇 개인지 말하여라.

보기
ㄱ. 정삼각형　　ㄴ. 이등변삼각형
ㄷ. 사다리꼴　　ㄹ. 평행사변형
ㅁ. 오각형　　ㅂ. 육각형
ㅅ. 정사각형이 아닌 직사각형
ㅇ. 정사각형이 아닌 마름모

07

다음 정다면체와 정다면체의 각 면의 중심을 꼭짓점으로 하는 입체도형을 연결한 것 중 옳지 않은 것을 골라라.

① 정사면체 – 정사면체
② 정육면체 – 정육면체
③ 정팔면체 – 정육면체
④ 정십이면체 – 정이십면체
⑤ 정이십면체 – 정십이면체

다면체의 전개도 활용

08

같은 크기의 정사각형을 변과 변이 일치하도록 이어 붙여서 만든 도형을 폴리오미노라 한다. 보기에서 뚜껑 없는 정육면체로 접을 수 있는 것을 모두 고른 것은?

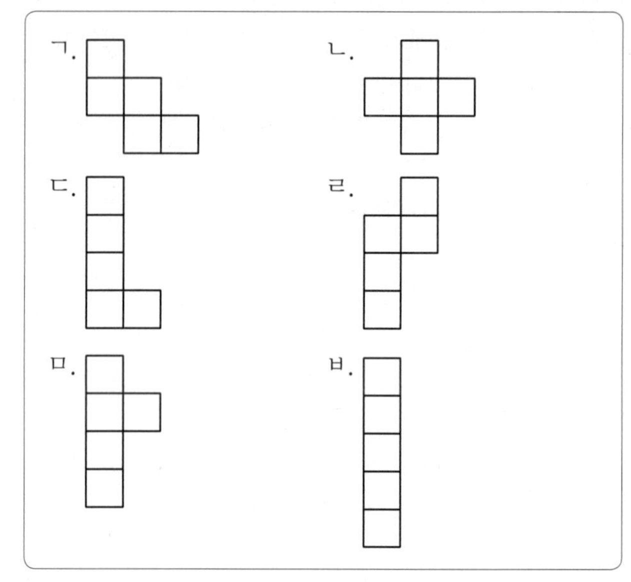

① ㄱ, ㄴ, ㄷ　　② ㄱ, ㄷ, ㅁ
③ ㄱ, ㄴ, ㄷ, ㄹ　　④ ㄱ, ㄴ, ㄷ, ㄹ, ㅁ
⑤ ㄴ, ㄷ, ㄹ, ㅁ, ㅂ

09

그림과 같은 전개도로 정사면체를 만들 때, 다음 중 모서리 AB와 꼬인 위치에 있는 모서리는?

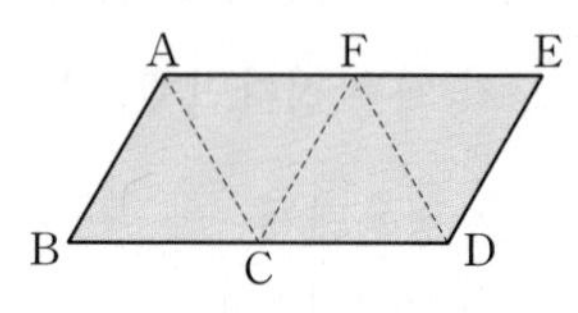

① $\overline{AC}$　　② $\overline{CF}$　　③ $\overline{FD}$
④ $\overline{DE}$　　⑤ $\overline{EF}$

10

그림의 전개도를 접어 만든 정육면체에서 서로 마주 보는 면에 있는 눈의 수의 합이 8일 때, $a+b$의 값은?

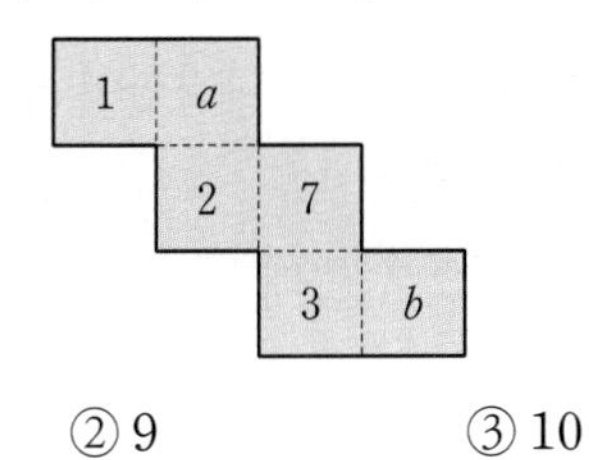

① 8　② 9　③ 10
④ 11　⑤ 12

11

아래 왼쪽에 있는 전개도를 접어 아래 오른쪽 겨냥도와 같은 정팔면체를 만들었다. 이 정팔면체에서 모서리 $\overline{AJ}$와 겹치는 모서리는?

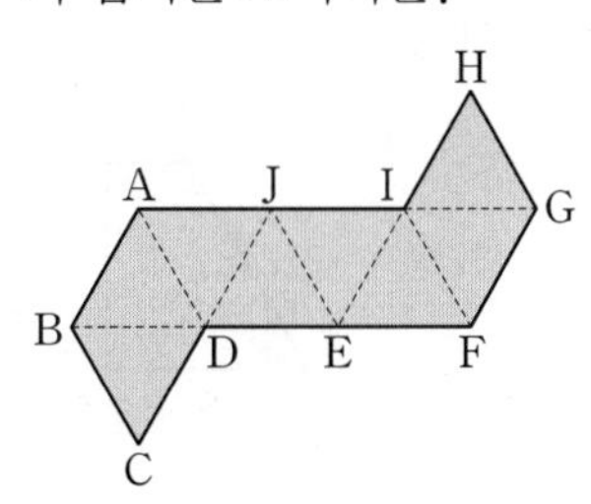

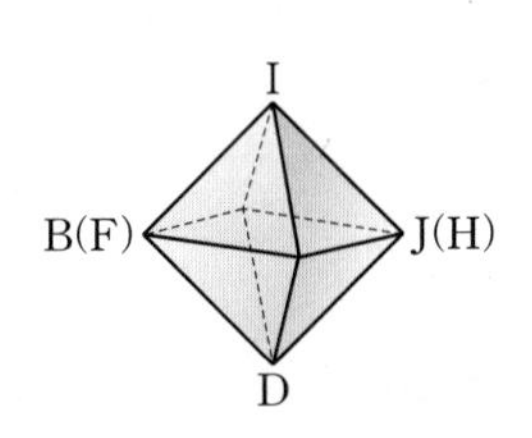

① $\overline{AB}$　② $\overline{FG}$　③ $\overline{GH}$
④ $\overline{EI}$　⑤ $\overline{CD}$

12

그림과 같은 전개도로 만들어지는 정다면체에서 꼭짓점 A와 겹치는 점을 모두 구하여라.

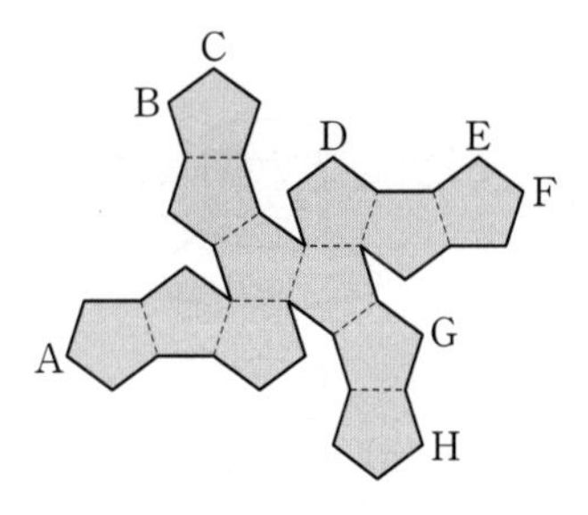

회전체의 겨냥도

13

그림과 같은 직각삼각형을 직선 l을 회전축으로 하여 한 바퀴 회전시킬 때 만들어지는 회전체의 겨냥도를 그려라.

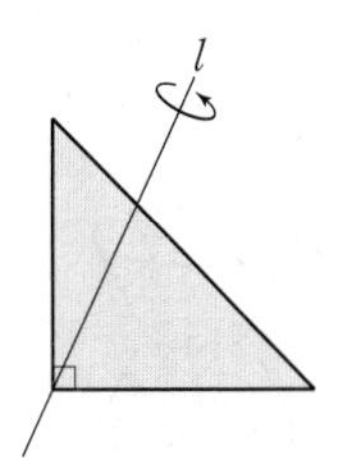

14

그림과 같은 평면도형을 직선 l을 회전축으로 하여 1회전시킬 때 만들어지는 입체도형은?

① 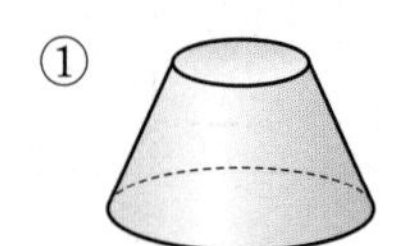

② 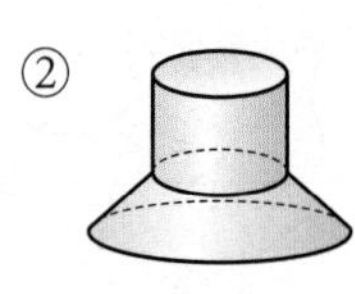
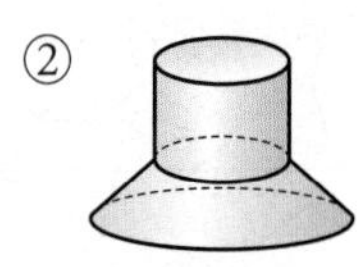

③ 

④

⑤ 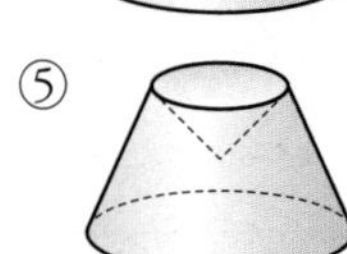

15

다음은 오른쪽 평행사변형 ABCD를 1회전시켰을 때 생기는 회전체이다. 각 회전체에서 회전축을 말하여라.

(1) 

(2) 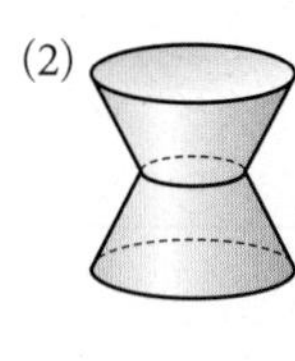

(3) 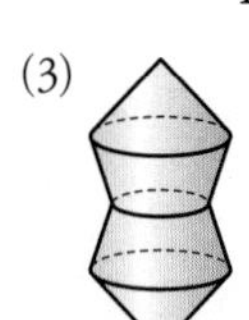
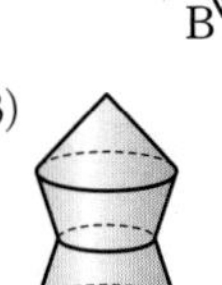

회전체의 단면

16

다음 입체도형 중 그 단면이 다각형이 될 수 없는 것을 모두 고르면? (정답 2개)

① 구 ② 원뿔대 ③ 원기둥
④ 원뿔 ⑤ 반구

17

그림과 같은 평면도형을 직선 l을 축으로 1회전시켜 생긴 입체도형을 회전축을 포함하는 평면으로 자른 단면의 넓이는?

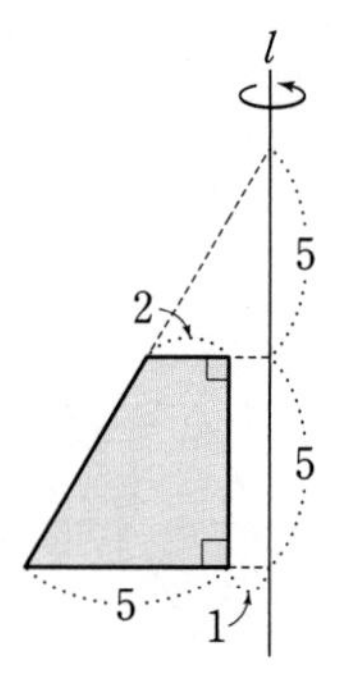

① 25 ② 30
③ 35 ④ 40
⑤ 45

18

그림과 같이 직선 l에서 1만큼 떨어진 곳에 반지름 길이가 2인 원이 있다. 이 원을 직선 l을 회전축으로 하여 한 바퀴 회전시켰다. 이때 생긴 회전체를 원의 중심 O를 지나면서 회전축에 수직인 평면으로 자른 단면의 넓이를 구하여라.

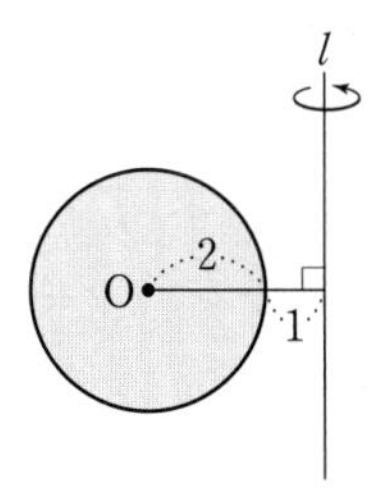

19

그림과 같은 사각형의 각 변을 회전축으로 하여 만든 입체도형을 회전축에 수직인 평면으로 자르거나 회전축을 포함하는 평면으로 잘랐을 때 생기는 단면이 아닌 것은?

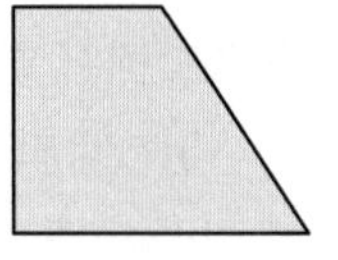

① 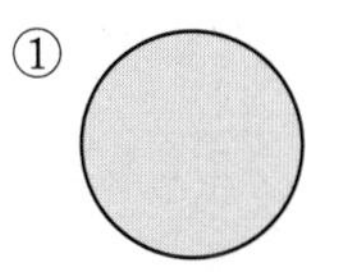 ② 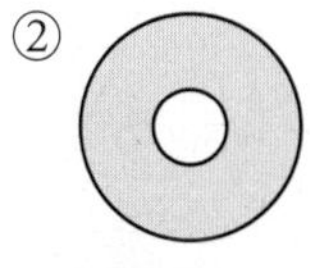 ③ 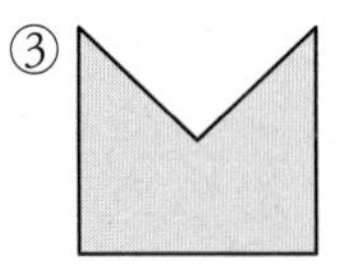 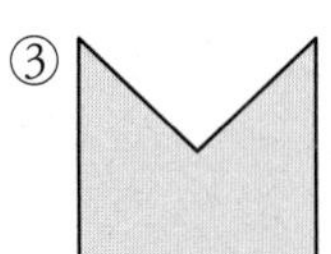

④ 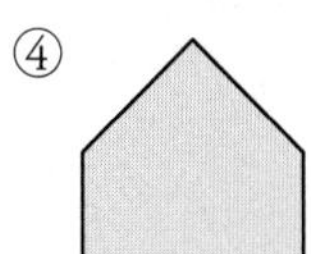 ⑤ 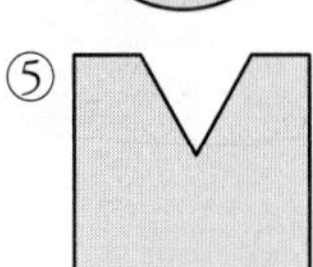

20

그림과 같은 직각삼각형을 직선 l을 회전축으로 하여 1회전시킬 때 만들어지는 입체도형을 임의의 한 평면으로 자른다고 하자. 다음 중 이때 생기는 단면이 아닌 것은?

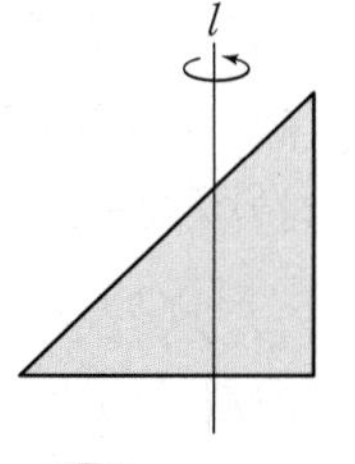

①  ② 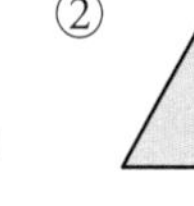 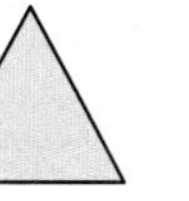 ③ 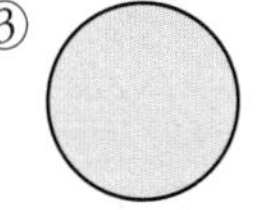

④ 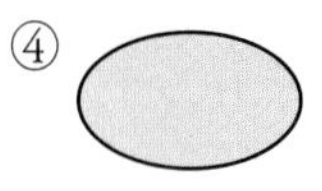  ⑤ 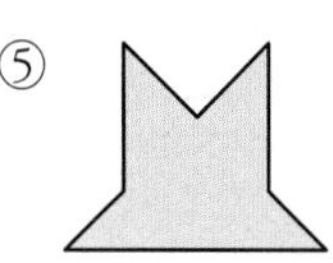

21

그림과 같은 직각삼각형을 직선 l을 축으로 하여 1회전시켜 얻은 회전체를 회전축을 포함하는 평면으로 자른 단면의 넓이를 구하여라.

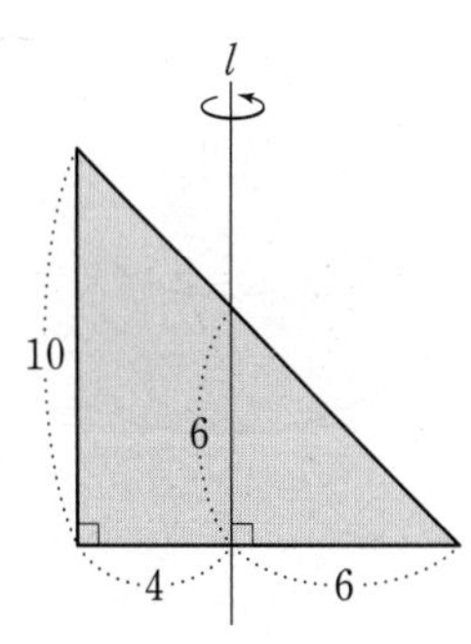

22

그림과 같은 평면도형을 직선 l을 축으로 하여 한 바퀴 회전시켜 회전체를 만들었다. 이 회전체를 회전축에 수직인 평면으로 자를 때, 단면 넓이의 최댓값은?

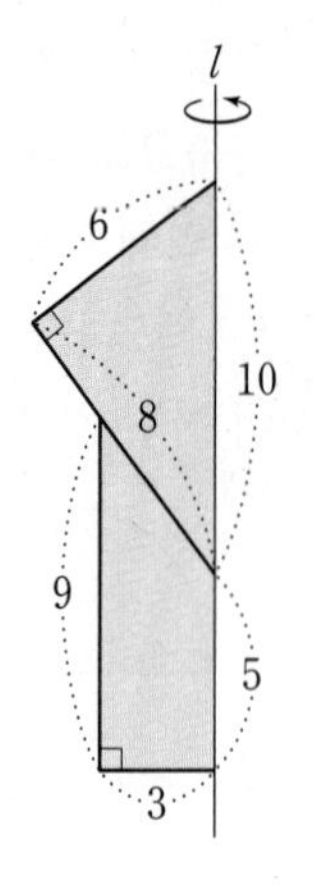

① 9π ② 45 ③ 90 ④ $\frac{196}{25}\pi$ ⑤ $\frac{576}{25}\pi$

회전체의 전개도

23

그림은 어떤 원뿔대의 전개도이다. $R-r$의 값을 구하여라.

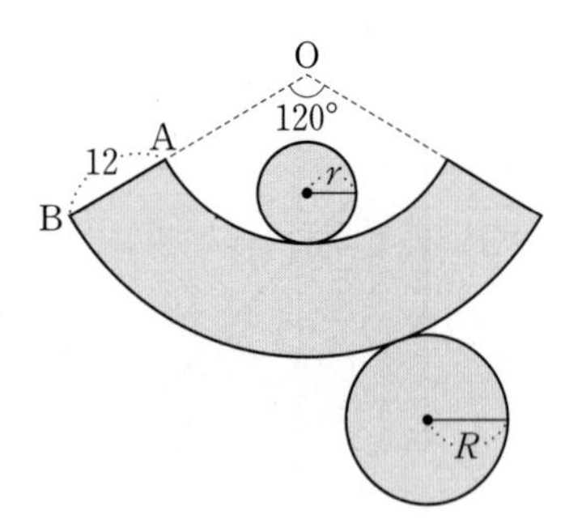

24

그림과 같은 원뿔대의 전개도에서 밑면을 제외한 옆면 부분의 둘레 길이는?

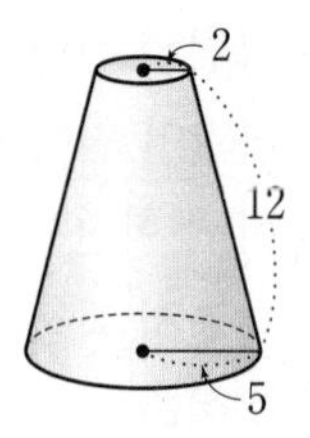

① $21+12\pi$ ② $24+14\pi$ ③ $27+16\pi$ ④ $30+18\pi$ ⑤ $33+20\pi$

25

1초에 2 cm씩 일정한 속도로 움직이는 개미 A, B가 있다. 개미 A는 점 P에서 출발해 옆면을 돌아 다시 점 P로 되돌아오는 가장 짧은 선을 움직이고, 개미 B는 점 O에서 출발해 $\overline{OP'}$을 왕복하며 움직인다. 개미 A, B가 동시에 출발해서 몇 초 후에 두 번째로 만나는지 구하여라.
(단, $\overline{OP'}$의 길이는 점 O에서 개미 A의 경로까지의 최단거리이고, 개미의 크기는 무시한다.)

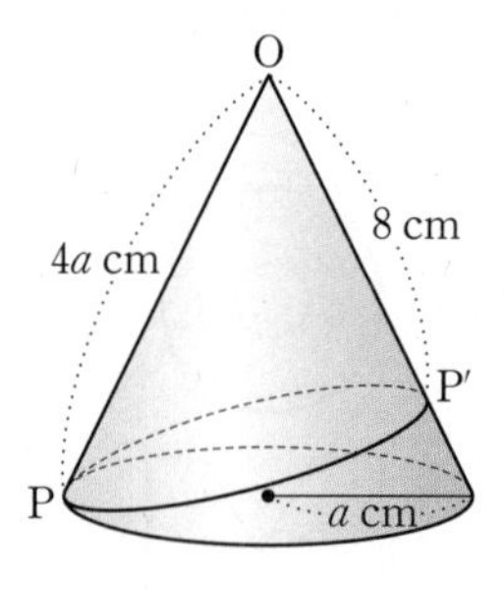

정답과 풀이 43쪽

1

그림은 정오각형과 정육각형으로 만들어진 축구공 모양 다면체의 전개도이다. 이 전개도로 만들어지는 입체도형의 꼭짓점 개수와 어떤 각기둥의 꼭짓점 개수가 서로 같다고 한다. 이 각기둥의 밑면은 변이 몇 개인지 구하여라.

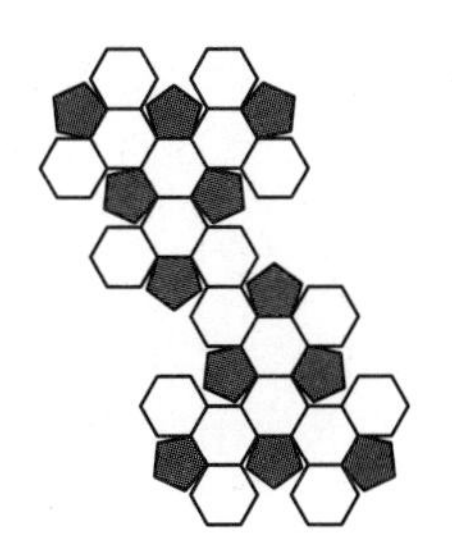

풀이

2 창의력

다음은 크기가 같은 쌓기나무를 쌓아 놓은 것을 앞과 위에서 본 그림이다. 쌓기나무를 가장 많이 사용한 경우와 가장 적게 사용한 경우에서 쌓기나무 수의 차를 구하여라.

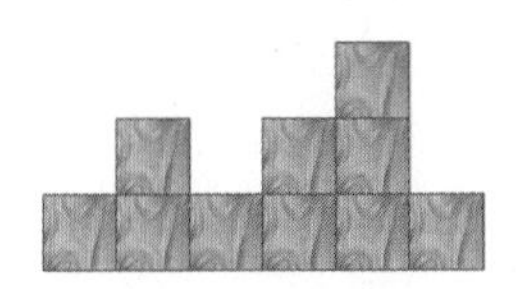

〈앞에서 본 그림〉

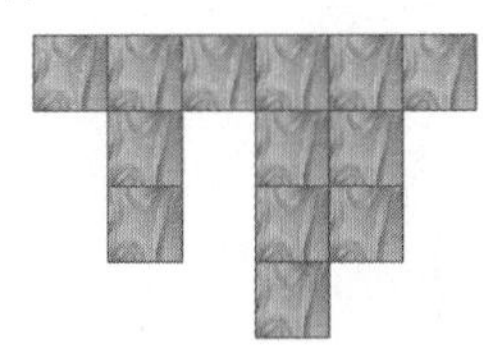

〈위에서 본 그림〉

풀이

3 서술형

그림과 같이 반지름 길이가 3인 반원을 직선 l에서 1만큼 떨어뜨린 후 직선 l을 축으로 하여 1회전해서 만든 회전체에 대하여 다음을 구하여라.

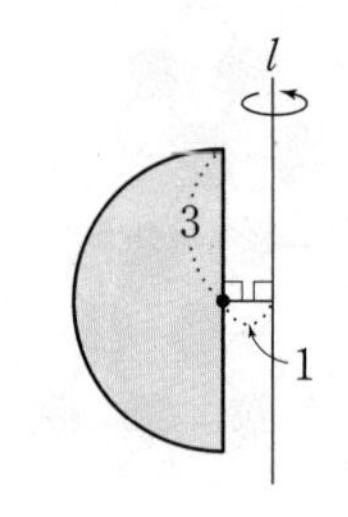

(1) 회전체를 회전축을 포함하는 평면으로 자른 단면의 넓이

(2) 회전체를 회전축에 수직인 평면으로 자른 단면 넓이의 최댓값

풀이

4 융합형

그림은 점 O가 꼭짓점이고, $\overline{OA}$가 모선인 원뿔을 밑면에 평행한 평면으로 잘라서 만든 원뿔대이다. 이 원뿔대 두 밑면의 반지름 길이는 각각 5, 10이고 $\overline{OB}=\overline{AB}=20$이다. 점 A에서 $\overline{AB}$의 중점 M까지 가장 짧은 경로로 실을 한 바퀴 감을 때, 색칠한 부분의 넓이를 구하여라. (단, 색칠한 부분은 옆면이고, 밑면 부분은 색칠하지 않았다.)

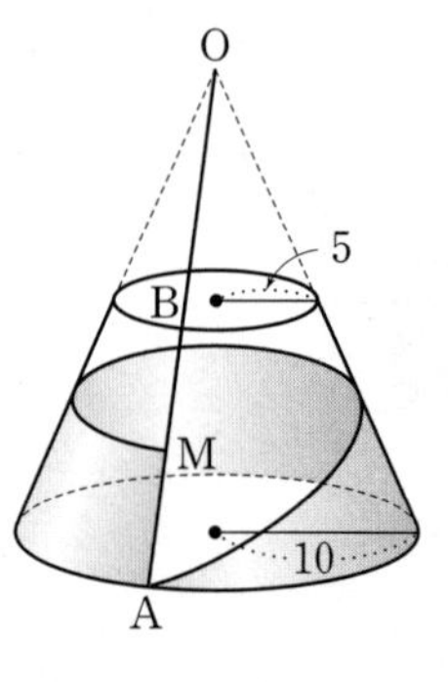

풀이

5

그림은 한 모서리 길이가 10인 정팔면체이다. 모서리 ED와 모서리 AF의 중점을 각각 M, N이라 할 때, 점 M에서 출발하여 세 모서리 EC, BC, BF를 거쳐 점 N까지 이동하는 최단 거리를 구하여라.

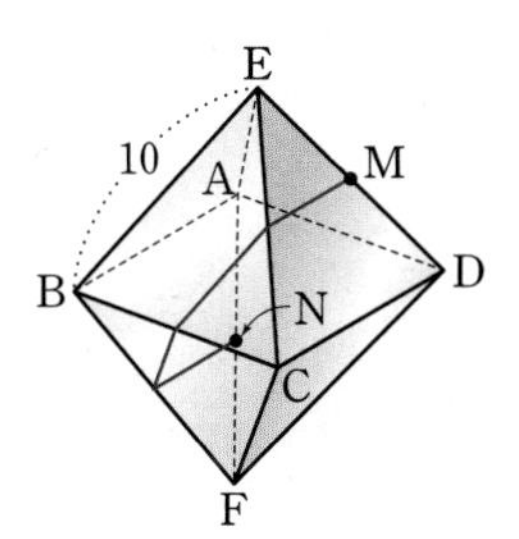

풀이

6

모양과 크기가 서로 같은 정육면체 5개를 [그림 1]처럼 꼭짓점을 1개씩 공유하도록 붙이고, [그림 2]처럼 모서리를 1개씩 공유하도록 붙였다. 각 경우에서 꼭짓점 개수를 v, 모서리 개수를 e, 면 개수를 f라 하고, [그림 1]과 [그림 2]에서 $v-e+f$의 값을 각각 A, B라 하자. 이때 $A+B$의 값을 구하여라.

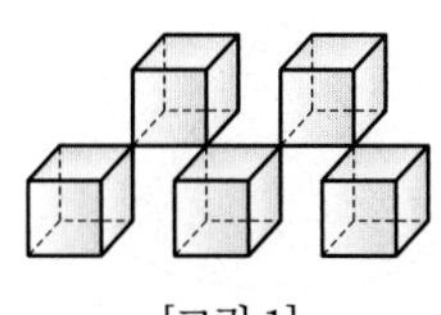
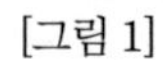
[그림 1]

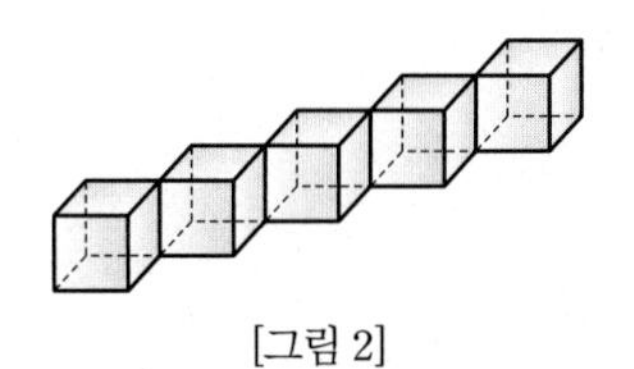
[그림 2]

풀이

02 입체도형의 겉넓이와 부피

❶ 기둥의 겉넓이

(기둥의 겉넓이)=(밑넓이)×2+(옆넓이)

예 삼각기둥

원기둥

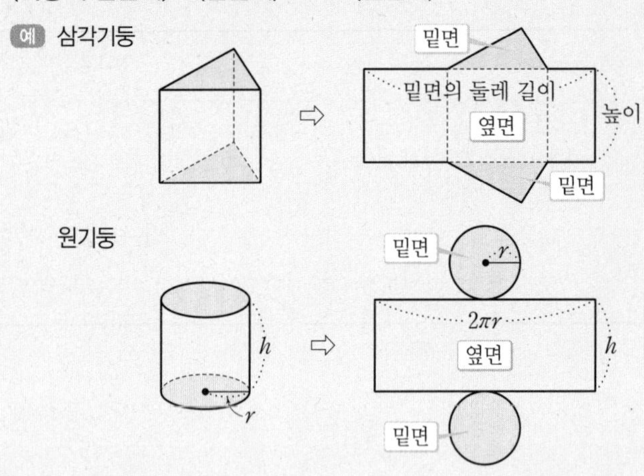

❷ 뿔의 겉넓이

(뿔의 겉넓이)=(밑넓이)+(옆넓이)

예 사각뿔

원뿔

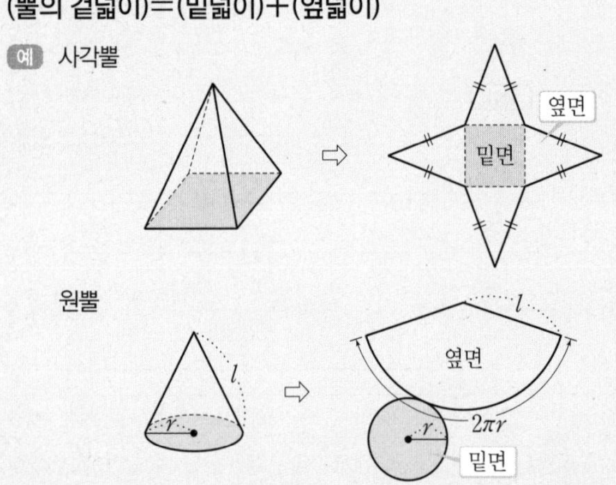

개념+

• (뿔대의 겉넓이)=(밑넓이)+(옆넓이)이다. 뿔대는 두 밑면의 넓이가 서로 다르다는 점을 주의한다. 각뿔대의 옆면 넓이는 사다리꼴의 넓이를 이용해서 구한다. 그림은 원뿔대의 옆면 넓이를 구하는 방법이다.

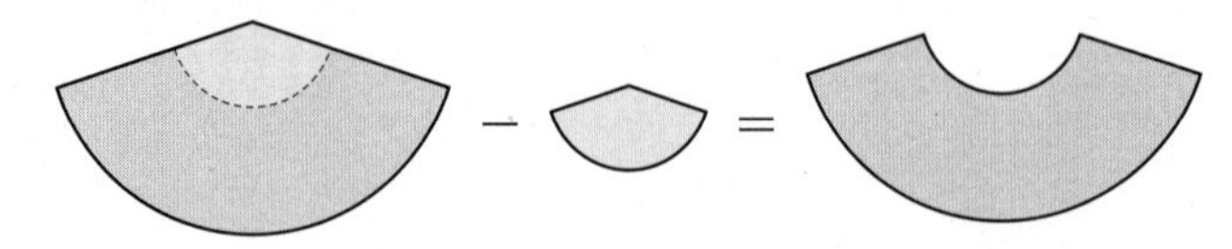

❸ 구의 겉넓이

(반지름 길이가 r인 구의 겉넓이)=(반지름 길이가 $2r$인 원의 넓이)

$=\mathbf{4\pi r^2}$

[확인 ❶]

그림처럼 밑면이 사다리꼴이고 높이가 7인 사각기둥의 겉넓이를 구하여라.

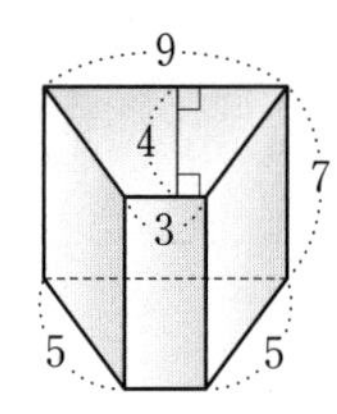

[확인 ❷]

그림과 같은 원뿔의 옆넓이가 15π일 때, x 값을 구하여라.

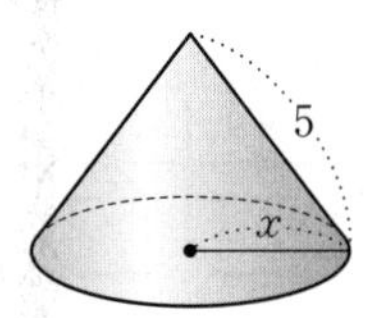

❹ 기둥의 부피

밑넓이가 S, 높이가 h인 기둥의 부피 V는 $\boldsymbol{V=Sh}$

예 여러 가지 기둥의 부피

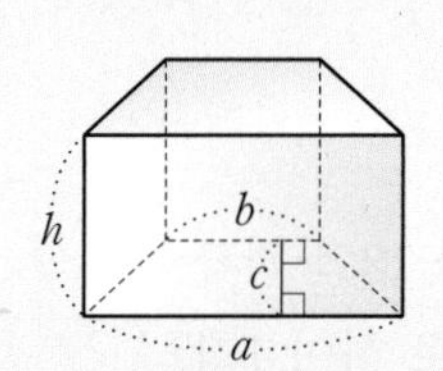

$V=\frac{1}{2}(a+b)ch$

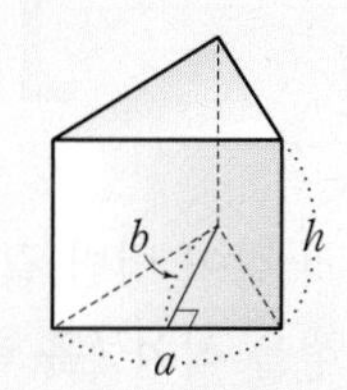

$V=\frac{1}{2}abh$

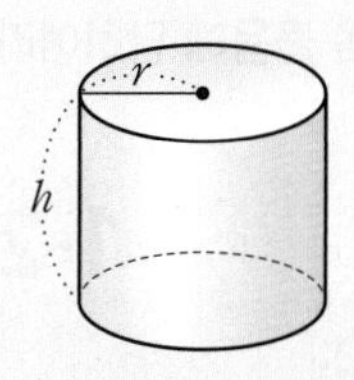

$V=\pi r^2h$

[확인 ❸]
그림과 같은 각기둥의 부피를 구하여라.

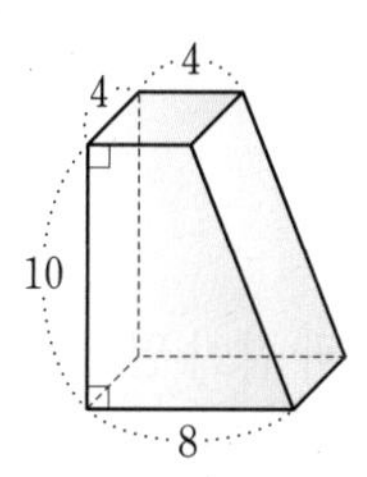

❺ 뿔의 부피

뿔의 부피는 그 뿔과 밑면과 높이가 같은 기둥 부피의 $\frac{1}{3}$이다.

즉 (뿔의 부피)$=\frac{1}{3}\times$(밑넓이)$\times$(높이)

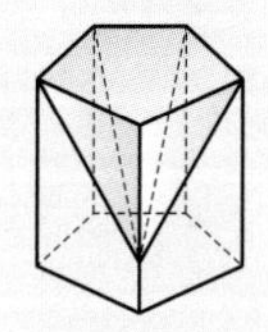

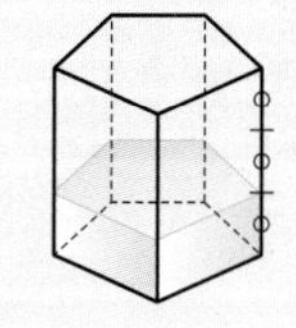
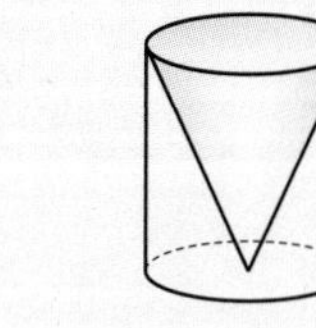

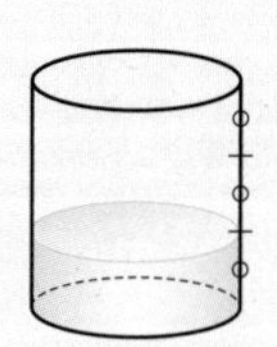

[확인 ❹]
그림과 같은 입체도형의 부피를 구하여라.

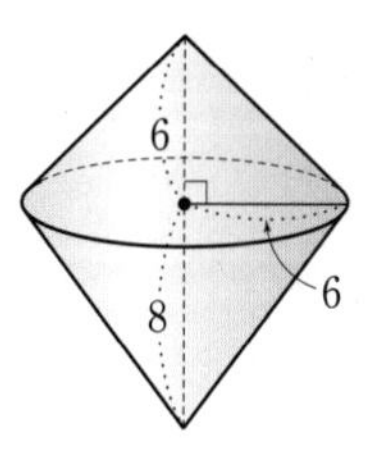

개념+

- 구멍이 뚫린 기둥의 부피를 구할 때는 밑면의 넓이를 구하는 방법을 생각한다.

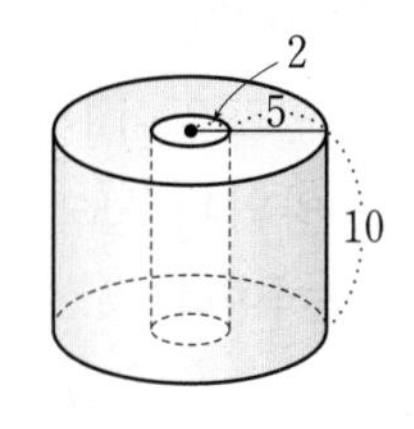

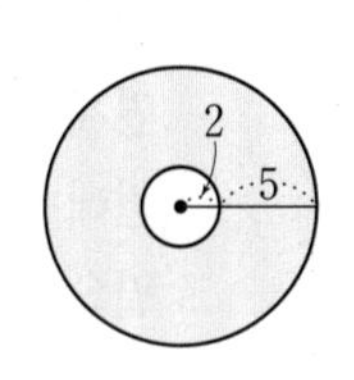

예를 들어 위 왼쪽 그림과 같은 입체도형은 밑면 모양이 위 오른쪽 그림과 같은 기둥이다.
이때 밑면의 넓이는 $49\pi-4\pi=45\pi$이므로 그 부피는 $45\pi\times10=450\pi$

- (뿔대의 부피)=(큰 뿔의 부피)−(작은 뿔의 부피)

[확인 ❺]
그림처럼 반지름 길이가 4인 밑면을 포함하고 있는 반구의 겉넓이와 부피를 차례로 각각 구하여라.

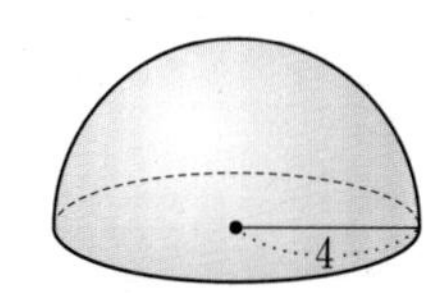

❻ 구의 부피

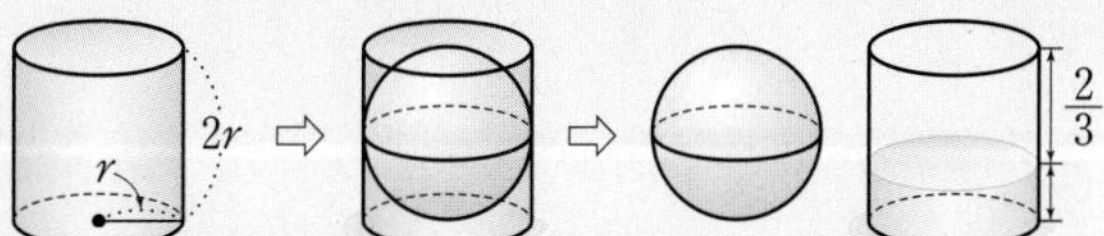
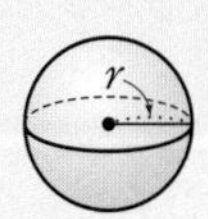

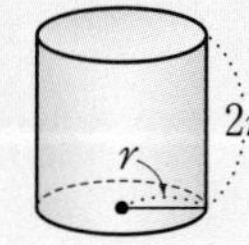

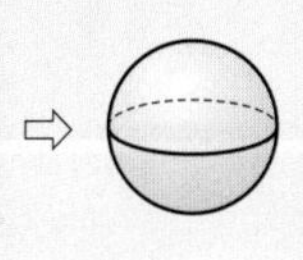
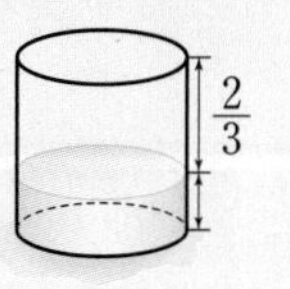

반지름 길이가 r인 구의 부피는 밑면의 반지름 길이가 r이고, 높이가 $2r$인 원기둥 부피의 $\frac{2}{3}$와 같으므로 $\boldsymbol{V=\frac{4}{3}\pi r^3}$

STEP 1 억울하게 울리는 문제 (1)

입체도형의 겉넓이

다음 물음에 답하여라.

1-1 그림과 같이 밑면의 반지름 길이가 3이고 모선 길이가 5인 원뿔에서 다음을 구하여라.

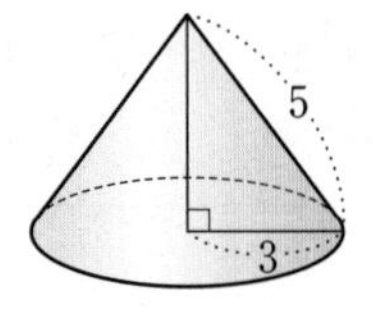

(1) 원뿔 옆면 부채꼴의 중심각의 크기

(2) 원뿔의 겉넓이

1-2 그림과 같이 빗변 길이가 12인 직각삼각형을 직선 l을 축으로 하여 1회전시켰더니 회전체의 밑넓이가 16π였다. 이 회전체의 겉넓이를 구하여라.

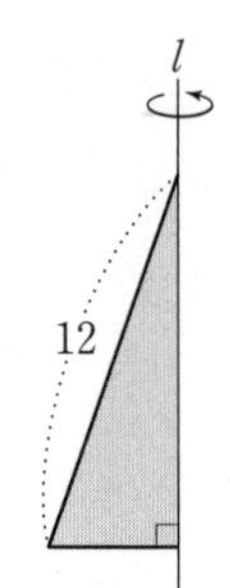

2-1 그림과 같이 한 모서리 길이가 5 cm인 정육면체 모양의 나무토막을 쌓아 만든 입체도형의 겉넓이를 구하여라.

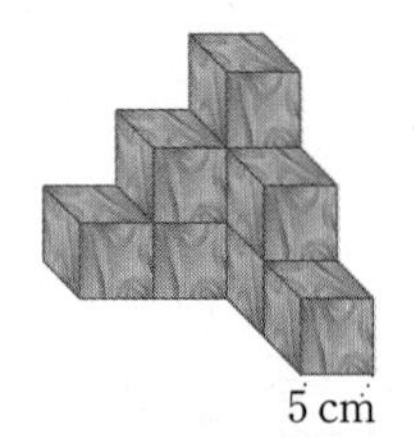

2-2 가로 길이가 5 cm, 세로 길이가 4 cm, 높이가 3 cm인 직육면체 모양의 나무토막을 한 모서리의 길이가 1 cm인 정육면체로 자른 후, 모든 정육면체의 겉면에 칠한 페인트 양이 180 mL이었다. 원래 있던 직육면체 모양의 나무토막을 칠하는 데 필요한 페인트 양을 구하여라.

상위권의 눈

▶ 원뿔의 전개도에서 부채꼴의 반지름 길이는 원뿔의 모선의 길이와 같고, 호의 길이는 원뿔 밑면의 원의 둘레의 길이와 같다.

▶ (원뿔의 겉넓이)=(밑넓이)+(옆넓이)=(원의 넓이)+(부채꼴 넓이)

입체도형의 부피

다음 물음에 답하여라.

3-1 그림처럼 가로 길이가 50 m, 세로 길이가 20 m이고, 깊이가 1 m에서 4 m까지 비스듬하게 경사진 실내 수영장이 있다. 이 실내 수영장의 부피를 구하여라.

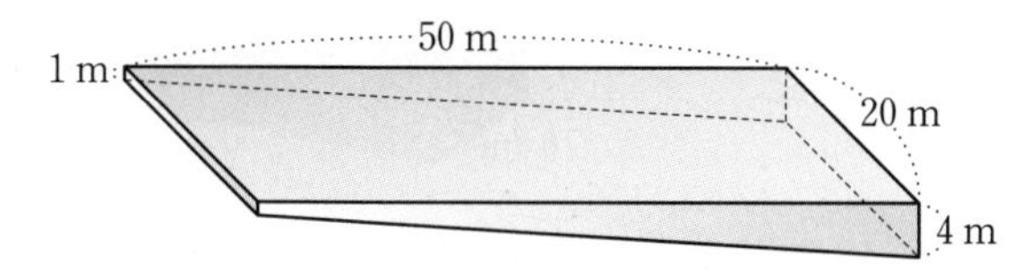

3-2 직육면체 상자에 물 140 cm^3를 넣고 기울였더니 그림과 같은 모양이 되었다. 이때 물이 들어 있는 부분의 높이 x는 얼마인지 구하여라.

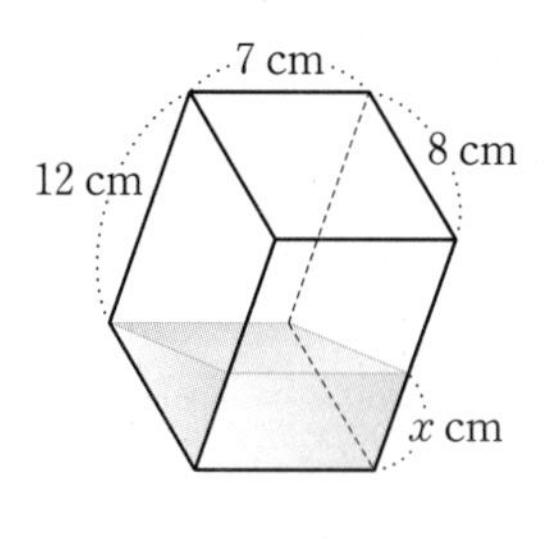

3-3 직육면체에 삼각기둥이 붙어있는 상자에 ㈎와 같이 16 cm 높이까지 물이 들어 있다. ㈏와 같이 물 표면이 면 ABCD와 평행하도록 뒤집었을 때, 액체가 들어 있지 않은 부분의 높이가 6 cm가 되었다. ㈐처럼 옆으로 놓으면 물이 있는 부분의 높이가 $\frac{n}{m}$ cm이다. 이때 $m+n$의 값을 구하여라.

(단, m, n은 서로소인 자연수이다.)

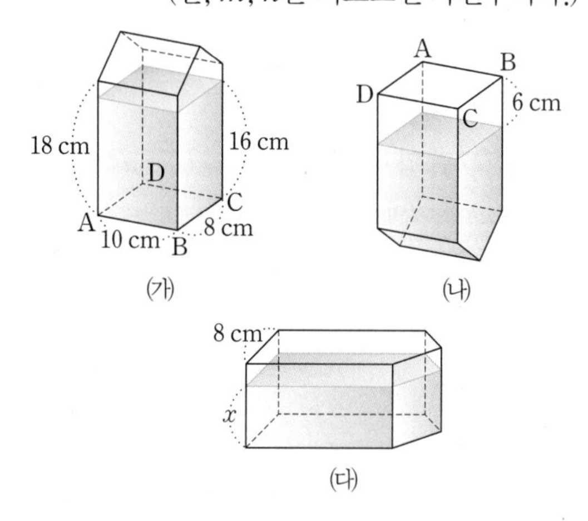

4-1 그림과 같이 반지름 길이가 10 cm인 구 모양의 쌀가루 반죽으로 같은 크기의 구 모양 떡 125개를 만들었다. 이때 떡 한 개의 지름 길이를 구하여라.

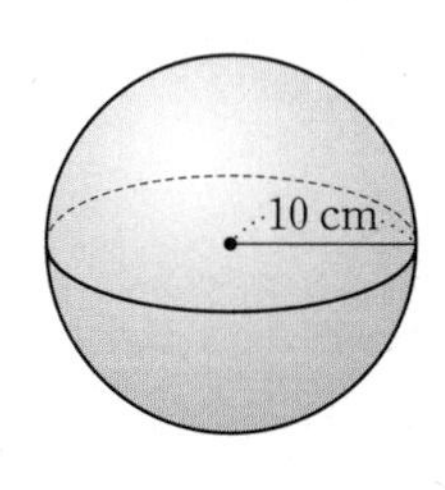

4-2 반지름 길이가 8 cm인 큰 쇠구슬을 녹여 반지름 길이가 2 cm인 작은 쇠구슬을 여러 개 만들려고 한다. 이때 만들 수 있는 작은 쇠구슬은 모두 몇 개인지 구하여라.

상위권의 눈

- ▶ 입체도형의 부피를 구할 때 밑넓이를 어떻게 정해야 하는지 반드시 확인한다.
- ▶ 두 구의 반지름 길이의 비가 $m : n$일 때
(겉넓이의 비)$=m^2 : n^2$, (부피의 비)$=m^3 : n^3$

구멍을 뚫었거나 떼어낸 입체도형

다음 물음에 답하여라.

5-1 그림과 같이 사각기둥에 원기둥 모양의 구멍이 뚫린 입체도형에서 다음을 구하여라.

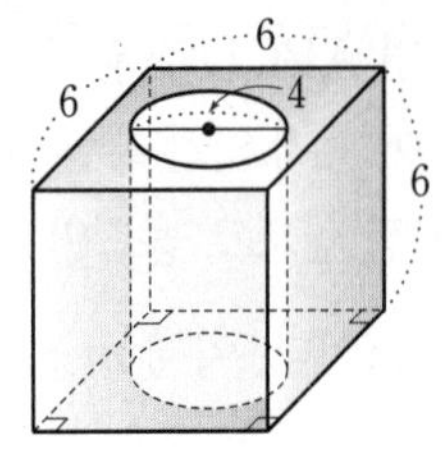

(1) 위 입체도형의 겉넓이가 $(a+b\pi)$일 때, 두 정수 a, b에 대하여 $a+b$의 값

(2) 위 입체도형의 부피가 $(c+d\pi)$일 때, 두 정수 c, d에 대하여 $c+d$의 값

5-2 그림과 같이 직육면체에 반지름 길이가 1 cm인 원기둥 모양이 세 개 뚫려 있는 벽돌이 있다. 다음을 구하여라.

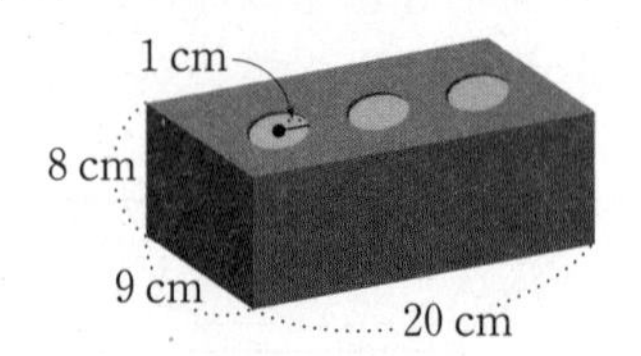

(1) 위 입체도형의 겉넓이가 $(a+b\pi)$ cm^2일 때, 두 정수 a, b에 대하여 $a+b$의 값

(2) 위 입체도형의 부피가 $(c+d\pi)$ cm^3일 때, 두 정수 c, d에 대하여 $c+d$의 값

6-1 그림은 큰 직육면체에서 작은 직육면체를 잘라낸 입체도형이다. 이 입체도형의 겉넓이를 구하여라.

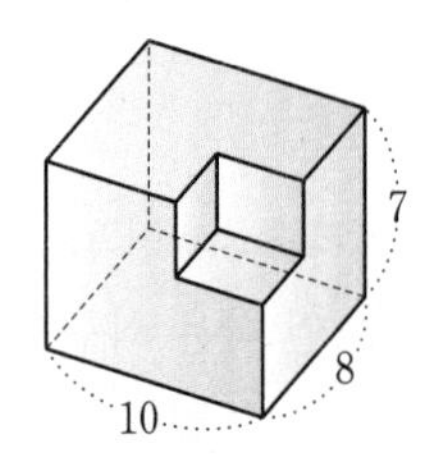

6-2 그림은 삼각기둥에서 작은 직육면체를 잘라낸 입체도형이다. 이 입체도형의 겉넓이를 구하여라.

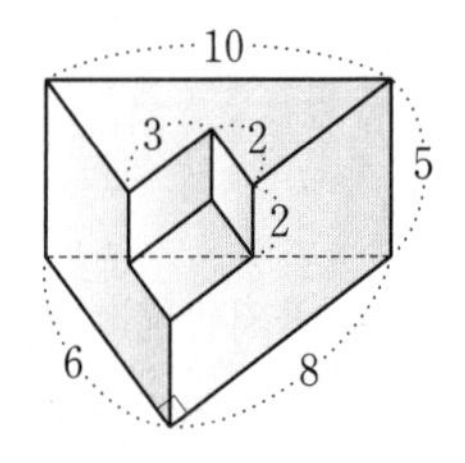

상위권의 눈

▶ 그림처럼 기둥에서 기둥을 떼어 낸 경우, 겉넓이는 원래 기둥 겉넓이와 같다. 또 기둥에 기둥을 붙인 경우 겉넓이는 원래 기둥 겉넓이에 붙인 기둥의 옆넓이만 더한다.

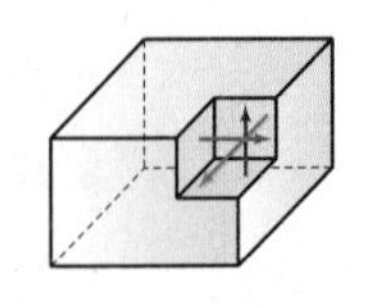

기둥의 겉넓이와 부피

01

그림은 밑면이 정사각형인 바둑판을 절반으로 접은 것이다. 이 바둑판을 접었을 때와 펼쳤을 때 겉넓이의 차는?

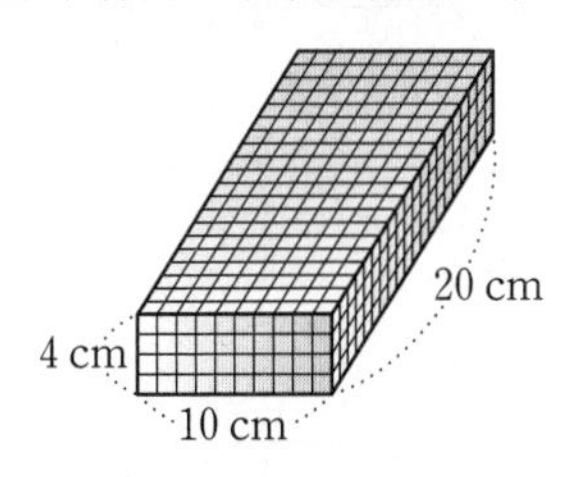

① 80 cm^2 ② 120 cm^2 ③ 200 cm^2
④ 320 cm^2 ⑤ 400 cm^2

02

그림과 같이 한 모서리 길이가 4 cm인 정육면체 겉면에 페인트를 칠하고, 각 모서리를 사등분하여 한 모서리 길이가 1 cm인 정육면체로 나누었다. 이때 나누어진 작은 정육면체 전체에서 페인트가 칠해져 있지 않은 면의 전체 넓이를 구하여라.

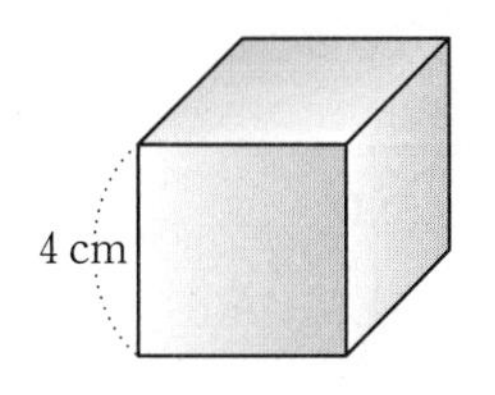

⇨

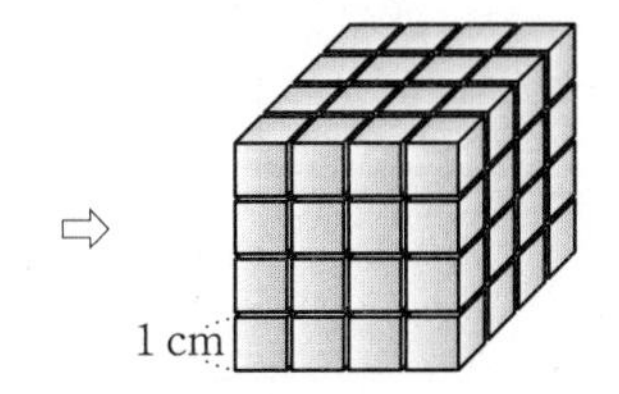

03

그림에 있는 두 원기둥 모양의 캔 (가), (나)의 부피는 같다. 같은 재료를 사용하여 캔을 만들 때, (가), (나) 중 어떤 것이 더 경제적인지 말하여라.

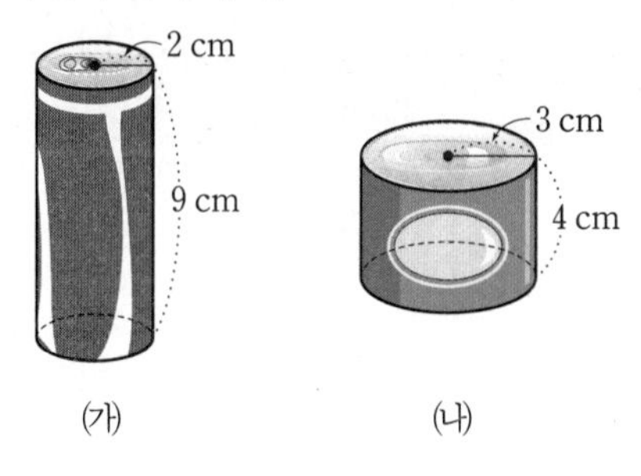

04

그림은 지름이 8 cm이고, 높이가 8 cm인 원기둥 모양 컵에 물을 가득 부었다가 컵을 기울여서 물 일부를 버린 것을 나타낸다. 버린 물의 부피는?

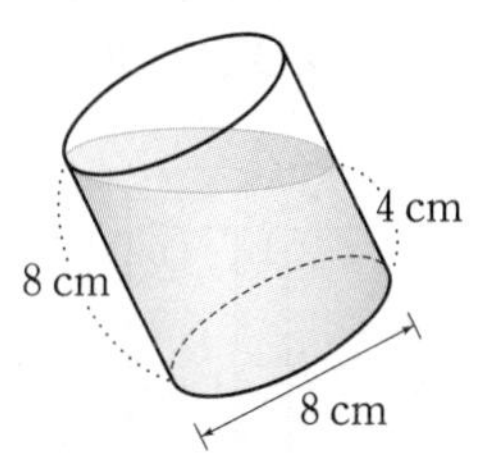

① 32π cm^3 ② 42π cm^3 ③ 56π cm^3
④ 63π cm^3 ⑤ 96π cm^3

05

그림과 같이 병 밑바닥 지름의 길이가 12 cm인 음료수 병에 500 cm^3의 음료수가 들어있다. 음료수 병을 거꾸로 세우면 위쪽 남는 부분의 높이가 2 cm일 때, 음료수 병의 부피는? (단, 병의 두께는 생각하지 않는다.)

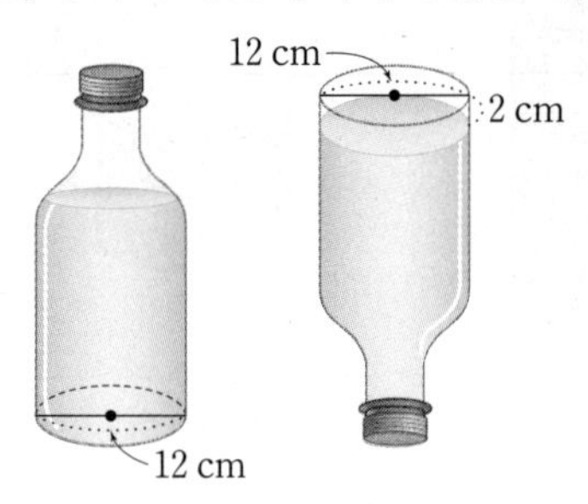

① 24π cm^3　② 72π cm^3
③ $(500+24\pi)$ cm^3　④ $(500+72\pi)$ cm^3
⑤ $(500+96\pi)$ cm^3

06

그림과 같이 밑면인 원의 반지름 길이가 4이고 높이가 20인 두 원기둥이 겹쳐 있을 때, 겹쳐진(색칠한) 부분의 부피는? (단, $\angle AOB=\angle AO'B=90°$)

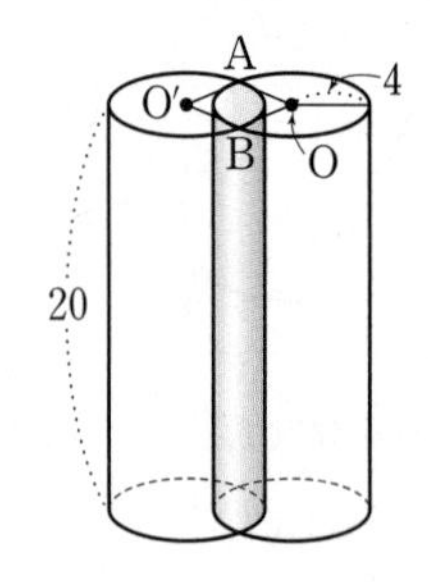

① $80\pi-160$　② $80\pi-320$
③ $160\pi-160$　④ $160\pi-320$
⑤ $320-160\pi$

07

밑면의 반지름 길이가 10 cm, 높이가 40 cm인 원기둥 모양의 밀폐 용기에 물을 담아 두 밑면이 바닥면과 수직이 되도록 눕혔더니 다음 그림과 같은 모양이 되었다. 용기 밑면이 바닥에 닿도록 바로 세운 후 물 2000 cm^3를 더 부었을 때, 물의 높이를 구하여라.

(단, 점 O는 밑면의 중심이다.)

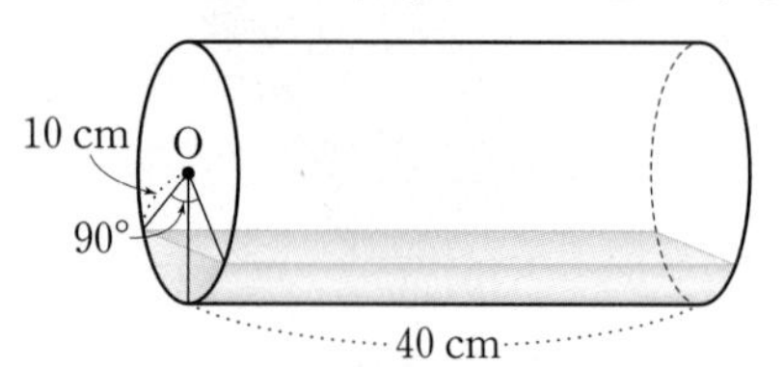

08

밑면의 반지름 길이가 3인 세 원기둥이 있다. 세 원기둥 각각의 밑면 중심이 선분 AB 위에 오도록 나란히 붙인다. 그림은 이 세 원기둥을 점 A로부터 높이 15인 점 C와 점 B로부터 높이 5인 점 D를 지나는 평면으로 잘라서 만든 입체도형이다. 이 입체도형의 부피가 V일 때, $\frac{V}{10\pi}$의 값을 구하여라.

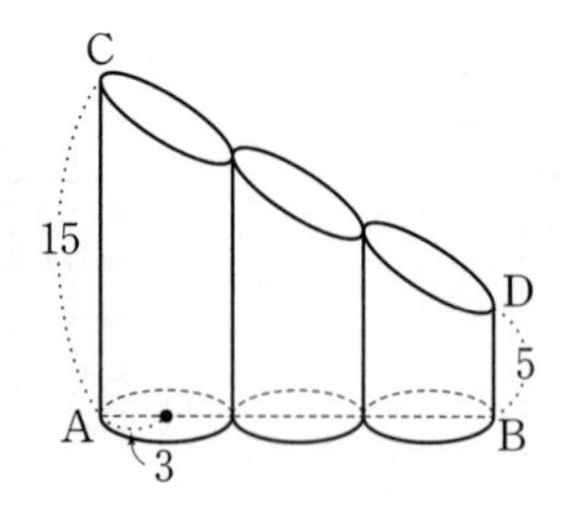

09

그림과 같이 한 모서리의 길이가 1 cm인 정육면체 모양의 쌓기나무를 빈틈없이 쌓아 만든 입체도형에 대하여 다음을 구하여라.

(1) 이 입체도형의 부피

(2) 이 입체도형의 겉넓이

10

그림과 같이 정육면체 밑면의 두 대각선이 만나는 점에 다른 정육면체의 모서리 끝점이 놓이도록 겹쳐 놓았다. 한 모서리의 길이가 2인 정육면체 12개를 이렇게 만들었을 때 생기는 입체도형의 부피를 구하여라.

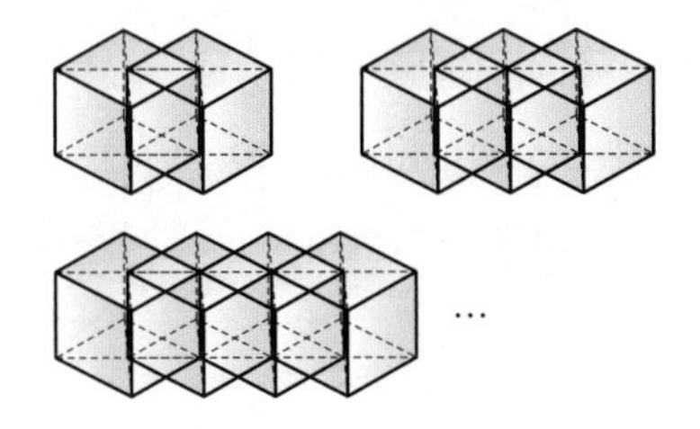

뿔의 겉넓이와 부피

11

그림과 같은 전개도로 만든 원뿔의 겉넓이는?

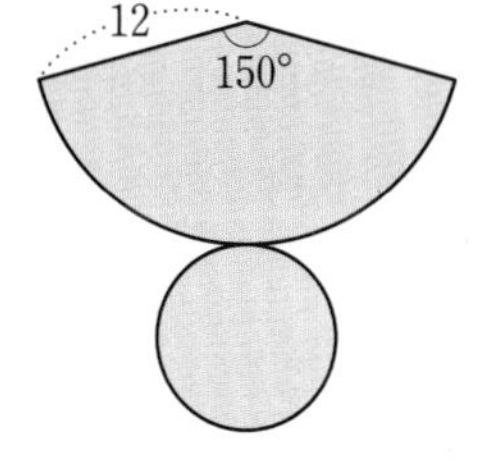

① 55π　② 65π　③ 75π　④ 85π　⑤ 95π

12

그림의 전개도에서 한 눈금의 길이가 1이고, $\overline{AF}=\overline{AE}$, $\overline{DE}=\overline{DH}$, $\overline{CH}=\overline{CG}$, $\overline{BG}=\overline{BF}$이다. 이 전개도로 만든 입체도형의 부피는?

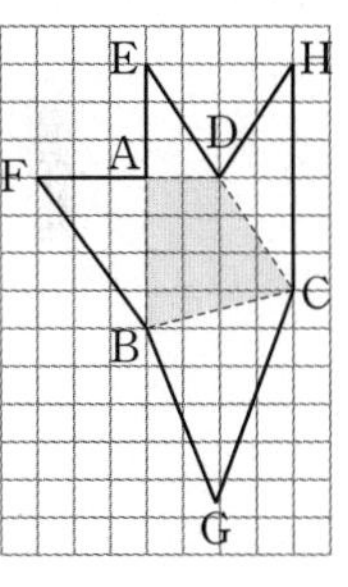

① 11　② 12　③ 13　④ 14　⑤ 15

13

오른쪽 그림과 같이 밑면의 반지름 길이가 6인 원뿔을 평면에서 점 O를 중심으로 2번 굴렸더니 제자리로 돌아왔다. 이 원뿔의 옆넓이를 구하여라.

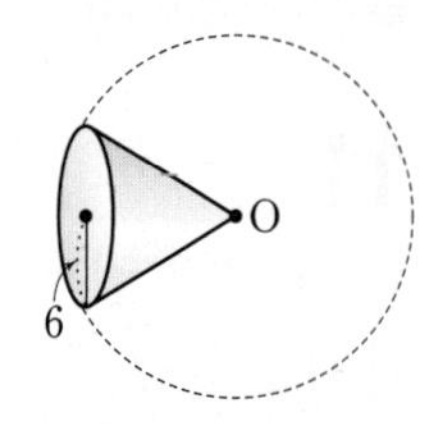

14

크기가 다른 원기둥 모양의 컵 A, B, C가 있다. 각 컵에 물을 가득 채워 모두 15번 부으면 원뿔 모양의 물통이 가득 찬다고 한다. 먼저 부피가 2π인 컵 A로는 물을 7번 부었다고 할 때, 다음을 구하여라.

(단, 손잡이와 물통, 컵의 두께는 무시한다.)

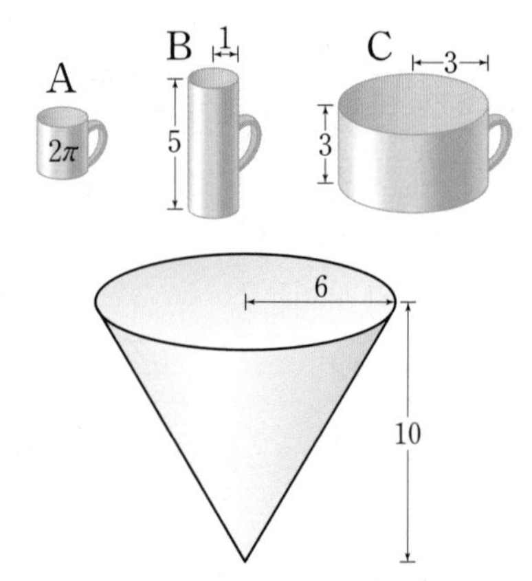

(1) 더 채워야 하는 물의 부피

(2) 컵 B와 컵 C를 사용한 횟수의 차

구의 겉넓이와 부피

15

그림과 같이 반지름 길이가 r인 구가 원기둥에 내접하며, 원기둥은 밑면의 반지름 길이가 $2r$인 원뿔에 내접한다. 원뿔 부피를 A, 원기둥 부피를 B, 구의 부피를 C라 할 때, $A:B:C$를 가장 작은 자연수로 나타냈더니 $a:b:c$였다. 이때 $a+b+c$의 값을 구하여라.

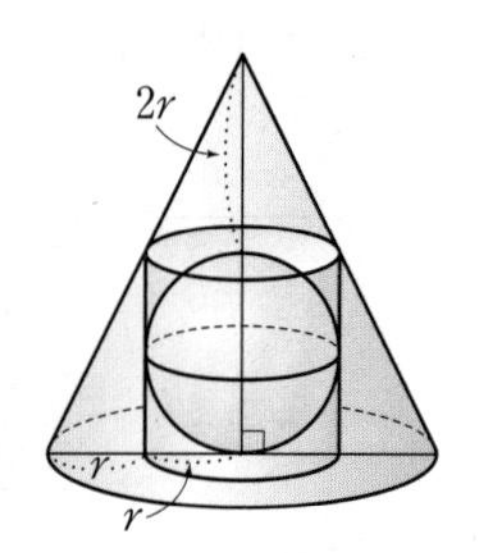

16

그림은 반지름 길이가 6인 구의 $\frac{1}{8}$을 잘라내고 남은 입체도형이다. 이 입체도형의 겉넓이를 구하여라.

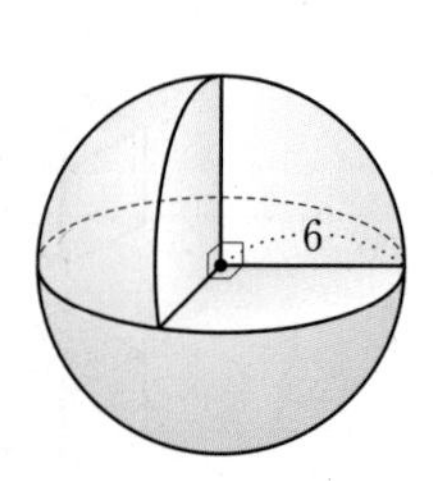

17

그림은 반지름 길이가 4 cm, 높이가 8 cm인 원기둥과 원뿔이 합쳐진 쇠구조물이다. 이 구조물을 녹여서 반지름 길이가 2 cm인 쇠구슬을 만들려고 할 때, 만들 수 있는 쇠구슬은 최대 몇 개인지 구하여라. (단, 쇠구조물과 쇠구슬은 모두 속이 꽉 차 있다.)

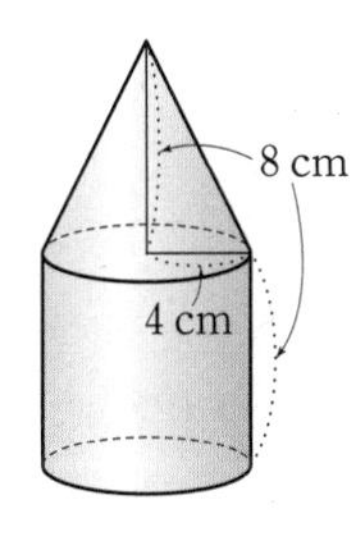

18

그림과 같은 정육면체 모양의 투명 그릇 안에 겉넓이가 모두 $16\pi\ \mathrm{cm}^2$로 같은 유리구슬 8개가 꼭 맞게 들어 있다. 넘치지 않도록 물을 가득 채울 때, 필요한 물의 양은 $(a-b\pi)\ \mathrm{cm}^3$이다. $a-3b$의 값을 구하여라.

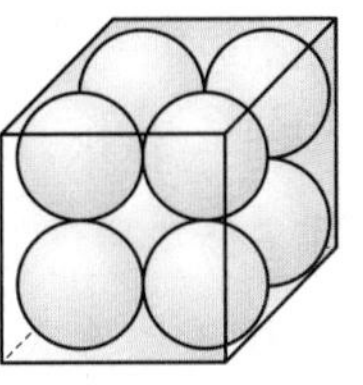

19

그림과 같이 반지름 길이가 8 cm인 구 모양의 초콜릿 한 개를 남김없이 사용하여 반지름 길이가 r cm인 구 모양의 초콜릿 64개를 만들고, 뚜껑이 없는 직육면체 모양의 종이 상자 1개에 빈틈없이 초콜릿을 3개씩 넣어 친구들에게 선물하려고 한다. 큰 초콜릿은 32000원, 상자를 만들 종이는 $1\ \mathrm{cm}^2$당 5원이고, 선물 총 금액이 47600원을 넘지 않도록 할 때, 만들 수 있는 선물은 최대 몇 상자인지 구하여라. (단, 종이 두께는 무시한다.)

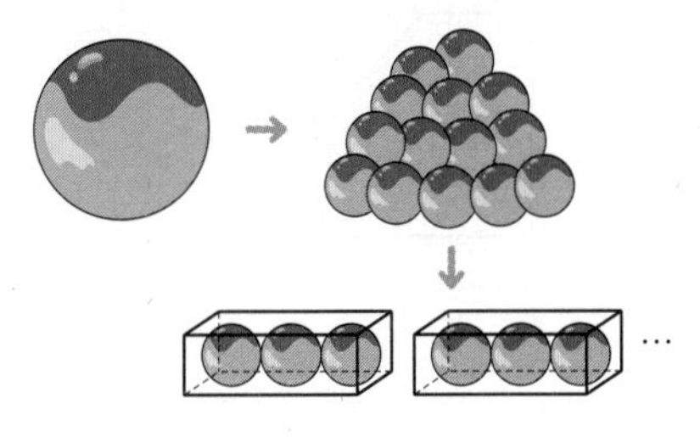

20

그림에 주어진 색칠한 두 도형을 직선 l을 회전축으로 1회전시킬 때 생기는 회전체 A, B에 물을 가득 담으려고 한다. 물음에 해당하는 통을 말하여라.

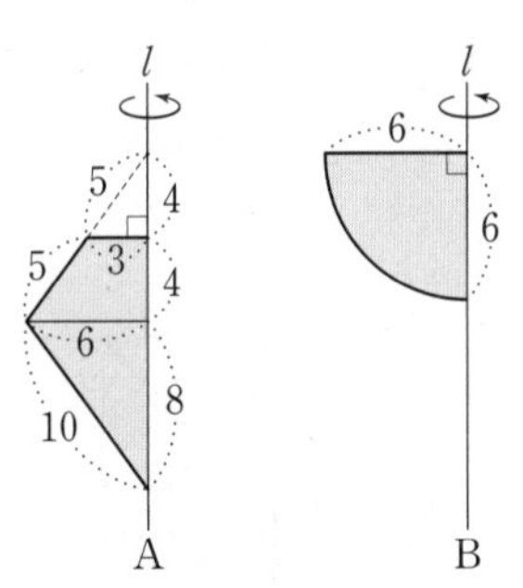

(1) 물을 더 많이 담을 수 있는 통

(2) 만들 때 재료비가 적게 드는 통 (단, 재료비는 통의 겉넓이에 비례하며 뚜껑 부분은 제외한다.)

변형된 입체의 겉넓이와 부피

21

그림과 같은 정육면체를 두 모서리 BC, CG의 중점과 꼭짓점 D를 지나는 평면으로 잘라 입체도형 두 개로 만들었다. 이때 큰 입체도형의 부피는 작은 입체도형 부피의 몇 배인지 구하여라.

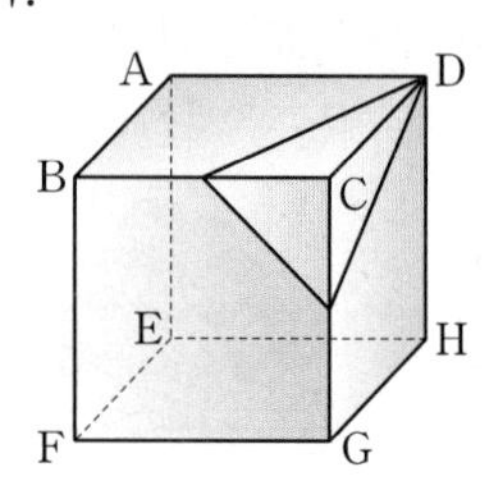

22

그림과 같이 한 모서리 길이가 12 cm인 정육면체에 각 면의 한가운데 점을 꼭짓점으로 하는 입체도형 A를 만들었다. 입체도형 A에 물을 가득 채운 후, 이 물을 밑면 넓이가 144 cm^2인 사각기둥 통에 모두 부었을 때 물의 높이를 구하여라.

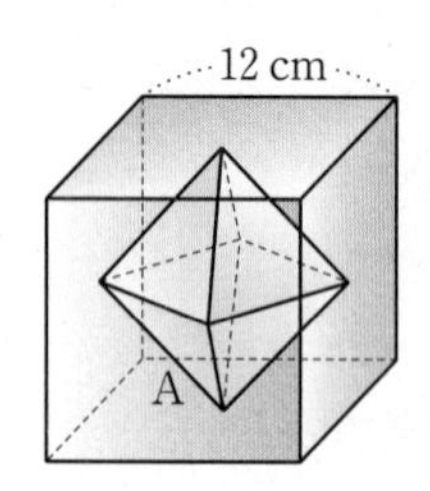

23

그림과 같이 한 모서리 길이가 3인 정육면체에 각 면의 한가운데를 지나가는 사각기둥 모양의 구멍을 뚫었다. 사각기둥의 밑면이 한 변의 길이가 1인 정사각형일 때, 이 입체도형의 겉넓이를 구하여라.

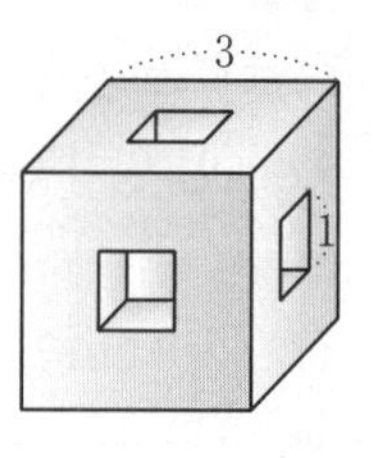

24

그림은 밑면 지름의 길이가 8, 높이가 10인 원기둥 일부를 잘라낸 입체도형이다. 잘린 면이 원기둥의 회전축과 평행하거나 수직일 때 이 입체도형의 겉넓이는?

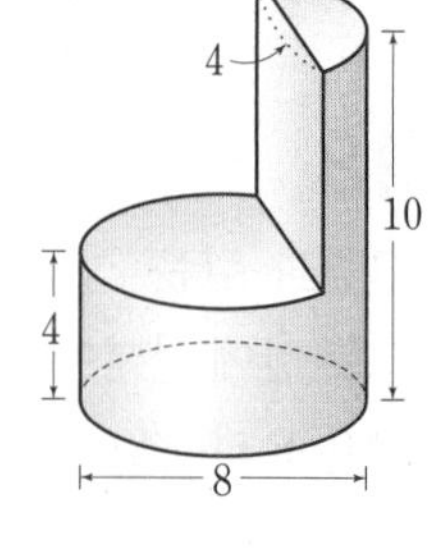

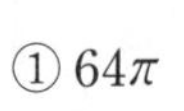

① 64π　② 72π
③ $64\pi+24$　④ $68\pi+24$
⑤ $72\pi+24$

25

한 모서리 길이가 10인 정육면체 모양의 탁자에 길이가 6인 줄로 잠자리를 묶어 놓았을 때, 잠자리가 움직일 수 있는 최대 공간의 부피를 구하여라.

(단, 줄의 매듭 부분, 잠자리의 크기는 무시한다.)

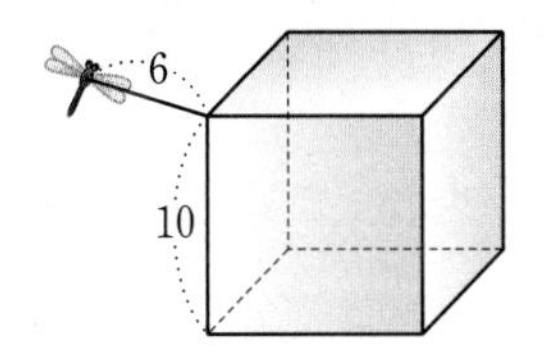

26

그림의 도형을 직선 l을 축으로 1회전시킬 때 생기는 회전체의 겉넓이를 구하여라.

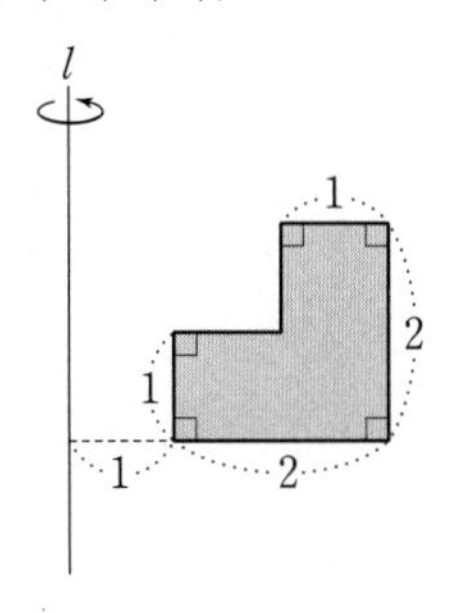

27

그림과 같이 한 변의 길이가 6인 정사각형이 있다. 색칠한 부분을 직선 l을 회전축으로 한 바퀴 돌릴 때 생기는 입체도형의 겉넓이를 구하여라.

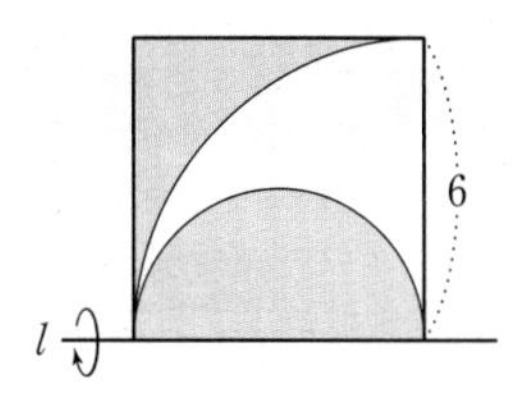

28

그림에서 $\angle ABP = \angle CBP$이고, 색칠한 도형을 직선 l을 축으로 1회전시킬 때 생기는 회전체의 부피는?

① 41π ② 42π
③ 43π ④ 44π
⑤ 45π

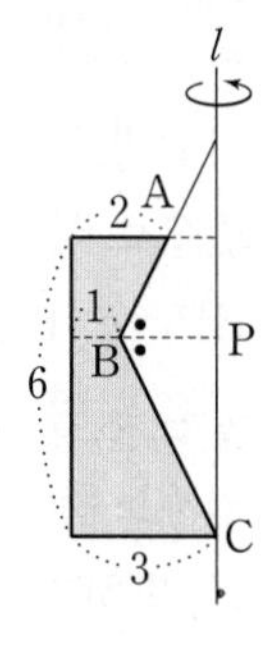

정답과 풀이 52쪽

1 융합형

한 모서리의 길이가 1 cm인 정육면체 나무토막을 쌓아 놓은 입체도형을 위, 옆, 앞에서 본 모양이 다음과 같다. 이 입체도형에 대하여 다음을 구하여라.

위에서 본 그림 앞에서 본 그림

옆에서 본 그림

(1) 이 입체도형의 부피

(2) 이 입체도형의 겉넓이

풀이

2 서술형

그림과 같이 한 변의 길이가 4인 정삼각형을 밑면으로 하는 삼각기둥 ABC$-$DEF에서 $\overline{BP}=4$, $\overline{PE}=2$, $\overline{CQ}=\overline{QF}=3$이다. 이 삼각기둥을 평면 APQ와 평면 DPQ로 잘라 생기는 세 입체도형의 부피를 위에서부터 차례로 V_1, V_2, V_3라 하자. $V_1 : V_2 : V_3$를 가장 간단한 자연수로 나타낸 것이 $k : m : n$일 때, $k+m+n$의 값을 구하여라.

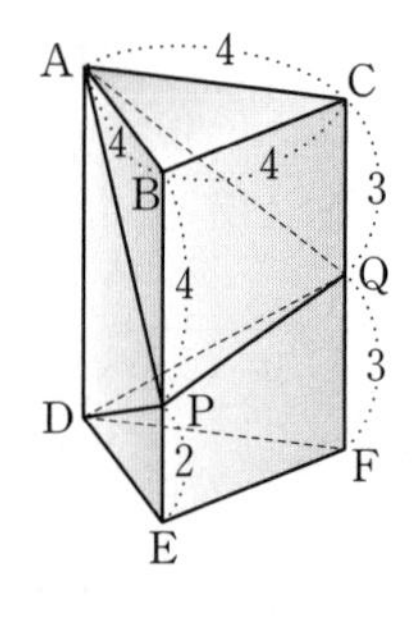

풀이

3

그림과 같은 사다리꼴을 직선 l을 축으로 1회 전시킬 때 생기는 입체도형 모양의 구조물이 있다. 이 구조물의 겉면을 한 통에 5000원짜리 페인트로 칠하려고 한다. 페인트 한 통으로 $8\pi\ \mathrm{m}^2$를 칠할 수 있다고 할 때, 구조물의 모든 면을 칠하는 데 드는 비용을 구하여라.

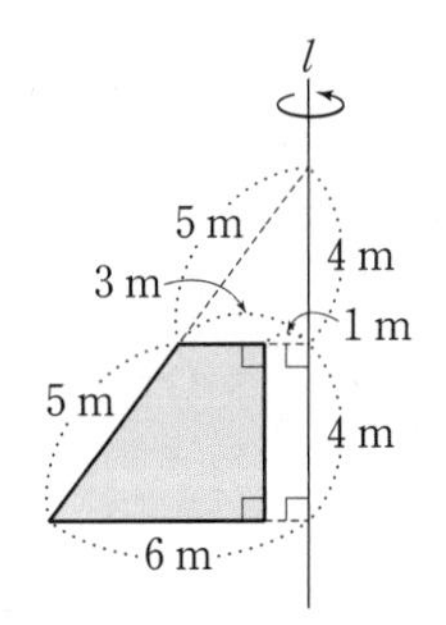

풀이

4

반지름 길이가 3인 구 모양의 순금구슬 7개를 녹여 그림과 같이 두 밑면의 중심이 각각 O, O′이고 반지름 길이가 각각 4, 8이며 높이가 9인 원뿔대를 자른 모양의 장식품 1개를 만들었다. 이때 x의 크기를 구하여라. (단, 순금을 녹일 때 부피는 전혀 줄지 않았고, 녹인 순금은 모두 사용하여 만들었다.)

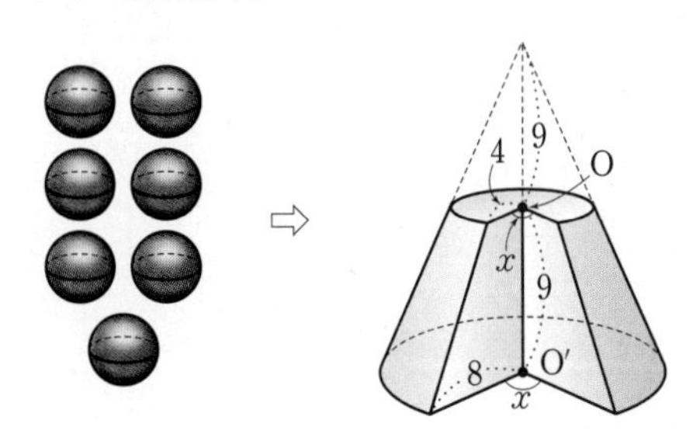

풀이

5 창의력

그림과 같은 원뿔 모양 그릇의 중간 높이인 A 지점과 같은 높이에 모두 구멍 6개를 뚫고, 가장 아랫부분인 B에 구멍 1개를 뚫었다. 물을 가득 채운 후 구멍 7군데에서 동시에 물을 빼려고 한다. 각 구멍에서 1분에 3π cm^{3}씩 일정한 속도로 물이 나온다면 이 그릇의 물이 완전히 빠질 때까지 걸리는 시간을 구하여라.

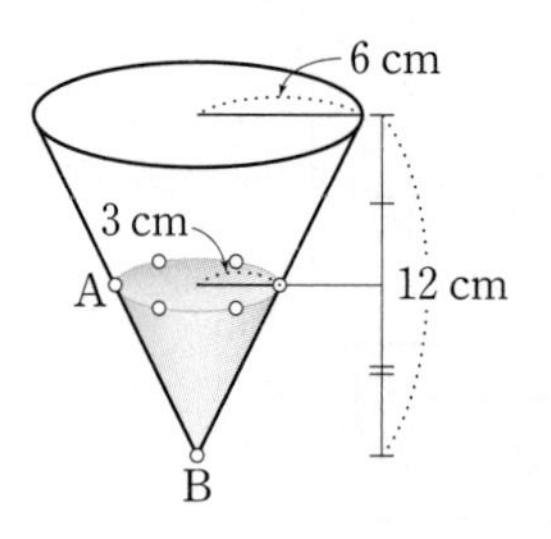

풀이

6

그림과 같이 직선 m에 대하여 대칭이고 넓이가 23인 색칠한 직사각형과 직선 m에 평행하고 직선 m으로부터 3만큼 떨어져 있는 직선 l이 있다. 이 직사각형을 직선 l을 축으로 1회전시켜 만든 회전체의 부피를 V라 할 때, 다음 내용을 참고하여 $\frac{V}{\pi}$ 값을 구하여라.

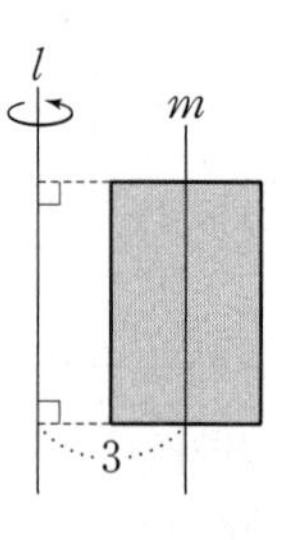

풀이

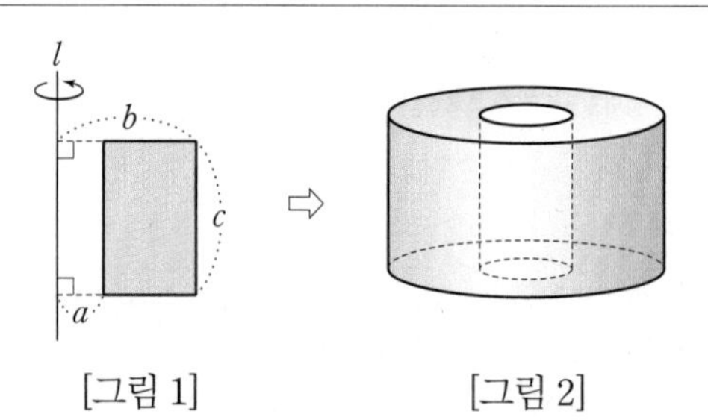

[그림 1] [그림 2]

[그림 1]의 직사각형을 직선 l을 축으로 1회전시켜 만든 회전체는 [그림 2]와 같다. 즉 큰 원기둥의 부피에서 가운데 작은 원기둥의 부피를 뺀 것이므로 구하려는 부피는

$V=\pi b^2c-\pi a^2c=2\pi\times\frac{a+b}{2}\times(b-a)c$

Ⅳ
통계

01. 자료의 정리와 해석

01 자료의 정리와 해석

❶ 줄기와 잎 그림

자료를 줄기와 잎으로 구분하여 줄기는 왼쪽에 크기순으로 나열하고, 잎은 해당하는 줄기에 수평으로 적은 것을 **줄기와 잎 그림**이라 한다.

❷ 도수분포표와 용어

자료를 몇 개의 계급으로 나누고 각 계급의 도수를 구해 나타낸 표를 **도수분포표**라 하고, 다음 내용을 이용한다.

변량　자료를 수량으로 나타낸 것

계급　변량을 일정한 간격으로 나눈 구간

$$(\text{계급값})=\frac{(\text{계급의 양 끝값의 합})}{2}$$

계급의 개수　변량을 나눈 구간의 개수

계급의 크기　변량을 나눈 구간의 너비(폭), 즉 계급의 양 끝값의 차

도수　각 계급에 속하는 변량의 개수

❸ 도수분포표에서 평균 구하기

[1] 각 계급의 계급값을 구한다.

[2] 각 계급에서 {(계급값)×(도수)}를 구한다.

[3] [2]의 총합을 구한다.

[4] [3]을 도수의 총합으로 나눈다.

❹ 히스토그램

도수분포표의 각 계급의 크기를 가로로, 그 계급의 도수를 세로로 하는 직사각형을 그린 그래프를 **히스토그램**이라 한다. 히스토그램에는 다음과 같은 특성이 있다.

① 자료의 분포 상태를 한눈에 알아볼 수 있다.

② 각 직사각형에서 가로 길이는 계급의 크기이므로 일정하다. 즉 직사각형의 넓이는 세로의 길이인 각 계급의 도수에 정비례한다.

참고 히스토그램에서 각 직사각형의 가로 길이는 계급의 크기를 나타내므로 모두 같다.

개념+

히스토그램에서

(직사각형의 넓이)=(계급의 크기)×(그 계급의 도수)

(직사각형의 넓이의 합)=(계급의 크기)×(전체 도수)

[확인 ❶]

프로야구 선수들의 홈런 수를 조사하여 나타낸 다음 줄기와 잎 그림을 보고 물음에 답하여라.

줄기	잎
2	6 9 9
3	0 1 1 3 5 6 6 7 9
4	0 1 1 4 8 9
5	1 4

(단, 2|6은 26개를 나타낸다.)

(1) 홈런을 40개 이상 친 선수는 몇 명인지 구하여라.

(2) 홈런 순위 5위인 선수가 기록한 홈런 수를 구하여라.

[확인 ❷]

어느 중학교 1학년 학생들의 영어 듣기 평가 점수를 나타낸 아래 도수분포표를 보고 다음을 구하여라.

점수(점)	도수(명)
0이상 ~ 5미만	3
5 ~ 10	7
10 ~ 15	13
15 ~ 20	10
합계	33

(1) 계급의 크기

(2) 도수가 가장 큰 계급의 계급값

(3) 계급값이 7.5점인 계급의 도수

❺ 도수분포다각형

히스토그램에서 양 끝에 도수가 0인 계급이 하나씩 더 있는 것으로 생각하고, 각 계급에 대한 직사각형의 윗변의 중점을 차례대로 선분으로 연결하여 그린 다각형 모양의 그래프를 **도수분포다각형**이라 한다. 도수분포다각형에는 다음과 같은 특성이 있다.

① 자료의 분포 상태를 한눈에 알아볼 수 있다.
② 연속적인 자료의 변화 상태를 나타내는 데 편리하다.
③ 서로 다른 두 자료의 분포 상태를 비교할 때 편리하다.

개념+

- 히스토그램 또는 도수분포다각형에서 평균을 구하려면 도수분포표를 만들어 [{(계급값)×(도수)}의 총합]÷(도수의 총합)을 이용한다.
- 도수분포다각형의 넓이는 히스토그램의 각 직사각형 넓이의 합과 같다.

[확인 ❸]

우리 반 학생들이 한 학기 동안 한 봉사 활동 시간을 조사한 아래 히스토그램을 보고 다음 물음에 답하여라.

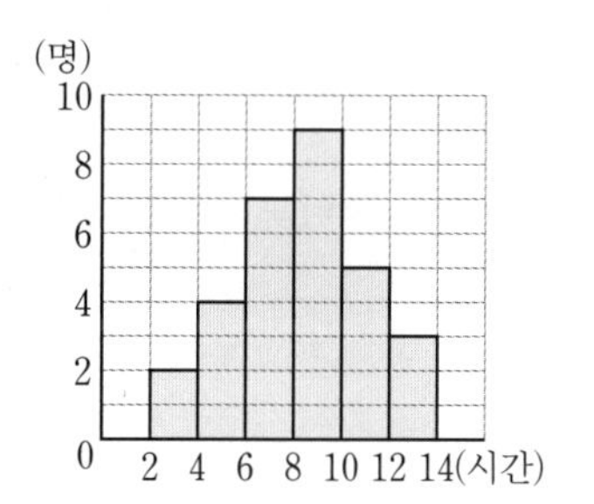

(1) 학생이 가장 많이 속한 계급을 구하여라.
(2) 10시간 이상 봉사 활동을 한 학생은 모두 몇 명인지 구하여라.
(3) 도수분포다각형을 그려라.

❻ 상대도수

도수의 총합에 대한 각 계급의 도수의 비율을 **상대도수**라 하고, 다음 내용을 이용한다.

① 상대도수의 합은 1이다.
② 상대도수는 그 계급의 도수에 정비례한다.
③ 도수의 총합이 다른 두 집단을 비교할 때 편리하다.

개념+

$$(\text{특정 계급의 상대도수})=\frac{(\text{그 계급의 도수})}{(\text{도수의 총합})}$$

(특정 계급의 도수)=(도수의 총합)×(그 계급의 상대도수)

(평균)=[{(계급값)×(상대도수)}의 총합]

[확인 ❹]

다음은 중학생 50명의 수학 성적을 조사하여 나타낸 표와 이 표를 이용하여 그린 상대도수의 그래프 일부이다. 나머지 상대도수를 구하고 그래프를 완성하여라.

수학 성적(점)	도수(명)	상대도수
40이상 ~ 50미만	5	0.1
50 ~ 60	7	
60 ~ 70	8	0.16
70 ~ 80	11	
80 ~ 90	14	
90 ~ 100	5	0.1
합계	50	1

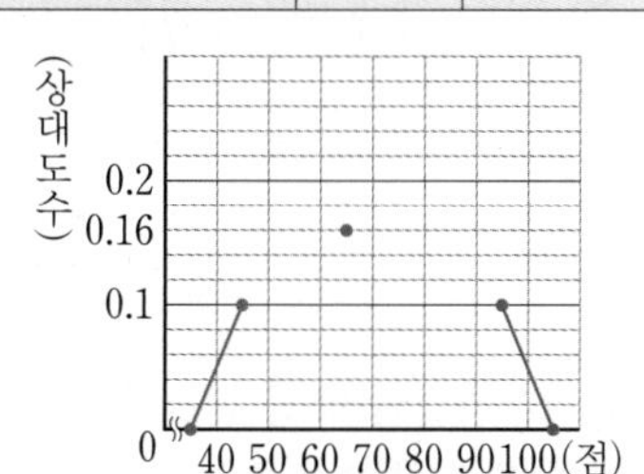

❼ 상대도수분포표

각 계급의 상대도수를 구하여 나타낸 표를 **상대도수분포표**라 하고 다음과 같이 작성한다.

1 도수분포표처럼 표의 왼쪽에 계급을 써넣는다.
2 각 계급의 오른쪽에 상대도수를 구하여 써넣는다.
3 상대도수의 합계에 1을 써넣는다.

개념+

다음과 같이 상대도수의 분포를 나타낸 그래프를 그릴 수 있다.

1 가로축에 계급의 양 끝값을 차례대로 써넣는다.
2 세로축에 상대도수를 차례대로 써넣는다.
3 히스토그램 또는 도수분포다각형과 같은 방법으로 그린다.

STEP 1 억울하게 울리는 문제 (1)

도수분포다각형

다음 물음에 답하여라.

※ 다음은 어느 중학교 1학년 학생들의 과학 성적을 조사하여 나타낸 도수분포다각형이다.

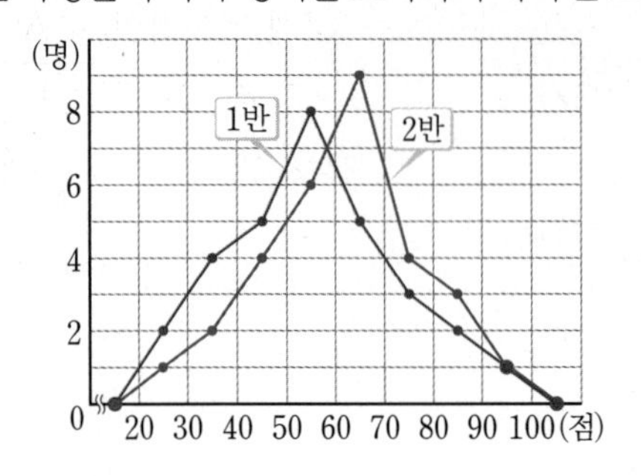

1-1 다음 중 참인 것을 모두 말하여라.

ㄱ. 성적이 가장 우수한 학생은 1반에 있다.

ㄴ. 1반보다 2반의 성적이 더 좋다고 말할 수 있다.

ㄷ. 2반의 전체 학생 수가 1반의 전체 학생 수보다 많다.

ㄹ. 성적이 40점 이상 70점 미만인 학생은 2반보다 1반이 더 많다.

ㅁ. 계급값이 75점인 계급에 속하는 학생은 2반이 1반보다 1명 더 많다.

ㅂ. 그래프의 영역의 넓이는 2반이 1반보다 크다.

ㅅ. 그래프의 영역의 넓이는 계급값에 따라 달라진다.

ㅇ. 두 반 통틀어 성적이 일곱 번째로 좋은 학생은 계급값이 75인 계급에 속한다.

ㅈ. 각 반에서 성적이 열 번째로 낮은 학생은 같은 계급에 속한다.

1-2 1반에서 성적이 상위 20 %인 학생이 2반에서 얻을 수 있는 가장 낮은 등수를 구하여라. (예를 들어 7등은 3등보다 낮은 등수이다.)

1-3 1반과 2반 학생 전체에서 상위 7명에게 상장을 수여하기로 하였다. 이들 7명의 평균을 반올림하여 소수 첫째 자리까지 구하여라.

상위권의 눈

▶ 도수분포표, 히스토그램, 도수분포다각형에서 각 계급에 속한 변량의 정확한 값을 알 수 없다.

정답과 풀이 55쪽

문제의 조건 확인하기

다음 물음에 답하여라.

2-1 두 집단 A, B에 대하여 전체 도수의 비가 5 : 2이고, A, B에서 어떤 계급의 도수의 비가 2 : 7일 때, 그 계급의 상대도수의 비를 서로소인 자연수의 비로 나타내어라.

2-2 전체 도수가 다른 두 도수분포표 A, B를 계급이 같게 정리하였다. A, B에서 어떤 계급의 도수의 비가 4 : 3이고, 상대도수의 비가 8 : 7일 때 전체 도수의 비를 서로소인 자연수의 비로 나타내어라.

3-1 다음 표는 우리 학교 1학년 학생들의 수학과 영어 수행 평가 점수를 나타낸 것이다. 두 평가의 응시 인원이 같을 때 전체 학생 수를 구하여라.

(단, 전체 학생 수는 120명 이하이다.)

수학 시험		영어 시험	
점수(점)	상대도수	점수(점)	상대도수
60이상 ~ 70미만	0.24	60이상 ~ 70미만	0.22
70 ~ 80	0.36	70 ~ 80	0.38
80 ~ 90	0.25	80 ~ 90	0.28
90 ~ 100	0.15	90 ~ 100	0.12
합계	1	합계	1

3-2 다음은 우리 학교 1학년 남학생 120명과 여학생 100명의 1주일 동안 체육·예술 활동 시간에 대한 상대도수의 분포표이다. 여학생 수가 남학생 수보다 더 많은 계급의 계급값을 구하여라.

체육·예술 활동 시간(시간)	상대도수	
	남학생	여학생
1이상 ~ 3미만	0.1	0.13
3 ~ 5	0.25	0.16
5 ~ 7	0.3	0.35
7 ~ 9	0.2	0.18
9 ~ 11	0.15	0.18
합계	1	1

상위권의 눈

- ▶ (상대도수)$=\dfrac{(\text{도수})}{(\text{전체도수})}$에서 (전체도수)$=\dfrac{(\text{도수})}{(\text{상대도수})}$
- ▶ 도수는 자연수이다.

상대도수그래프

다음 물음에 답하여라.

4-1 다음은 우리 학교 남학생과 여학생의 일주일 동안의 컴퓨터 사용 시간을 조사하여 상대도수의 그래프로 나타낸 것이다.

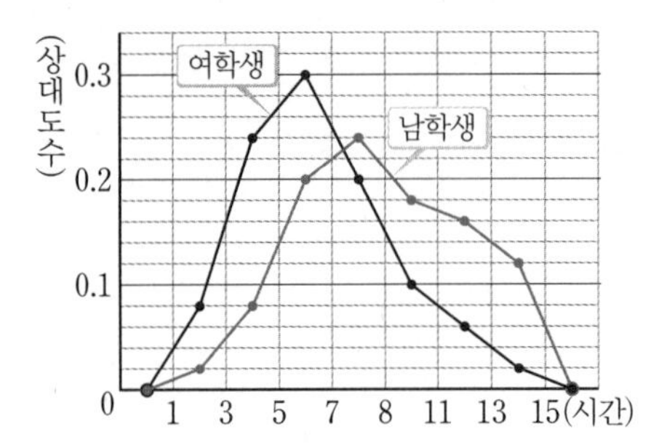

5시간 이상 7시간 미만인 계급의 남, 녀 학생 수가 같을 때, 3시간 이상 5시간 미만인 계급의 남, 녀 도수의 비를 서로소인 자연수의 비로 나타내어라.

4-2 다음은 1학년 학생 40명과 3학년 학생 60명의 하루 평균 수면 시간을 조사하여 상대도수의 그래프로 나타낸 것이다. 1학년과 3학년의 계급 중 가장 높은 도수에 대하여 그 합을 구하여라.

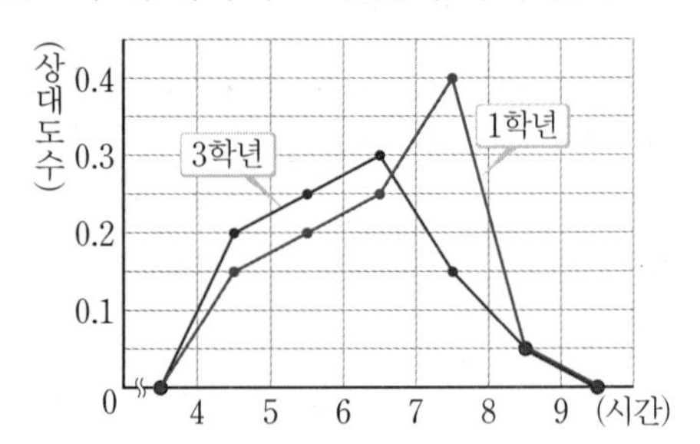

5-1 다음은 우리 학교 1학년 50명의 수학 성적에 대한 상대도수 분포다각형이다. 수학 점수가 높은 쪽에서 7번째인 학생이 속한 계급의 상대도수를 구하여라.

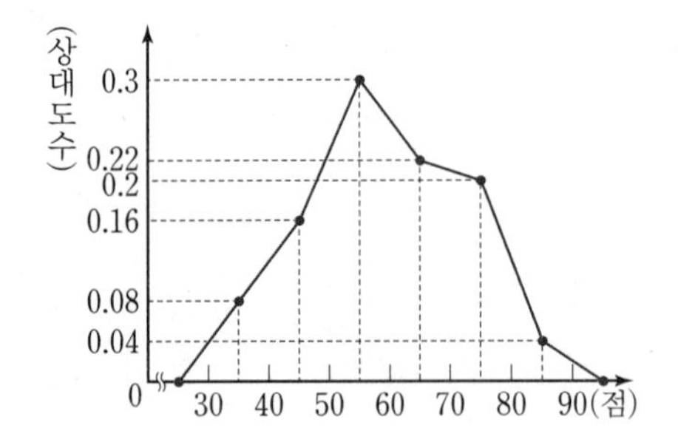

5-2 다음은 A중학교 학생 100명과 B중학교 학생 200명의 오래달리기 기록에 대한 상대도수의 분포를 나타낸 그래프이다. 두 학교를 합하여 상위 25등까지 상장을 준다고 할 때, 상위 25번째 등수가 속하는 계급의 B중학교의 상대도수를 구하여라.

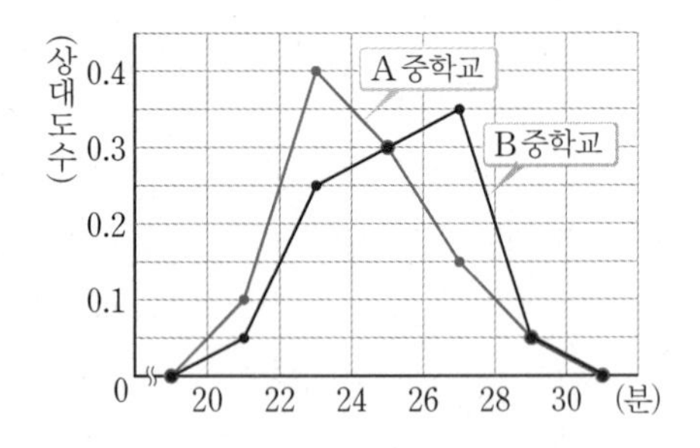

상위권의 눈

▶ (계급의 도수)=(계급의 상대도수)×(전체도수)이다.
▶ 각 계급에 속한 변량의 정확한 값은 알 수 없다.

정답과 풀이 56쪽

줄기와 잎 그림

01

다음은 우리 반 학생의 키를 조사하여 나타낸 줄기와 잎 그림이다. 옳지 않은 것은?

줄기	잎								
13	0	0	5	6	9	9			
14	3	4	4	5	5	8	9		
15	0	2	2	3	3	6	6	8	8
16	1	2	3	5	5	5	6	9	

우리 반 학생들의 키 (15|8은 158 cm)

① 우리 반 학생은 30명이다.
② 키가 165 cm인 학생은 3명이다.
③ 잎이 가장 많은 줄기는 15이다.
④ 키가 144 cm 이상 155 cm 미만인 학생은 11명이다.
⑤ 우리 반에서 키가 14번째로 큰 학생은 150 cm이다.

02

다음은 우리 반 학생들의 미술 수행평가 점수를 조사하여 나타낸 줄기와 잎 그림이다. 설명 중 옳은 것은?

줄기	잎								
2	0	0	3	6	6	7	8		
3	0	1	1	2	3	4	4	x	x
4	1	2	2	3	3	5	6		

미술 수행평가 점수 (2|0은 20점)

① 우리 반 학생은 모두 21명이다.
② 30점대 학생들의 평균 점수가 33일 때, x값은 5다.
③ 잎이 가장 많은 줄기는 4다.
④ 가장 높은 점수와 가장 낮은 점수 차이는 25점이다.
⑤ 30점은 우리 반에서 점수가 낮은 편이다.

03

다음은 우리 반 학생들의 윗몸일으키기 기록을 조사하여 나타낸 줄기와 잎 그림이다. 윗몸일으키기 기록의 평균을 구하여라.

줄기	잎						
1	2	3	3	4	7		
2	0	1	4	4			
3	2	3	3	7	8	9	9
4	0	1	2	8			

윗몸일으키기 기록 (1|2는 12회)

도수분포표

04

다음은 어느 버스에 탄 승객 30명을 대상으로 조사한 버스를 기다린 시간과 그 결과를 나타낸 도수분포표이다. 이때 옳지 않은 것은?

버스 대기 시간 (단위 : 분)

6	2	8	5
1	7	9	12
6	7	3	14
8	5	4	1
13	7	16	10
14	7	5	8
3	17	10	8
9	11		

시간(분)	승객 수(명)
0이상 ~ 3미만	3
3 ~ 6	6
6 ~ 9	A
9 ~ 12	5
12 ~ 15	4
15 ~ 18	B
합계	30

① 계급의 개수는 6이다.
② 도수가 가장 큰 계급의 계급값은 7.5분이다.
③ 기다린 시간이 9분 미만인 승객수는 19명이다.
④ 버스를 16분 동안 기다린 승객이 속하는 계급의 도수는 2명이다.
⑤ 버스를 오래 기다린 쪽에서 7번째에 해당되는 승객은 12분 이상 15분 미만인 계급에 속한다.

05

계급의 크기가 7인 도수분포표에서 변량 a가 속하는 계급의 계급값이 12.5일 때, a의 값의 범위는 $x \le a < y$이다. 이때 $3x-y$의 값을 구하여라.

06

다음은 우리 반 학생들의 사촌 형제 수를 조사하여 나타낸 도수분포표이다. 이 도수분포표에 대하여 주어진 조건이 모두 성립할 때, 사촌 형제가 6명 이상인 학생 수를 구하여라.

사촌 형제 수(명)	도수(명)
0이상 ~ 2미만	2
2 ~ 4	3
4 ~ 6	
6 ~ 8	
8 ~ 10	2
합계	

(가) 사촌이 4명 미만인 학생은 전체의 20 %다.
(나) 계급값이 5명인 계급의 도수는 계급값이 7명인 계급 도수의 2배다.

07

오른쪽은 우리 학교 학생 50명의 하루 수면 시간을 조사하여 만든 도수분포표이다. $b=a+3$, $c=2b-1$일 때, 다음 중 옳은 것은?

수면 시간(시간)	학생 수(명)
4이상 ~ 5미만	3
5 ~ 6	a
6 ~ 7	b
7 ~ 8	c
8 ~ 9	11
합계	50

① $a+b+c=26$
② $a+b=19$
③ $c-b=9$
④ $b=11$
⑤ $c-a-b=0$

08

오른쪽은 우리 반 학생 37명 중에서 읽은 책 권수가 같았던 학생 A, B, C의 기록을 제외한 나머지 34명이 한 학기 동안 책을 몇 권 읽었는지 조사하여 나타낸 도수분포표이다. 37명이 읽은 책 평균이 5권일 때, A, B, C가 속하는 계급은?
(단, 도수분포표에서 구한 평균과 실제 평균은 서로 같다.)

읽은 책(권)	도수(명)
0이상 ~ 2미만	5
2 ~ 4	10
4 ~ 6	8
6 ~ 8	5
8 ~ 10	6
합계	34

① 0권 이상 2권 미만
② 2권 이상 4권 미만
③ 4권 이상 6권 미만
④ 6권 이상 8권 미만
⑤ 8권 이상 10권 미만

09

어느 학교 A, B 두 반 학생들의 영어 점수를 조사했더니 A반 평균은 60점, B반 평균은 80점이었다. 두 반 전체 학생의 영어 점수 평균이 75점일 때, A반과 B반 학생 수의 비를 서로소인 자연수의 비로 나타내어라.

히스토그램

10

다음은 우리 반 학생들의 몸무게를 나타낸 히스토그램이다. 옳지 않은 것은?

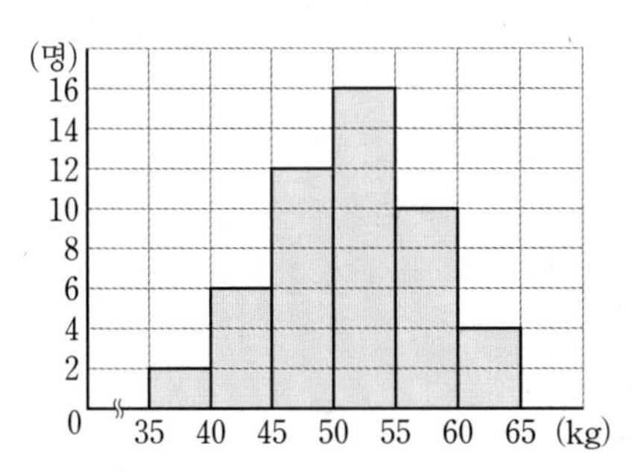

① 전체 학생 수는 50명이다.
② 계급은 모두 6개이고, 계급의 크기는 5 kg이다.
③ 도수가 가장 작은 계급의 계급값은 37.5 kg이다.
④ 몸무게가 7번째로 가벼운 학생이 속하는 계급의 계급값은 47.5 kg이다.
⑤ 몸무게가 50 kg 미만인 학생은 전체의 40 %이다.

11

다음은 우리 학교에서 30명이 참가한 수학 경시대회 점수를 조사하여 나타낸 히스토그램이다. 상위 20 %는 입상할 수 있고, 입상자의 상위 50 % 이내에 들면 장학금을 받는다고 한다. 장학금을 받을 수 있는 학생 중 가장 낮은 점수를 얻은 학생이 속하는 계급의 계급값을 구하여라.

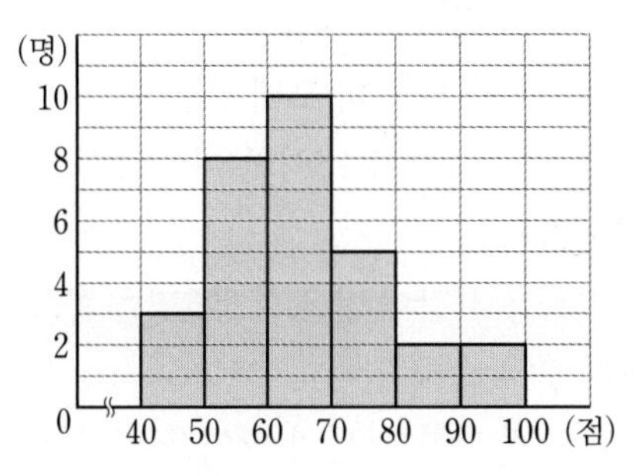

12

다음은 우리 반 학생들의 중간고사 수학 점수를 조사하여 나타낸 히스토그램 일부이다. 수학 점수가 60점 이상 70점 미만인 학생이 전체의 25 %일 때, 60점 이상 70점 미만인 학생 수를 구하여라.

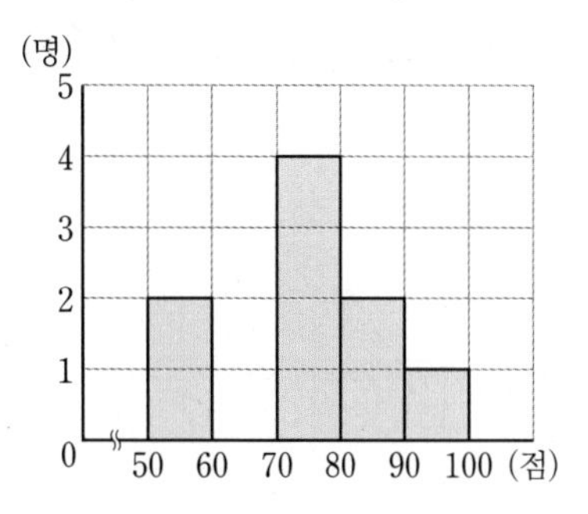

13

다음은 우리 반 학생들의 하루 운동 시간을 조사하여 나타낸 히스토그램으로 일부가 찢어져 보이지 않는다. 계급값이 27.5분인 계급의 도수와 운동 시간이 15분 이상인 학생 수의 비가 1 : 4일 때, 25분 이상 35분 미만에 속하는 학생은 전체의 몇 %인지 구하여라.

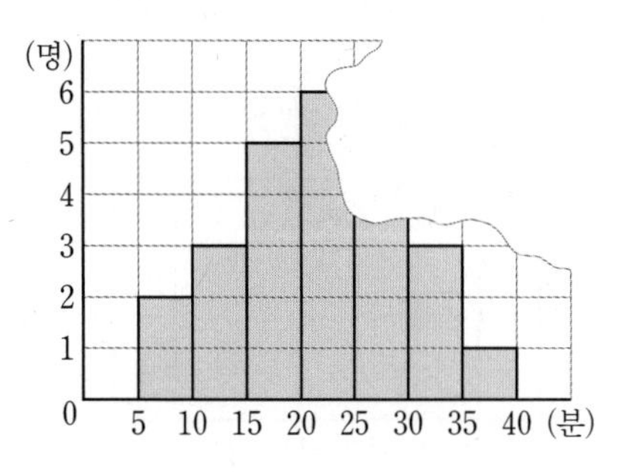

Ⅳ. 통계

14

다음은 우리 학교 봉사 동아리 학생들이 지난 1년간 봉사 활동 시간을 조사하여 나타낸 히스토그램인데 일부가 찢어져 보이지 않는다. 봉사 시간이 60시간 이상인 학생이 전체의 70 %일 때, 20시간 이상 40시간 미만인 학생이 전체에서 차지하는 비율을 구하여라.

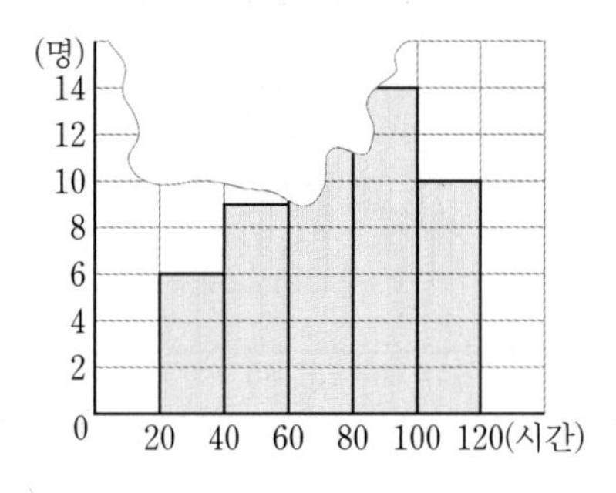

15

다음은 우리 반 학생의 1분당 타자 수를 조사하여 나타낸 히스토그램인데 얼룩이 묻었다. 1분당 타자 수가 100타 이상 150타 미만인 학생 수를 a명, 250타 이상 300타 미만인 학생 수를 b명이라 하면 b는 a의 $\frac{10}{9}$배이고, 250타 이상인 학생 수가 전체의 25 %이다. 이때 $a+b$의 값은?

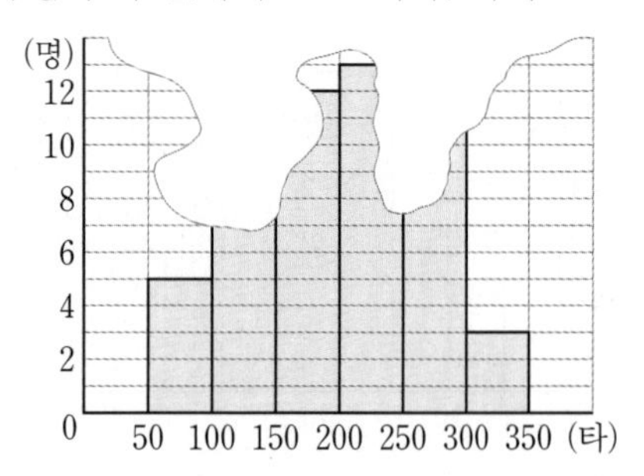

① 10　　② 17　　③ 19
④ 24　　⑤ 35

도수분포다각형

16

다음은 우리 반 학생들의 수학 성적을 나타낸 도수분포다각형이다. A4 용지로 출력한 히스토그램에서 계급값이 75점인 계급의 직사각형의 실제 넓이가 100 cm^{2}일 때, 계급값이 55점인 계급의 히스토그램에서 직사각형의 실제 넓이를 구하여라.

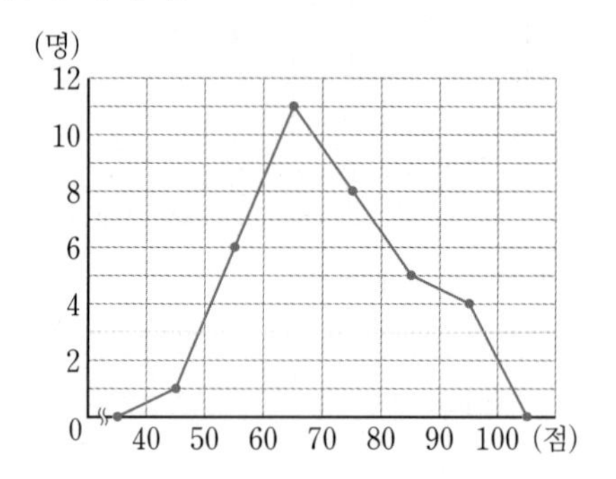

17

다음은 우리 학교 남학생과 여학생의 일주일 동안 스마트폰 사용 시간을 조사하여 나타낸 도수분포다각형이다. 설명 중 옳지 않은 것을 모두 고르면? (정답 2개)

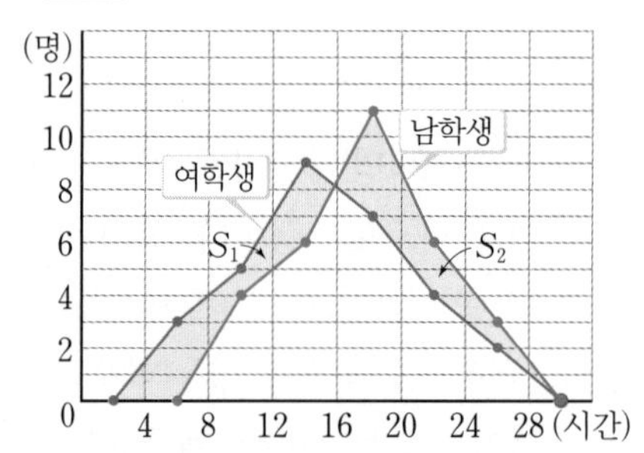

① 남학생 수와 여학생 수는 같다.
② 여학생이 스마트폰을 더 오래 사용한 편이다.
③ 스마트폰 사용 시간이 16시간 이상인 학생은 전체 학생의 55 %이다.
④ 스마트폰 사용 시간이 많은 학생 5명을 뽑으면 남학생, 여학생이 모두 속해 있다.
⑤ 그래프에서 색칠한 부분의 넓이를 각각 S_1, S_2라 할 때, $S_1 \neq S_2$이다.

18

다음은 우리 학교 1학년 학생들의 국어 점수를 조사하여 나타낸 도수분포다각형으로 세로축의 도수를 써넣지 못하였다. 색칠한 두 직각삼각형의 넓이 S_1과 S_2의 합이 30일 때, 국어 점수가 90점 이상인 학생 수를 구하여라.

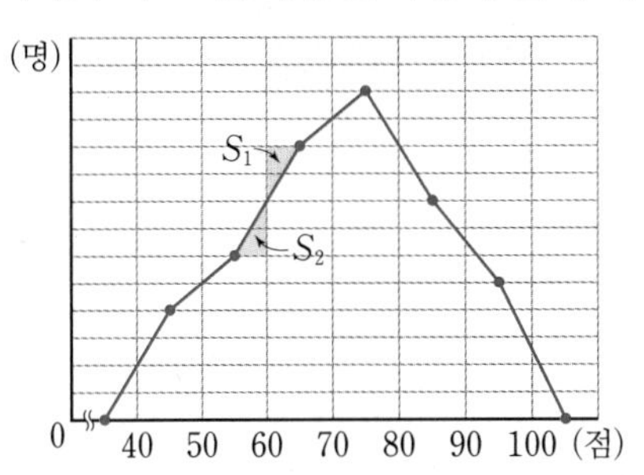

19

오른쪽은 우리 동네 중학생의 통학 시간을 조사해서 나타낸 도수분포다각형인데, 일부가 찢어져서 보이지 않는다. 통학 시간이 30분 이상 걸리는 학생이 전체의 70 %이고, 30분 이상 40분 미만인 학생이 40분 이상 50분 미만인 학생보다 9명 더 많을 때, 통학 시간이 30분 이상 40분 미만인 학생 수를 구하여라.

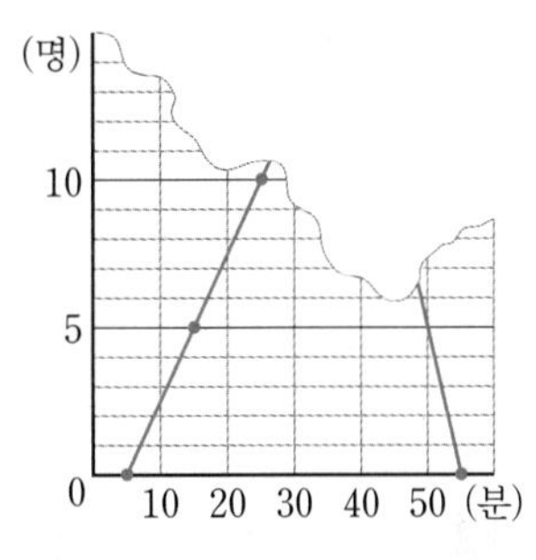

상대도수분포표

20

어느 자료에서 도수가 28인 계급의 상대도수가 0.35일 때, 도수가 12인 계급의 상대도수는 x이고 도수가 y인 계급의 상대도수는 0.125이다. 이때 $x+y$의 값을 구하여라.

21

다음 표는 우리 반 학생들의 과학 점수를 조사해서 구한 도수와 상대도수를 보여준다. 다음 중 옳지 않은 것은?

과학 점수(점)	도수	상대도수
40이상 ~ 50미만	2	C
50 ~ 60	7	0.14
60 ~ 70	13	0.26
70 ~ 80	15	0.30
80 ~ 90	A	D
90 ~ 100	B	0.06
합계	50	E

다음 중 옳지 않은 것은?

① $A=8$　② $B=3$　③ $C=0.04$
④ $D=0.2$　⑤ $E=1$

22

다음은 우리 학교 1학년 1반과 1학년 전체 학생들의 키를 조사한 상대도수의 분포표이다. 150 cm 이상 155 cm 미만인 학생이 1반은 8명, 전체에서는 40명일 때, 1반에서 12번째로 키가 큰 학생이 전체에서 적어도 몇 번째로 크다고 할 수 있는지 구하여라. (단, 학생들의 키는 모두 다르다.)

키(cm)	상대도수	
	1학년 1반	1학년 전체
140이상 ~ 145미만	0.05	0.1
145 ~ 150	0.35	0.15
150 ~ 155	0.2	0.2
155 ~ 160	0.1	0.15
160 ~ 165	0.25	0.3
165 ~ 170	0.05	0.1

23

A반 학생은 20명, B반 학생은 30명이고, 표와 같이 80점 이상 90점 미만인 계급의 상대도수는 A반 $1.2x$, B반 x이다. A, B 두 반 전체에서 80점 이상 90점 미만인 계급의 상대도수는?

점수(점)	상대도수	
	A반	B반
50이상 ~ 60미만		
60 ~ 70		
70 ~ 80		
80 ~ 90	$1.2x$	x
90 ~ 100		
합계		

① $1.06x$ ② $1.08x$ ③ $1.4x$
④ $1.6x$ ⑤ $1.8x$

24

다음은 우리 반 학생들의 수학 점수를 조사한 도수분포표이다. 이 표를 이용하여 우리 반 학생들의 수학 점수 평균을 구하여라.

수학 점수(점)	도수	상대도수
50이상 ~ 60미만	1	
60 ~ 70	A	0.1
70 ~ 80	6	
80 ~ 90	7	
90 ~ 100	B	0.2
합계	C	

25

다음은 우리 학교 학생들이 하루 동안 수업시간에 시계를 몇 번 보는지 조사하여 나타낸 상대도수의 분포표이다. 전체 학생이 10명 이상 100명 이하라 할 때, 전체 학생 수의 최댓값은?

시계 보는 횟수(번)	상대도수
0이상 ~ 4미만	$\frac{1}{6}$
4 ~ 8	$\frac{2}{9}$
8 ~ 12	
12 ~ 16	$\frac{1}{6}$
16 ~ 20	$\frac{1}{9}$
합계	

① 45 ② 72 ③ 90
④ 99 ⑤ 100

26

다음 표는 어느 학교 학생들의 한 달 동안의 독서 시간을 조사하여 나타낸 것이다. a, b의 최소공배수가 48일 때, 독서 시간이 16시간 이상인 학생들은 모두 몇 명인지 구하여라.

독서 시간(시간)	도수	상대도수
0이상 ~ 4미만	a	0.2
4 ~ 8		0.25
8 ~ 12		0.1
12 ~ 16		0.1
16 ~ 20		0.2
20 ~ 24	b	0.15

상대도수 분포 그래프

27

다음은 학생 수가 차례로 400명, 200명인 A, B 두 학교 학생들의 일주일 동안 TV 시청 시간에 대한 상대도수의 분포를 그래프로 함께 나타낸 것이다. 그래프에 대한 설명 중 옳은 것을 모두 고르면? (정답 2개)

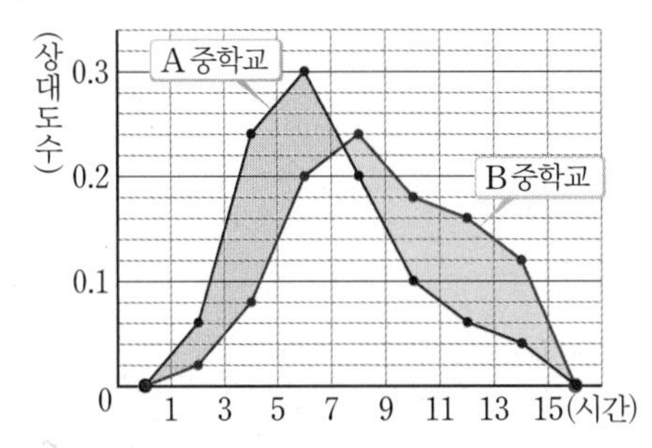

① 그래프에서 색칠한 두 부분의 넓이는 서로 같다.
② 두 학교에서 TV시청이 11시간 이상 13시간 미만인 학생 수는 같다.
③ A중학교 학생들의 상대도수가 B중학교 학생들의 상대도수보다 큰 계급은 4개다.
④ A중학교 학생들의 TV시청 시간이 B중학교 학생들의 TV시청 시간보다 상대적으로 많은 편이다.
⑤ 7시간 이상 11시간 미만인 계급에서 A중학교 학생이 B중학교 학생보다 36명 더 많다.

28

다음은 A중학교와 B중학교에서 버스로 통학하는 학생들의 버스 대기 시간에 대한 상대도수의 분포를 함께 나타낸 것이다. 조사한 A, B 두 중학교 학생 수가 차례로 150명, 300명이라 할 때, B중학교의 학생 수가 A중학교의 학생 수보다 많은 계급은 몇 개인지 구하여라.

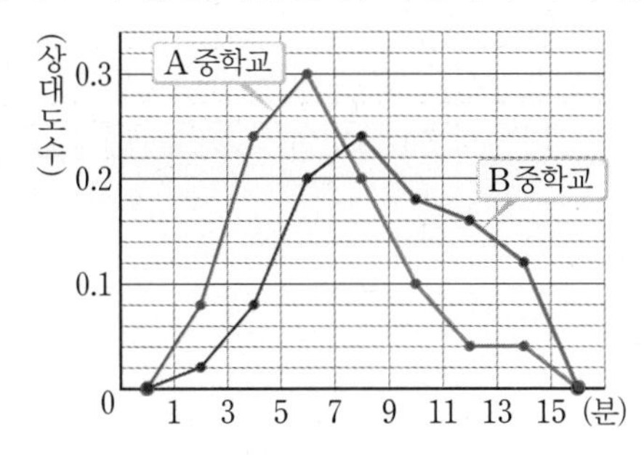

29

다음은 각각 100명, 80명이 근무하는 A, B 두 중학교에 선생님들의 나이에 대한 상대도수의 분포를 함께 나타낸 것이다. B중학교의 선생님 수가 A중학교의 선생님 수보다 더 많은 계급의 계급값을 구하여라.

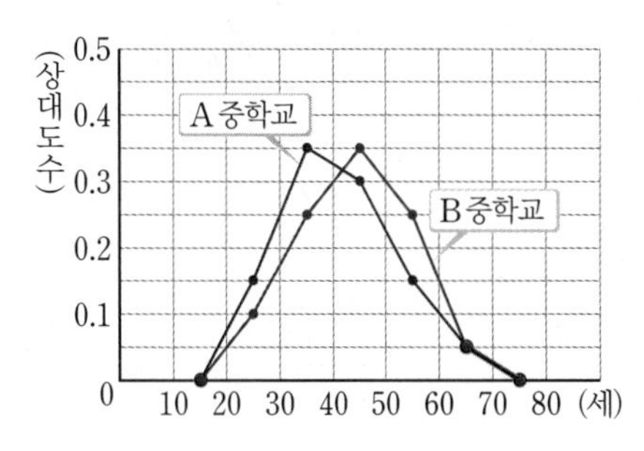

30

다음은 우리 학교 남학생과 여학생이 여름방학 동안 책을 몇 권 읽었는지 조사하여 상대도수의 분포를 함께 나타낸 것이다. 계급값이 10.5권인 계급에서 남학생 수와 여학생 수가 같고, 전체 남학생 수와 전체 여학생 수의 최소공배수가 600일 때, 전체 여학생 수를 구하여라.

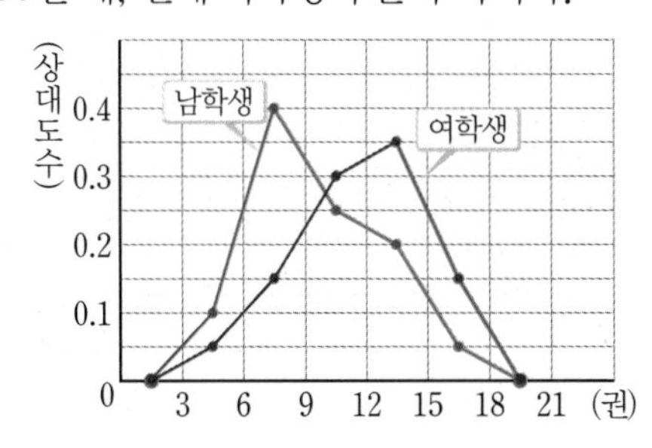

31

다음은 우리 반 학생들의 수학 점수를 조사하여 상대도수의 분포를 그래프로 나타낸 것인데 일부가 찢어져 보이지 않는다. 40점 이상 50점 미만인 학생 수가 8명일 때, 60점 이상 70점 미만인 계급의 도수를 구하여라.

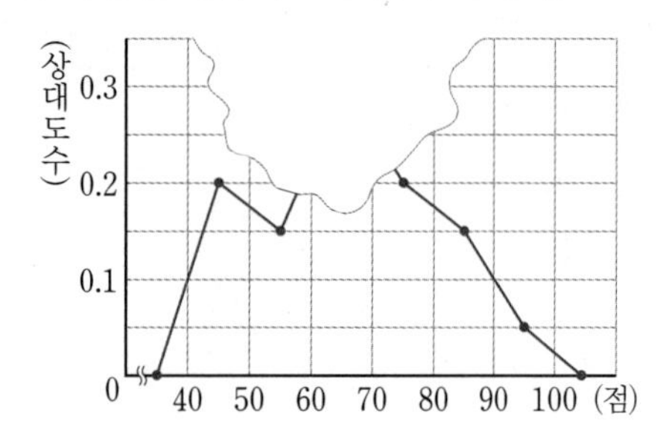

32

다음은 우리 학교 학생 400명의 국어 점수를 조사하여 상대도수의 분포를 그래프로 나타낸 것인데 일부가 찢어져 보이지 않는다. 점수가 70점 미만인 학생이 전체의 30 % 일 때 70점 이상 80점 미만인 계급의 도수는?

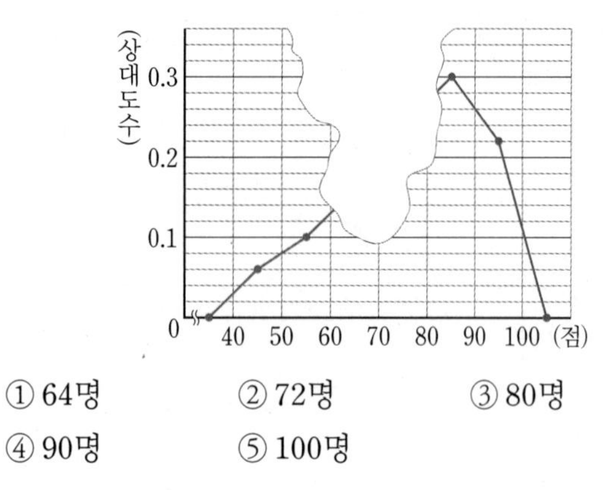

① 64명　② 72명　③ 80명
④ 90명　⑤ 100명

33

다음은 우리 반 학생들의 줄넘기 횟수를 조사하여 상대도수의 분포를 그래프로 나타낸 것인데 일부가 찢어져 보이지 않는다. 100회 이상 120회 미만인 계급의 상대도수를 a, 120회 이상 140회 미만인 계급의 상대도수를 b라 할 때 $10a$, $10b$가 모두 짝수인 자연수이다. 줄넘기 횟수가 100회 이상 120회 미만인 학생은 전체의 몇 %인지 구하여라. (단, $a>b$)

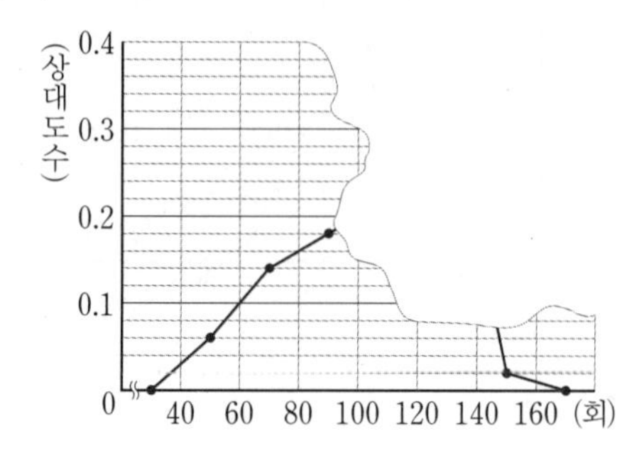

34

다음은 우리 학교 학생 50명의 과학 점수에 대한 상대도수의 분포를 그래프로 나타낸 것으로 일부가 찢어져 보이지 않는다. 과학 점수가 60점 이상 80점 미만인 학생이 28명일 때, 80점 이상 90점 미만인 학생이 전체에서 차지하는 비율을 구하여라.

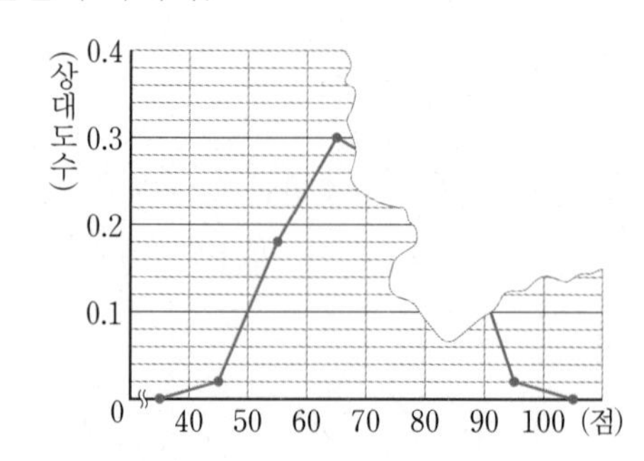

정답과 풀이 61쪽

1

선생님께서 우리 반 학생들의 일주일 동안 휴대폰 사용 시간을 조사해 줄기와 잎 그림으로 나타내는 숙제를 내셨다. 그런데 명수는 자료에서 잎 부분을 줄기로 줄기 부분을 잎으로 바꿔서 다음과 같이 작성했다. 원래 자료에서 우리 반 남학생과 여학생의 휴대폰 평균 사용 시간의 차를 구하여라.

잎(남자)	줄기	잎(여자)
2 1	0	1
0	1	
1 0	2	1
	3	1 2
1	4	1
1	6	2
2	7	2 1
2	8	0
1	9	2

풀이

2 창의력

다음은 우리 반 학생들의 3문제로 이루어진 수행평가 결과를 나타낸 표이다. 이 수행평가는 10점 만점으로 1번은 2점, 2번은 3점, 3번은 5점이다. 3번 정답자가 30명일 때, 세 문제 중 두 문제만 맞힌 학생은 모두 몇 명인지 구하여라.

점수(점)	2	3	5	7	8	10	합계
학생 수(명)	3	2	13	9	7	6	40

풀이

3

다음은 우리 아파트에 사는 세대주 63명의 나이를 조사하여 나타낸 히스토그램인데 종이가 찢어져서 세로축이 보이지 않는다. 40세 미만인 세대주의 상대도수를 소수 둘째자리에서 반올림하여 소수 첫째자리까지 구하여라. (단, 세로축의 간격은 일정하다.)

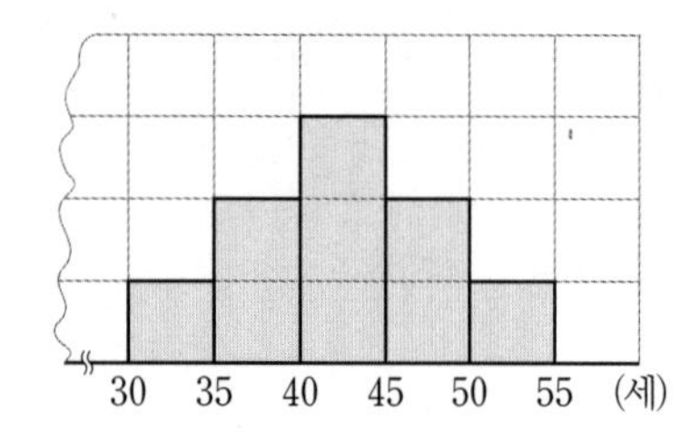

풀이

4 서술형

다음은 우리 반 학생들의 몸무게를 조사하여 계급값과 도수를 나타낸 것이다. 몸무게가 45 kg 이상인 학생이 전체의 54 %일 때, 몸무게가 52.5 kg보다 작은 학생은 최대 x명이고 최소 y명이다. 이때 $x+y$의 값을 구하여라.

계급값(kg)	32.5	37.5	42.5	47.5	52.5	57.5	합계
학생 수(명)	3		14	12		5	50

풀이

5

우리 학교에서 1학년 학생 수는 360명, 2학년 학생 수는 300명이다. 이때 1학년에서 여학생의 상대도수는 x이고, 1학년 여학생 수와 2학년 여학생 수의 비는 8 : 9라 한다. 1, 2학년 전체 학생에 대하여 여학생의 상대도수를 $\frac{b}{a}x$로 나타낼 때, $a+b$의 값을 구하여라.

(단, a, b는 서로소인 자연수)

풀이

6

새로 열린 옷가게에 본사 직원이 조사를 나와서 가격에 따른 옷 종류에 대한 상대도수의 분포를 그래프로 나타냈는데, 오른쪽 그림처럼 일부가 찢어졌다. 남자 옷은 모두 500종류가 있고, 2만 원 이상 3만 원 미만인 여자 옷은 120종류가 있다고 할 때, 다음 물음에 답하여라.

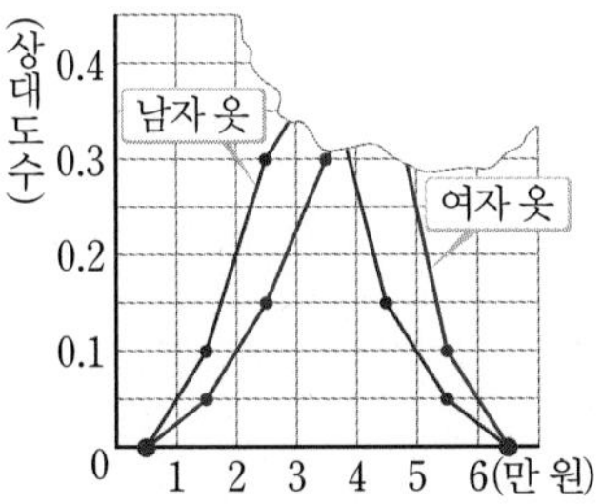

(1) 3만 원 이상 4만 원 이하인 가격대에서 남자 옷과 여자 옷 중 옷 종류가 더 많은 것을 말하여라.

(2) 옷 종류가 가장 적은 가격대를 말하여라.

풀이

MEMO

“공부를 넘어 희망을 나눕니다”

몸이 아파서 학교에 갈 수 없는 아이들도
공평하게 배움의 기회를 누려야 합니다.
공부를 하고 싶고
책을 읽고 싶어도
맘껏 할 수 없는 아이들을 위해
병원으로 직접 찾아가는 천재교육의 학습봉사단.

혼자가 아니라는 작은 위안이
미래의 꿈을 꿀 수 있는
큰 용기로 이어지길 바라며
천재교육은 앞으로도 꾸준히 나눔의 뜻을 실천하며
세상과 소통해 나가겠습니다.

<꿈이 자라는 천재 수학교실>이 환아들의 꿈을 응원합니다.

가톨릭중앙의료원 산하 서울성모병원 어린이학교에서
주 1회 <꿈이 자라는 천재 수학교실> 수업 진행

착한 기업으로 가기 위한 동행, 천재교육이 함께하겠습니다.

저소득층 자녀를 위한 학습교재 지원 / 장학금 후원 / 시각장애인을 위한
점자책 데이터 지원 / 고도 약시를 위한 교과서 및 학습교재 개발

1등급 비밀! TOP OF THE TOP

1-2
중학수학

최강 TOT

정답과 풀이

천재교육

정답과 풀이

중 1-2

I 기본도형

01 기본도형

[확인 ❶] 답 15

주어진 삼각기둥에서 교점의 개수는 꼭짓점 개수와 같으므로 $a=6$이고, 교선의 개수는 모서리 개수와 같으므로 $b=9$이다.
따라서 $a+b=15$

[확인 ❷] 답 10

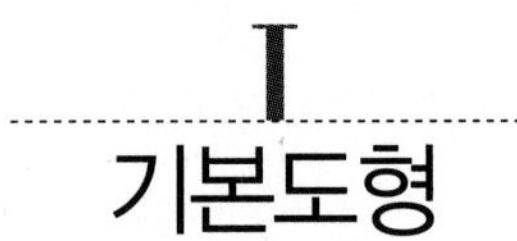

점 M, N은 각각 $\overline{AB}$, $\overline{BC}$의 중점이므로

$\overline{MB}=\overline{AM}=\frac{1}{2}\overline{AB}=\frac{1}{2}\times12=6$

$\overline{BN}=\overline{NC}=\frac{1}{2}\overline{BC}=\frac{1}{2}\times8=4$

$\therefore \overline{MN}=\overline{MB}+\overline{BN}=6+4=10$

[확인 ❸] 답 ④

그림에서 $\angle a$는 꼭짓점 B를 각의 중심으로 하고 $\overrightarrow{BA}$와 $\overrightarrow{BC}$로 이루어졌으므로
$\angle a=\angle ABC=\angle CBA=\angle ABD=\angle DBA$
따라서 바르게 나타낸 것이 아닌 것은 ④

[확인 ❹] 답 33°

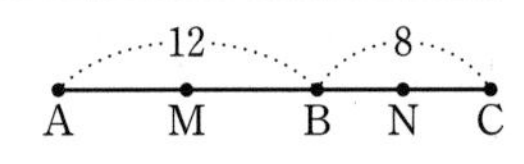

$(2x+30^\circ)+(2x-15^\circ)+x=180^\circ$
정리하면 $5x=165^\circ$에서 $x=33^\circ$

[확인 ❺] 답 60°

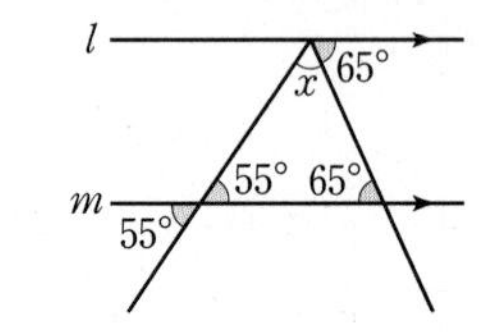

삼각형 세 각 크기의 합은 180°이므로
그림에서 $55^\circ+x+65^\circ=180^\circ$
$x+120^\circ=180^\circ$
$\therefore x=60^\circ$

[확인 ❻] 답 63°

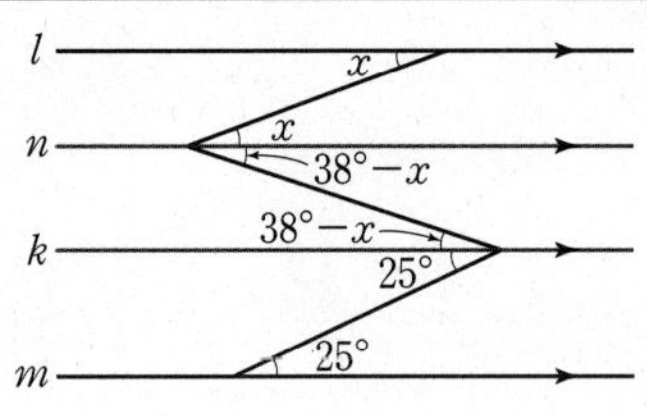

그림과 같이 두 직선 l, m에 평행한 두 직선 n, k를 그으면
$(38^\circ-x)+25^\circ=y$ $\quad\therefore x+y=38^\circ+25^\circ=63^\circ$

STEP 1 | 억울하게 틀리는 문제 pp. 008~010

1 ㄱ, ㄷ, ㅂ, ㅅ	**2-1** 72°	**2-2** ⑤
3-1 ①	**3-2** 126°	**4-1** ③
4-2 ②	**5-1** ④	**5-2** (1) 61° (2) $l /\!/ n$, $p /\!/ q$

1 답 ㄱ, ㄷ, ㅂ, ㅅ

ㄱ. 삼각뿔에서 교점의 개수는 꼭짓점 개수와 같다. (○)

ㄴ. 원기둥의 밑면과 옆면이 만나 원이 되는 것처럼 면과 면이 만나는 경우에 곡선이 생길 수 있다. (×)

ㄷ. $\overleftrightarrow{AB}$와 $\overleftrightarrow{BA}$는 같은 직선이다. (○)

ㄹ. 두 반직선이 같으려면 시작점과 방향이 같아야 한다. (×)

ㅁ. 직육면체에서 교선은 12개, 면은 6개이다. (×)

ㅂ. 선분 AB를 기호 '$\overline{AB}$'로 나타낸다. (○)

ㅅ. 서로 다른 두 점을 이은 선 중에서 그 길이가 가장 짧은 것은 선분이다. (○)

ㅇ. 두 점을 지나는 직선이 오직 하나뿐이며, 두 점을 지나는 선은 무수히 많다. (×)

ㅈ. 반직선은 한쪽으로 계속 나아가므로 길이를 정할 수 없다. (×)

ㅊ. 두 점 A, B에 대하여 $\overline{AM}=\overline{BM}$이라 해도 그림처럼 점 M이 $\overline{AB}$의 중점이 아닌 경우도 있다. 점 M이 $\overline{AB}$의 중점이 되려면 $\overline{AB}$ 위에 있어야 한다. (×)

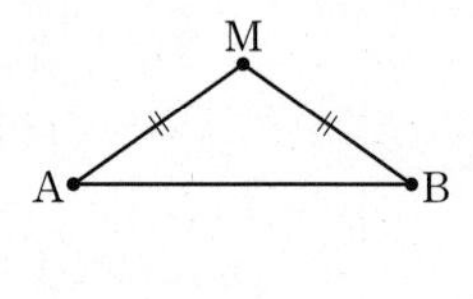

ㅋ. 면과 면이 만나서 생기는 도형은 교선이다. (×)

ㅌ. 평면도형은 점, 선으로 이루어져 있다. (×)

ㅍ. 한 점을 지나는 평면은 무수히 많다. (×)

2-1 답 72°

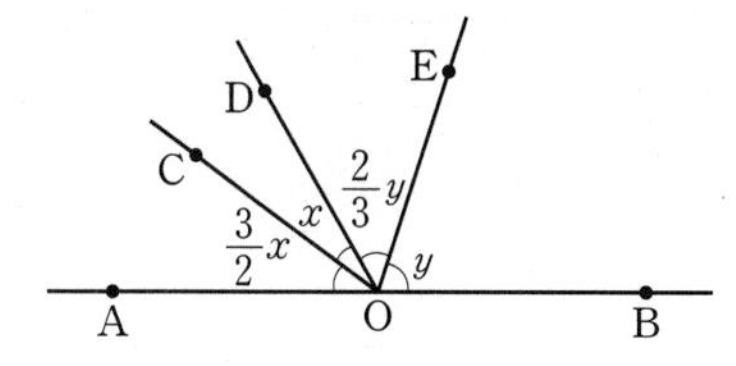

$\angle COD=x$라 하면 $\angle AOC=\frac{3}{2}x$이고

$\angle EOB=y$라 하면 $\angle DOE=\frac{2}{3}y$이다.

이때 $\frac{5}{2}x+\frac{5}{3}y=180°$이므로 이 식의 양변에 $\frac{2}{5}$를 곱하면

$x+\frac{2}{3}y=\angle COE=72°$

2-2 답 ⑤

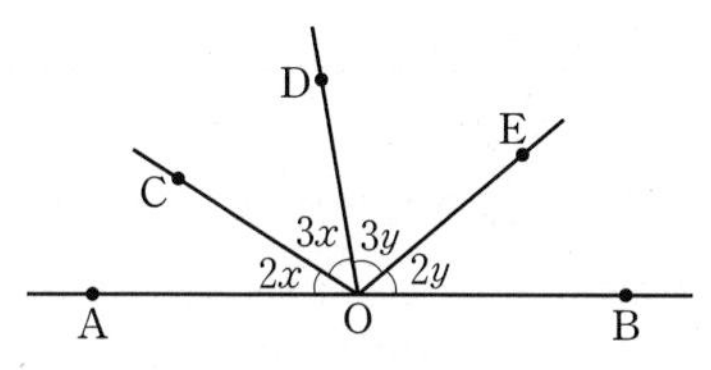

$\angle AOD : \angle AOC=5 : 2$에서 $\angle AOC=2x$라 하면

$\angle AOD=5x$이고, 마찬가지로 $\angle BOD : \angle BOE=5 : 2$에서

$\angle BOE=2y$라 하면 $\angle BOD=5y$

즉 $5x+5y=180°$에서 $x+y=36°$이므로

$\angle COE=3x+3y=108°$

3-1 답 ①

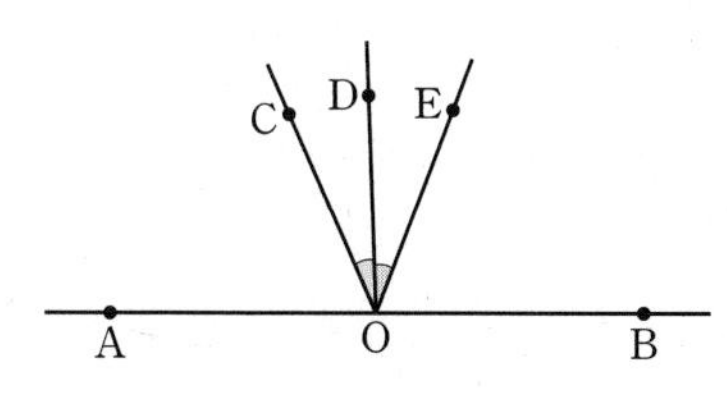

$\angle AOC : \angle COB=11 : 19$이고,

$\angle AOC+\angle COB=180°$에서

$\angle AOC=180°\times\frac{11}{11+19}=66°$, 이때 $\angle COB=114°$

$\angle AOC : \angle COD=3 : 1$에서 $\angle COD=22°$

$\angle DOE=\frac{1}{4}\angle BOD=\frac{1}{4}(\angle COB-\angle COD)$

$=\frac{1}{4}(114°-22°)=23°$

$\therefore \angle AOE=\angle AOD+\angle DOE=88°+23°=111°$

3-2 답 126°

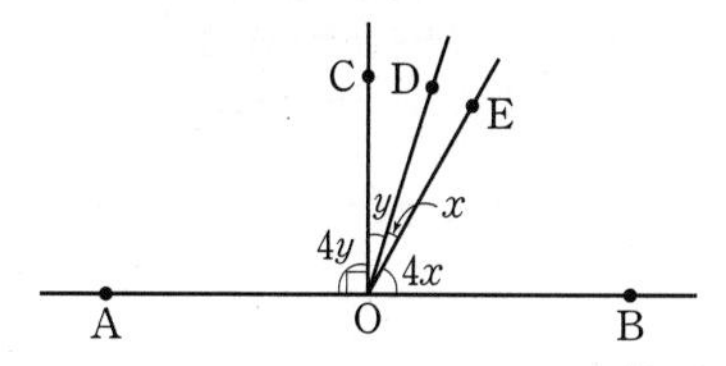

$\angle DOB : \angle DOE=5 : 1$이므로

$\angle DOE=x$라 하면 $\angle DOB=5x$

또 $\angle AOD : \angle COD=5 : 1$이므로

$\angle COD=y$라 하면 $\angle AOD=5y$

이때 $\angle DOB+\angle AOD=5x+5y=180°$에서

$\angle COE=\angle DOE+\angle COD=x+y=36°$

한편 $\overline{AB}\perp\overline{CO}$이므로 $\angle AOC=90°$

$\therefore \angle AOE=\angle AOC+\angle COE=90°+36°=126°$

4-1 답 ③

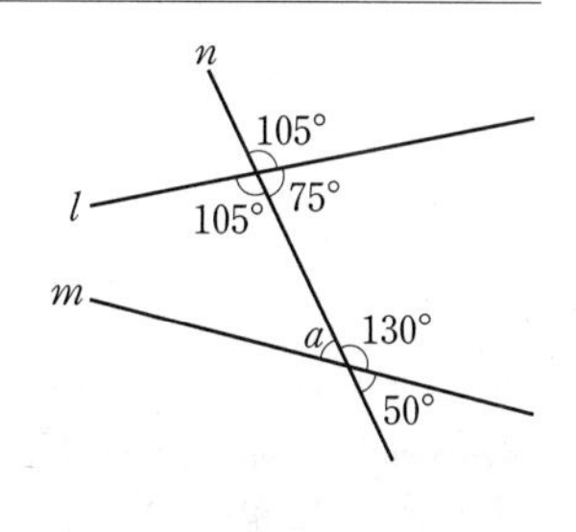

$\angle a=180°-130°=50°$이므로 $\angle a$의 맞꼭지각의 크기는 50°이다. 또 $\angle a$의 엇각의 크기는 $180°-105°=75°$이고, 그림에서 크기가 130°인 각의 엇각은 맞꼭지각의 성질에서 크기가 105°이다.

한편 $\angle a$의 동위각의 크기는 $180°-105°=75°$이다.

4-2 답 ②

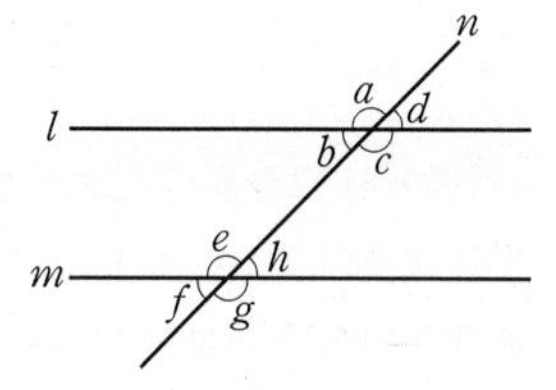

① $\angle a=\angle c$는 $l /\!/ m$과 상관없이 항상 성립한다.

③ $l /\!/ m$일 때만 $\angle b=\angle f$이다.

④ $l /\!/ m$일 때만 $\angle b=\angle h$이다.

⑤ $\angle c+\angle h=180°$일 때 $l /\!/ m$이다.

맞꼭지각의 성질에서 $\angle g=\angle e$이므로 $\angle a=\angle g$이면 $\angle a=\angle e$이다. 즉 동위각의 크기가 같으므로 $l /\!/ m$이다.

따라서 옳은 것은 ②

5-1 답 ④

$l /\!/ m$이고, $p /\!/ q$이므로 그림과 같이 각의 크기를 정할 수 있다.

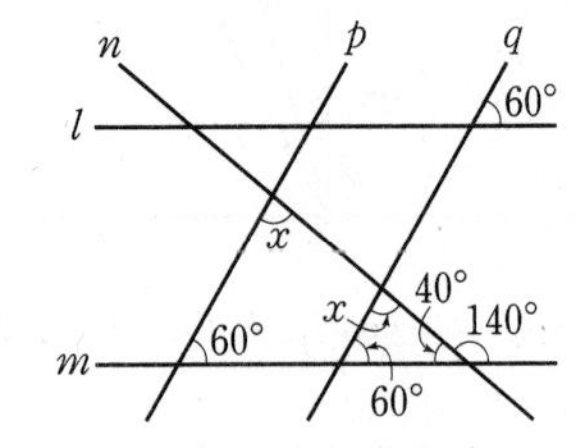

이때 $x+60^\circ+40^\circ=180^\circ$에서 $x=80^\circ$

5-2 답 (1) 61° (2) $l /\!/ m$, $p /\!/ q$

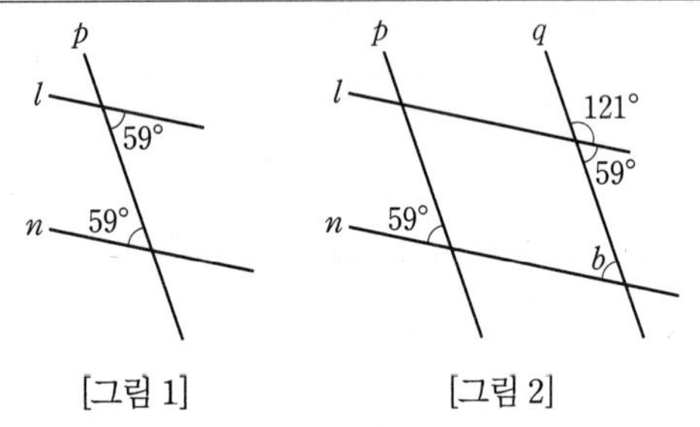

[그림 1] [그림 2]

(1) [그림 1]에서 두 엇각이 크기가 59°로 같으므로 $l /\!/ n$이다.
이때 $a=61^\circ$

(2) [그림 2]에서 $l /\!/ n$이므로 $b=59^\circ$이고, 두 동위각이 크기가 59°로 같으므로 $p /\!/ q$이다.
따라서 평행한 두 직선을 기호로 나타내면 $l /\!/ n$, $p /\!/ q$

STEP 2 반드시 등수 올리는 문제 pp. 011 ~ 016

01 ④	**02** ④	**03** 28가지
04 ③	**05** ②	**06** 0
07 66	**08** ①	**09** 12
10 ④	**11** ①	**12** ①
13 ③	**14** 12쌍	**15** 60°
16 3개	**17** (1) 225° (2) 245°	
18 ③	**19** 45°	**20** 220°
21 45°	**22** ④	**23** 72°
24 235°	**25** ④	**26** ③

01 답 ④

n각뿔에서 교점은 꼭짓점과 같고, 교선은 모서리와 같다. 즉 n각뿔의 교점의 개수는 $n+1$, 교선의 개수는 $2n$이다. 또 원기둥에서 교선은 밑면 원이므로 모두 2개 있다.

$\therefore 2a-b+c=2(n+1)-2n+2=4$

전략
원기둥에서 교선은 밑면과 옆면이 만나는 선이므로 밑면 원이 교선이 된다.

02 답 ④

$\overrightarrow{AB}$와 $\overrightarrow{CB}$의 공통부분은 $\overline{AC}$이다.

전략
각각의 기호가 나타내는 도형을 그려본다.

03 답 28가지

위 그림처럼 각각의 역을 점이라 하고 모든 역과 역 사이의 거리를 1이라 하자. 이때 두 점을 잇는 선분 개수는 각각 다음과 같다.

- 거리가 1인 선분 : 7개
- 거리가 2인 선분 : 6개
- 거리가 3인 선분 : 5개
- 거리가 4인 선분 : 4개
- 거리가 5인 선분 : 3개
- 거리가 6인 선분 : 2개
- 거리가 7인 선분 : 1개

따라서 준비해야 할 승차권 종류는
$7+6+5+4+3+2+1=28$(가지)

전략
각각의 역을 점이라 하고 모든 역과 역 사이의 거리를 1이라 생각하자. 이때 대전—동대구처럼 거리가 1인 경우부터 서울—부산처럼 거리가 7인 경우까지 각 선분이 몇 개씩인지 따져 본다.

04 답 ③

시작점이 A이고 방향이 오른쪽인 반직선을 기호로 나타내면
$\overrightarrow{AB}$, $\overrightarrow{AC}$, $\overrightarrow{AD}$, $\overrightarrow{AE}$
따라서 $\overrightarrow{AC}$와 같은 것은 모두 3개

전략
시작점과 방향이 같으면 같은 반직선이 된다.

05 답 ②

임의의 두 점을 선택할 때 결정되는 직선과 선분은 1개씩이지만 반직선은 2개 결정된다. 네 점 중 두 점을 선택하는 경우는 다음과 같이 6가지가 있다.
(A, B), (A, C), (A, D), (B, C), (B, D), (C, D)
따라서 $a=c=6$이고, $b=12$이므로 옳지 않은 것은 ②

전략
$\overleftrightarrow{AB}=\overleftrightarrow{BA}$, $\overline{AB}=\overline{BA}$이고, $\overrightarrow{AB}\neq\overrightarrow{BA}$임을 이용한다.

06 답 0

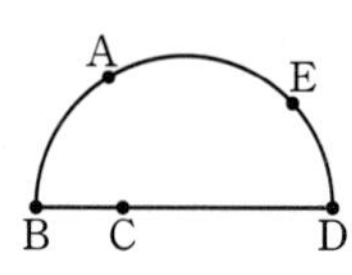

지름을 제외하고 점 B를 지나는 직선 : $\overleftrightarrow{BA}$, $\overleftrightarrow{BE}$

지름을 제외하고 점 C를 지나는 직선 : $\overleftrightarrow{CA}$, $\overleftrightarrow{CE}$

지름을 제외하고 점 D를 지나는 직선 : $\overleftrightarrow{DA}$, $\overleftrightarrow{DE}$

또 원주 위의 두 점을 지나는 직선 $\overleftrightarrow{AE}$와 지름을 포함하는 직선 $\overleftrightarrow{BD}$, 즉 그을 수 있는 직선은 모두 8개이므로 $p=8$이고,

서로 다른 반직선은 모두 $7\times2+4=18$(개)이므로 $q=18$

또 지름 위에 있지 않은 선분은 모두 7개이고, 지름 위에 있는 선분은 $\overline{BC}$, $\overline{CD}$, $\overline{BD}$로 모두 3개다.

즉 서로 다른 선분은 모두 $7+3=10$(개)이므로 $r=10$

따라서 $p-q+r=8-18+10=0$

전략

세 점 B, C, D에서 결정되는 직선, 반직선, 선분이 각각 몇 개인지 따져 본다.

07 답 66

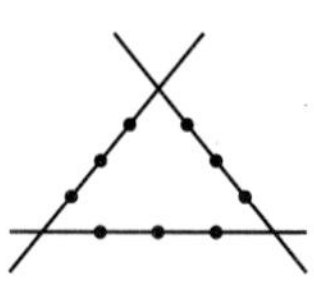

(i) 같은 직선 위의 세 점으로 선분 만들기
한 직선 위에 있는 세 점으로 만들 수 있는 선분은 3개이고, 직선이 세 개 있으므로 $3+3+3=9$

(ii) 다른 직선 위의 점을 하나씩 택하여 선분 만들기
두 직선 위의 점을 하나씩 택하여 만들 수 있는 선분은 9개이고 세 개의 직선에서 두 직선을 택하는 경우가 3가지이므로 구하려는 선분은 모두 $9\times3=27$(개)

(i), (ii)에서 $a=36$

(iii) 같은 직선 위에 있는 세 점으로 직선 만들기
한 직선 위에 있는 세 점으로 만들 수 있는 직선은 1개이고, 직선이 3개 있으므로 $1+1+1=3$

(iv) 다른 직선 위의 점을 하나씩 택하여 직선 만들기
(ii)와 같으므로 이때 만들 수 있는 직선은 $9\times3=27$(개)

(iii), (iv)에서 $b=30$

따라서 $a+b=36+30=66$

전략

같은 직선 위의 세 점에서 결정되는 직선, 선분이 각각 몇 개인지 따져 본다.

08 답 ①

$\overline{AP}=\frac{1}{2}\overline{AB}$, $\overline{AQ}=\frac{1}{3}\overline{AB}$에서 $\overline{AB}=6a$라 하면

$\overline{AP}=3a$, $\overline{AQ}=\overline{QM}=2a$이고,

$\overline{PQ}=\overline{AP}-\overline{AQ}=3a-2a=a$에서

$\overline{NP}=\frac{1}{2}a$, $\overline{PM}=a$

$\overline{MN}=\overline{NP}+\overline{PM}=\frac{1}{2}a+a=\frac{3}{2}a$

따라서 $\overline{AP}:\overline{MN}=3a:\frac{3}{2}a=2:1$

다른 풀이

$\overline{MN}=\overline{QM}-\overline{QN}=2a-\frac{1}{2}a=\frac{3}{2}a$를 이용해도 된다.

전략

$\overline{MN}=\overline{NP}+\overline{PM}$ 또는 $\overline{MN}=\overline{QM}-\overline{QN}$임을 이용한다.

※ $\overline{AB}$의 길이를 적당한 문자로 놓는다.
$\overline{AB}=a$로 놓는 것과 $\overline{AB}=12a$로 놓는 것을 비교해 보고 어떤 걸 이용하면 더 좋은지 확인해 보자.

09 답 12

$5\overline{AQ}=4\overline{QB}$에서 $\overline{AQ}=4a$, $\overline{QB}=5a$라 하면

$\overline{AB}=9a$, $\overline{AP}=\frac{2}{3}\overline{AB}=6a$

이때 $\overline{AM}=\frac{1}{2}\overline{AP}=3a$, $\overline{BN}=\frac{1}{2}\overline{QB}=\frac{5}{2}a$

$\overline{MN}=\overline{AB}-(\overline{AM}+\overline{BN})=9a-\left(3a+\frac{5}{2}a\right)=\frac{14}{3}$

에서 $a=\frac{4}{3}$

따라서 $\overline{AB}=9a=9\times\frac{4}{3}=12$

전략

$\overline{MN}=\overline{AB}-(\overline{AM}+\overline{BN})$임을 이용한다.

※ 풀이와 달리 $\overline{AB}=18a$로 놓으면 각 선분의 길이를 (정수)$\times a$ 꼴로 나타낼 수 있다.

10 답 ④

$\overline{MC}=\frac{1}{2}\overline{AC}$, $\overline{CN}=\frac{1}{2}\overline{BC}$, $\overline{MP}=\frac{1}{2}\overline{MN}$에서

$$\begin{aligned}\overline{PC}&=\overline{MC}-\overline{MP}\\&=\frac{1}{2}\overline{AC}-\frac{1}{2}\overline{MN}\\&=\frac{1}{2}\overline{AC}-\frac{1}{2}(\overline{MC}+\overline{CN})\\&=\frac{1}{2}\overline{AC}-\frac{1}{2}\left(\frac{1}{2}\overline{AC}+\frac{1}{2}\overline{BC}\right)\\&=\frac{1}{4}\overline{AC}-\frac{1}{4}\overline{BC}\\&=\frac{1}{4}(\overline{AB}-\overline{BC})-\frac{1}{4}\overline{BC}\\&=\frac{1}{4}\overline{AB}-\frac{1}{2}\overline{BC}\end{aligned}$$

따라서 $a=\frac{1}{4}$, $b=-\frac{1}{2}$이므로 $a-b=\frac{3}{4}$

전략

$\overline{PC}=\overline{MC}-\overline{MP}$에서 $\overline{MC}$, $\overline{MP}$를 $\overline{AB}$, $\overline{BC}$를 써서 나타낸다.

11 답 ①

$\frac{q}{p}=\frac{r}{q}=\frac{s}{r}=\frac{3}{4}$에서 $r=4t$, $s=3t$라 하면 $q=\frac{16}{3}t$, $p=\frac{64}{9}t$

$\angle AOD=p+q+r=\frac{64}{9}t+\frac{16}{3}t+4t=\frac{148}{9}t$

$\angle BOE=q+r+s=\frac{16}{3}t+4t+3t=\frac{37}{3}t$

따라서 $\frac{\angle BOE}{\angle AOD}=\frac{\frac{37}{3}t}{\frac{148}{9}t}=\frac{3}{4}$이므로 $a+b=3+4=7$

다른 풀이

$p=64t$라 하고, $q=64t\times\frac{3}{4}=48t$, $r=48t\times\frac{3}{4}=36t$,

$s=36t\times\frac{3}{4}=27t$임을 이용해도 된다.

전략

p, q, r, s를 한 문자로 나타낸다.

※ $\frac{B}{A}=\frac{D}{C}=\frac{F}{E}=\frac{B+D+F}{A+B+C}$ (단, $A+B+C\neq0$)

임을 이용해도 된다. (가비의 리)

12 답 ①

현재 시각을 2시 x분이라 하면 3분 후의 시각은 2시 $(x+3)$분, 4분 전의 시각은 2시 $(x-4)$분이다.

2시 $(x+3)$분일 때 12시 방향에서 시계방향으로 벌어진 분침의 각도는 $(x+3)\times6°$이고,

2시 $(x-4)$분일 때 12시 방향에서 시계방향으로 벌어진 시침의 각도는 $60°+(x-4)\times0.5°$

$(x+3)\times6°-\{60°+(x-4)\times0.5°\}=180°$

위 일차방정식을 풀면 $x=40$

따라서 현재 시각은 2시 40분

전략

(현재 시각에서 3분 후 분침의 각도)−(현재 시각에서 4분 전 시침의 각도) $=180°$임을 이용한다.

13 답 ③

$3a+30°=90°$에서 $a=20°$

$b=a+35°=20°+35°=55°$

$\therefore a+b=20°+55°=75°$

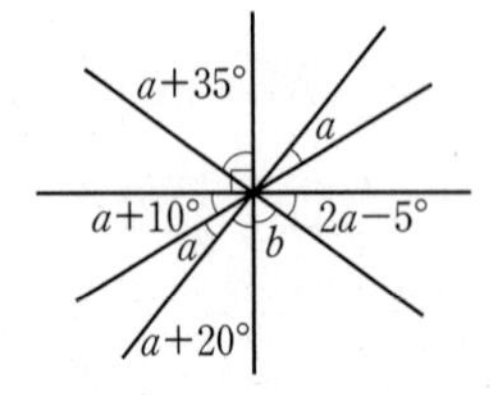

전략

두 쌍의 맞꼭지각을 찾아 각각에서 크기가 서로 같음을 이용한다.

14 답 12쌍

두 직선을 고를 때마다 맞꼭지각이 2쌍 생긴다.

네 직선을 p, q, r, s라 하고 두 직선을 고르는 순서쌍을 구하면 (p, q), (p, r), (p, s), (q, r), (q, s), (r, s)로 모두 6가지 있으므로 맞꼭지각은 $6\times2=12$(쌍) 생긴다.

전략

서로 다른 직선 a개가 한 점에서 만나면 맞꼭지각은 $a(a-1)$쌍 생긴다고 생각해도 된다.

15 답 60°

주어진 그림에서

$\angle AOC+\angle COE=180°$이므로

$3\bullet+3\times=180°$, $3(\bullet+\times)=180°$

$\therefore \bullet+\times=60°$

맞꼭지각의 크기는 서로 같으므로

$\angle AOG=\angle DOE=\times$, $\angle EOF=\angle BOA=\bullet$

$\therefore \angle AOG+\angle EOF=\times+\bullet=60°$

전략

$\angle AOC+\angle COE=180°$임을 이용한다.

16 답 3개

ㄴ. ⑥과 ⑮는 동위각도 아니고 엇각도 아니므로 두 각의 크기가 같다고 해서 $l \parallel n$인 것은 아니다.

ㄹ. ⑮의 엇각은 없다.

ㅁ. ③의 엇각은 ⑤와 ⑫이다.

따라서 옳은 것은 ㄱ, ㄷ, ㅂ이므로 모두 3개

전략

세 직선이 세 점에서 만날 때, 두 직선이 만나는 부분을 하나씩 가리면서 동위각과 엇각을 찾는다.

17 답 (1) 225° (2) 245°

그림에서 $\angle x$의 동위각은 $\angle a$, $\angle b$이고, $\angle y$의 엇각은 $\angle b$, $\angle c$이다.

이때 $\angle a=105°$ (맞꼭지각)

$\angle b=180°-60°=120°$,

$\angle c=180°-55°=125°$

(1) $\angle a+\angle b=105°+120°=225°$

(2) $\angle b+\angle c=120°+125°=245°$

전략

세 직선이 세 점에서 만날 때, 두 직선이 만나는 부분을 하나씩 가리면서 동위각과 엇각을 찾는다.

18 답 ③

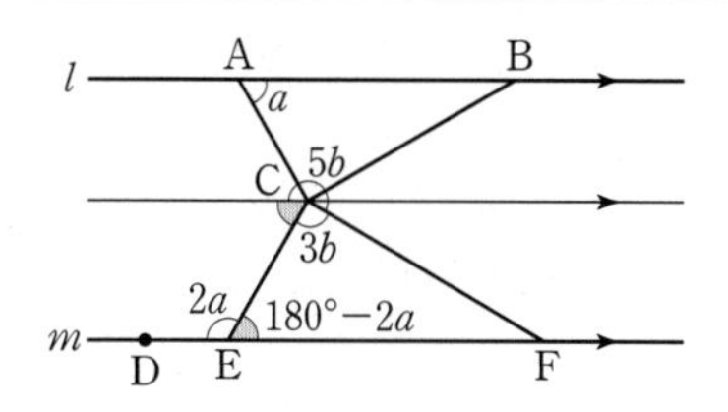

$\angle CED=2\angle BAC$에서 $\angle BAC=a$라 하면

$\angle CED=2a$

또 $3\angle ACF=5\angle ECF$에서 $\angle ACF=5b$라 하면

$\angle ECF=3b$

한편 $\angle BAC+\angle ECF=150°$이므로

$a+3b=150°$ ······ ㉠

그림에서 $a+(180°-2a)+3b+5b=360°$

정리하면 $-a+8b=180°$ ······ ㉡

㉠+㉡에서 $11b=330°$이므로

$b=30°$, $\angle BAC=a=60°$

전략

점 C를 지나고 두 직선 l, m에 평행한 직선을 긋고, 동위각끼리 같고 엇각끼리 같음을 이용한다.

19 답 45°

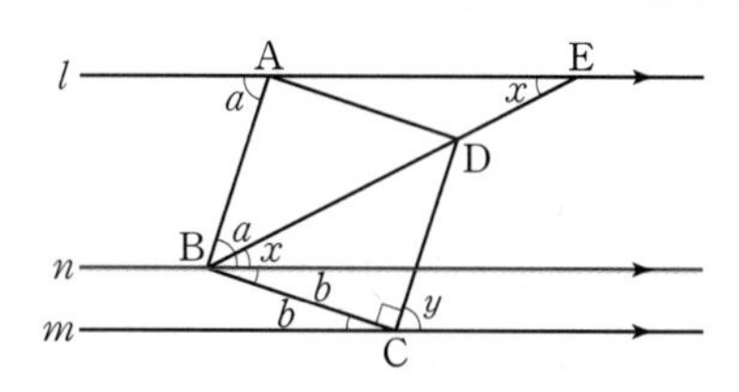

$a:b=4:1$에서 $a=4b$

점 B를 지나고 두 직선 l, m에 평행한 직선을 n이라 하면

$a+b=90°$, 즉 $5b=90°$에서 $b=18°$

이때 $a=4b=72°$

$\angle ABE$에서 $x+45°=a=72°$이므로 $x=27°$

또 $y+b=90°$에서 $y=72°$

$\therefore a+b+x-y=45°$

전략

점 B를 지나고 두 직선 l, m에 평행한 직선을 긋고, 동위각끼리 같고 엇각끼리 같음을 이용한다.

20 답 220°

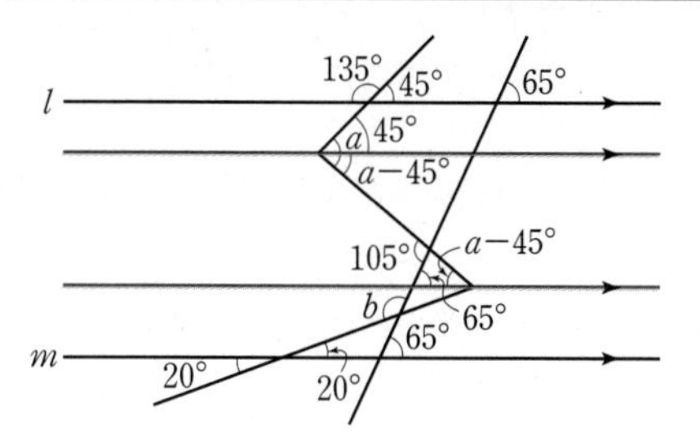

먼저 꺾이는 두 점 각각에서 두 직선 l, m에 평행한 직선을 그어보자.

삼각형의 외각 크기 조건에서

$b=20°+(180°-65°)=135°$

$a-45°+65°=105°$ $\therefore a=85°$

$\therefore a+b=135°+85°=220°$

전략

꺾이는 두 점 각각에서 두 직선 l, m에 평행한 직선을 긋고, 동위각끼리 같고 엇각끼리 같음을 이용한다.

21 답 45°

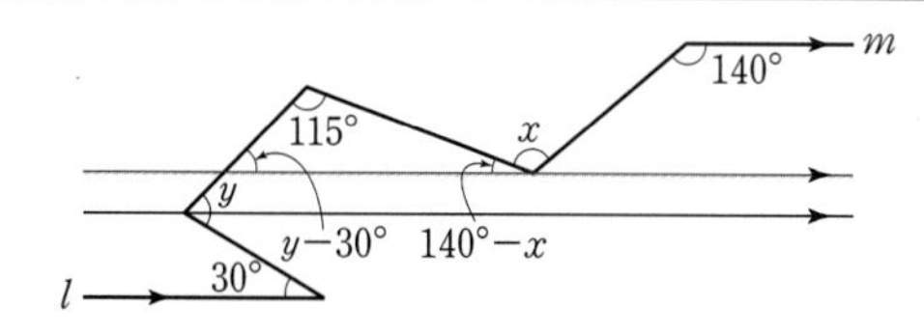

$(y-30°)+115°+(140°-x)=180°$이므로

$y-x=-45°$에서 $x-y=45°$

전략

꺾이는 점에서 두 직선 l, m에 평행한 직선을 긋고, 동위각끼리 같고 엇각끼리 같음을 이용한다.

22 답 ④

$25°+45°+50°+x=15°+34°+35°+10°+60°$에서

$x=34°$

전략

복잡한 경우이면 간단한 경우에서 발견한 규칙을 이용할 수 있는지 생각한다. 아래 그림처럼 두 직선 l, m이 서로 평행할 때, 두 각 $b-a$와 $c-d$는 엇각이므로 크기가 같다.

즉 $b-a=c-d$에서 $a+c=b+d$임을 이용한다.

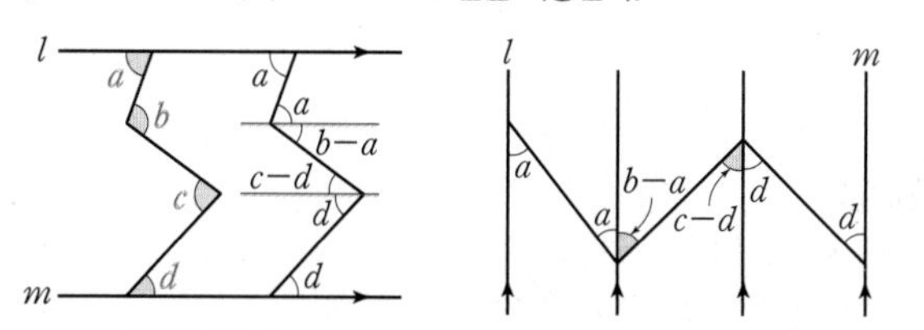

23 답 72°

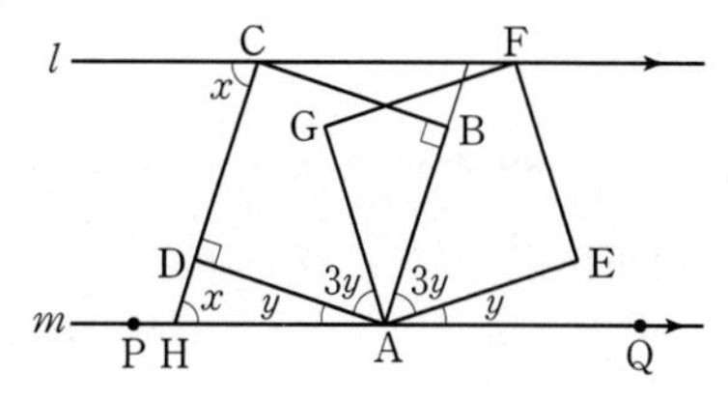

변 CD를 연장한 선이 직선 m과 만나는 점을 H라 하자.

이때 $x=\angle DHA$(엇각)

또 $\angle DAP=y$라 하면 $\angle DAG=3y$이고,

$\angle EAQ=y$, $\angle BAE=3y$이다.

$\triangle$ADH에서 $x+y=90^\circ$

$\angle DHA=\angle BAQ$ (동위각)에서 $x=4y$

$x=4y$를 $x+y=90^\circ$에 대입하면

$y=18^\circ$이고, 이때 $x=72^\circ$

전략

변 CD와 변 AB를 연장한 보조선을 긋는다.

24 답 235°

직선 l, m과 평행한 보조선을 그어 동위각끼리 크기가 같고, 엇각끼리 크기가 같음을 이용해 각의 크기를 다음 그림과 같이 나타내어 보자.

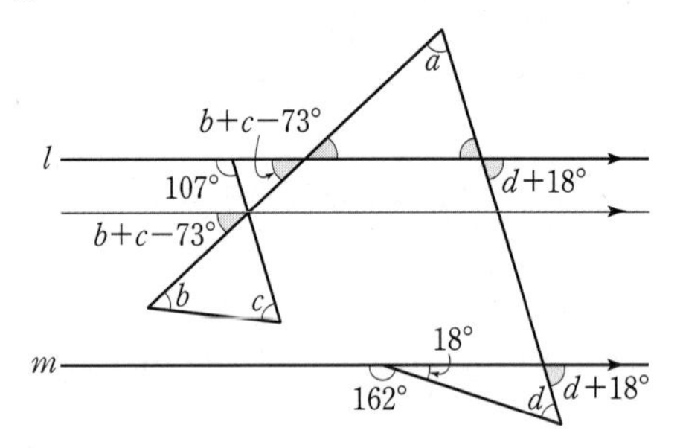

삼각형의 세 내각 크기의 합이 180°이므로

$a+(b+c-73^\circ)+(d+18^\circ)=180^\circ$이다.

$\therefore a+b+c+d=180^\circ+55^\circ=235^\circ$

전략

직선 l, m과 평행한 보조선을 그어 평행선에서 성립하는 동위각과 엇각의 성질을 이용한다.

25 답 ④

그림과 같이 각 크기를 생각할 수 있다.

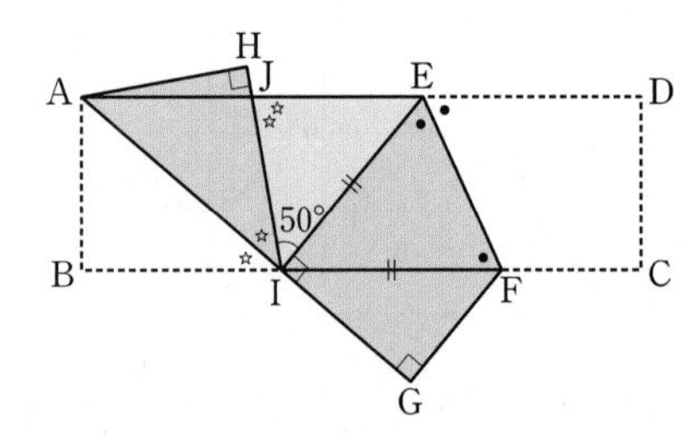

세 점 A, I, G가 같은 직선 위에 있고, $\angle EIG=90^\circ$이므로

$\angle AIH=\angle IAE=40^\circ$

이때 $\angle IJE=2☆=80^\circ$

$\angle IEJ=180^\circ-50^\circ-80^\circ=50^\circ$에서

$\angle DEF=\frac{1}{2}\angle DEI=\frac{1}{2}(180^\circ-50^\circ)=65^\circ$

$\angle EIF=\angle IEJ=50^\circ$ (엇각)

$\therefore \angle AIH+\angle EIF+\angle DEF=40^\circ+50^\circ+65^\circ=155^\circ$

전략

① 접힌 부분의 각의 크기가 같고 엇각의 크기가 같음을 이용한다.

② 크기가 같은 각을 종류별로 그림에 표시해 본다.

26 답 ③

그림과 같이 각 크기를 생각할 수 있다.

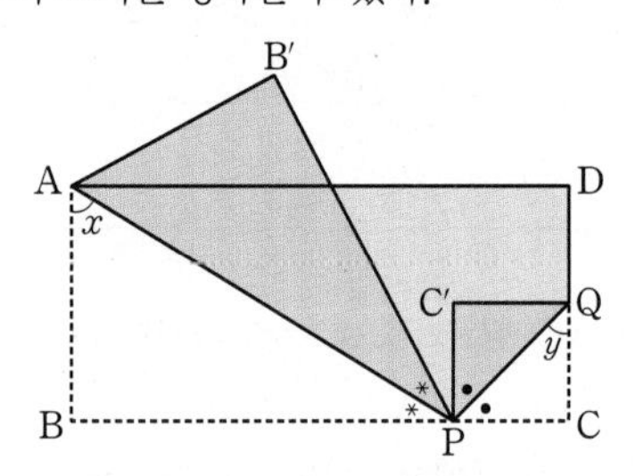

$x+*=90^\circ$, $y+\bullet=90^\circ$에서 두 식을 더하면

$(x+y)+(*+\bullet)=180^\circ$

이때 $x+y=104^\circ$이므로 $*+\bullet=76^\circ$

$\angle BPC=2(*+\bullet)+\angle B'PC'=180^\circ$

$\angle B'PC'=180^\circ-2\times 76^\circ=28^\circ$

전략

① 접힌 부분의 각의 크기가 같음을 이용한다.

② 크기가 같은 각을 그림에 나타내 본다.

STEP 3 전교 1등 확실하게 굳히는 문제 pp. 017~019

1 ①	**2** ⑤	**3** (1) 20° (2) 풀이 참조	
4 (1) 30° (2) 18개		**5** 21	**6** 156°

1 답 ①

길이가 5인 선분은 $\overline{A_1A_6}$, $\overline{A_2A_7}$, $\overline{A_3A_8}$, $\cdots$, $\overline{A_{10}A_{15}}$로 모두 10개이고, 길이가 3인 선분은 $\overline{A_1A_4}$, $\overline{A_2A_5}$, $\overline{A_3A_6}$, $\cdots$, $\overline{A_{12}A_{15}}$로 모두 12개이다. $\therefore x=10, y=12$

이때 $2x-y=20-12=8$

전략

$\overline{A_1A_6}$, $\overline{A_2A_7}$, $\cdots$ 처럼 A_1, A_2, $\cdots$ 각 점에서 길이가 5인 선분을 생각해 본다. 길이가 3인 선분도 마찬가지이다.

2 답 ⑤

그림처럼 생각해 보자.

A(x) P M Q B(y)

A(x), B(y)에서 $\overline{AB}=y-x$이고, $\overline{AM}=\frac{y-x}{2}$이다.

이때 $\overline{PM}=\frac{1}{3}\overline{AM}=\frac{y-x}{6}$이므로 점 P의 좌표는

$\frac{x+y}{2}-\frac{y-x}{6}=\frac{2x+y}{3}$

또 $\overline{QB}=\frac{1}{5}\overline{AB}=\frac{y-x}{5}$이므로 점 Q의 좌표는

$y-\frac{y-x}{5}=\frac{x+4y}{5}$

따라서 $\overline{PQ}$의 중점의 좌표는

$\frac{1}{2}\left(\frac{2x+y}{3}+\frac{x+4y}{5}\right)=\frac{13x+17y}{30}$

전략

$\overline{AB}$의 이등분점인 M의 좌표는 $\frac{1}{2}(x+y)$이다.

점 M의 좌표에서 $\overline{PM}$의 길이를 뺀 것이 점 P의 좌표이고, 점 B의 좌표에서 $\overline{QB}$의 길이를 뺀 것이 점 Q의 좌표이다. 두 점 P, Q의 좌표에서 $\overline{PQ}$의 중점의 좌표를 구한다.

3 답 (1) 20° (2) 풀이 참조

(1)

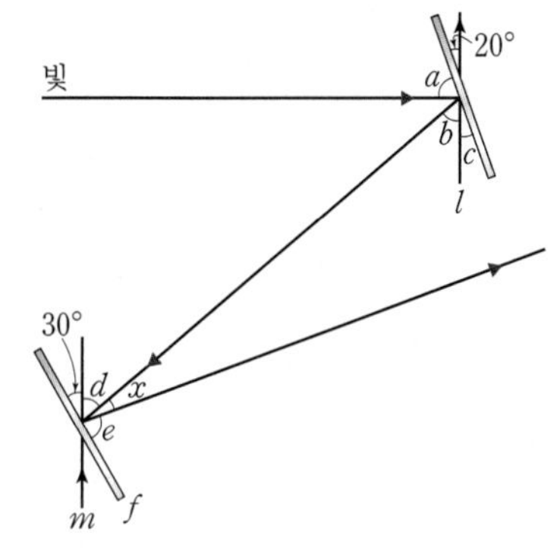

빛이 직선 l에 수직이므로 $a=90°-20°=70°$

또 $c=20°$이고 입사각의 크기와 반사각의 크기가 같으므로

$b+c=a=70°$에서 $b=50°$

평행선에서 엇각의 크기가 같으므로 $d=b=50°$

또 $30°+d=e$에서 $e=80°$

$\therefore x=180°-2\times80°=20°$

(2) x와 엇각인 각의 크기는 $180°-2\times70°=40°$

즉 엇각의 크기가 다르므로 두 직선(빛)은 평행하지 않다.

전략

① 첫 번째 거울에서 빛과 직선이 수직이므로 $a+20°=90°$이다.

② 두 직선 l, m이 평행하므로 엇각끼리 크기가 같음을 이용한다.

4 답 (1) 30° (2) 18개

(1)

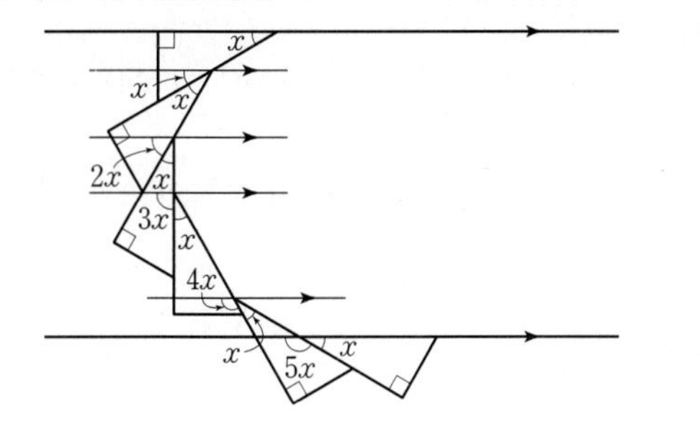

직사각형의 가로에 평행한 직선을 그으면 동위각끼리 크기가 같으므로 위 그림처럼 각의 크기를 나타낼 수 있다.

이때 $5x+x=6x=180°$에서 $x=30°$

(2) 삼각형을 n개 붙인다면 $nx=180°$에서

$x=10°$이므로 $n\times10°=180°$ $\therefore n=18$

전략

평행한 보조선을 그어 본다. 이때 동위각끼리 크기가 같고, 엇각끼리 크기가 같음을 이용해 각의 크기를 나타낼 수 있다.

5 답 21

직선 10개가 만날 때 생기는 교점 개수는

$1+2+\cdots+9$이므로 직선 n개가 만날 때 생기는 교점 개수는

$1+2+\cdots+(n-2)+(n-1)$이다.

교점 개수가 $1+2+\cdots+19+20$이라 했으므로

구하려는 n값은 $n-1=20$에서 $n=21$

전략

간단한 경우에서 규칙을 찾아본다. $n=3$이면 교점 개수는 $1+2$이고, $n=4$이면 교점 개수는 $1+2+3$임을 알 수 있다.

6 답 156°

분침은 60분에 360° 회전하므로 1분에 6° 회전한다.

시침은 15시간에 360° 회전하므로 1시간 동안 $360°\div15=24°$ 회전한다.

즉 1분에 $24°\div60=0.4°$ 회전한다.

4시 45분일 때 시침과 분침이 이루는 각 중 작은 쪽의 각 크기는

(분침이 회전한 각)−(시침이 회전한 각)

$=(6°\times45)-(24°\times4+0.4°\times45)$

$=270°-(96°+18°)=156°$

전략

(45분 동안 분침이 움직인 각도)에서 (4시간 45 동안 시침이 움직인 각도)를 뺀다.

02 도형 사이의 위치 관계와 합동

[확인 ❶] 답 $\overline{AE}$, $\overline{EF}$, $\overline{DH}$, $\overline{HG}$

오른쪽 그림과 같이 모서리 BC와 꼬인 위치에 있는 모서리를 모두 찾으면 $\overline{AE}$, $\overline{EF}$, $\overline{DH}$, $\overline{HG}$

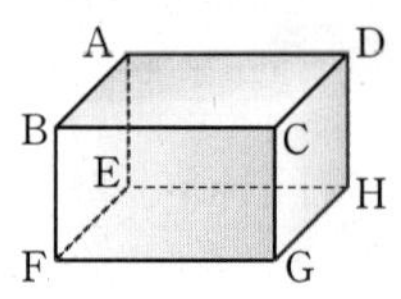

[확인 ❷] 답 1

모서리 BE와 평행한 면은 면 ADFC 하나뿐이므로 $a=1$
면 ADFC와 평행한 면은 없으므로 $b=0$
$\therefore a+b=1$

[확인 ❸] 답 $6<x<12$

• 가장 긴 변의 길이가 x일 때 $x<3+9$에서 $x<12$
• 가장 긴 변의 길이가 9일 때 $9<x+3$에서 $x>6$
따라서 x값의 범위는 $6<x<12$

[확인 ❹] 답 ㄱ

ㄱ. $\overline{AB}=8$, $\overline{BC}=4$, $\overline{AC}=5$에서 $8<4+5$이므로 삼각형이 하나로 만들어진다.
ㄴ. $\overline{BC}=3$, $\angle A=110°$, $\angle B=70°$에서 $\angle A+\angle B=180°$이므로 삼각형이 만들어지지 않는다.
ㄷ. 세 각의 크기가 같은 삼각형은 무수히 많다.
ㄹ. 다음과 같이 생각하면 삼각형이 하나로 결정되지 않는다.

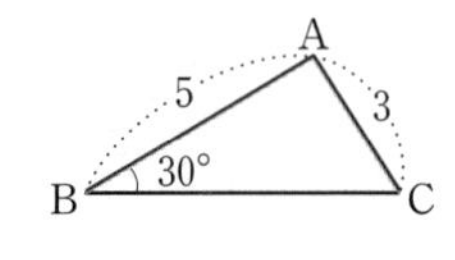

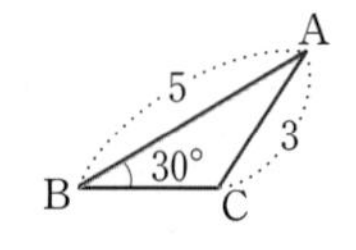

[확인 ❺] 답 (1) 7 (2) 60°

$\triangle ABC \equiv \triangle EFD$에서
(1) $\overline{DF}=\overline{BC}=7$
(2) $\angle A=\angle E=60°$

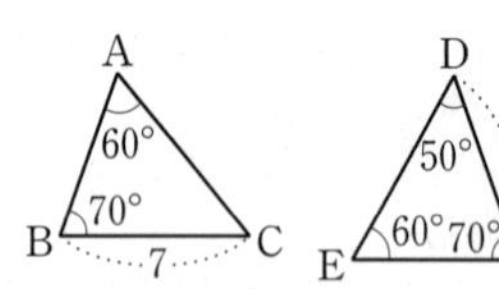

STEP 1 억울하게 울리는 문제 pp. 022 ~ 024

1 ㄱ, ㅁ, ㅇ, ㅊ **2** ㄹ, ㅁ, ㅅ, ㅈ **3** ㄴ, ㅁ, ㅊ, ㅌ

1 답 ㄱ, ㅁ, ㅇ, ㅊ

ㄱ. 공간에서 두 직선이 한 점에서 만나면 두 직선은 한 평면 위에 있다. (○)
ㄴ. 직선 l과 평면 P가 만나지 않을 때, 직선 l과 평면 P는 평행하다고 한다. (×)
ㄷ. 공간에서 두 직선이 만나지 않고 한 평면 위에 있지 않을 때, 두 직선은 꼬인 위치에 있다고 한다. (×)
ㄹ. 직선 l과 평면 P가 한 점 H에서 만나고 직선 l이 점 H를 지나는 평면 P 위의 '모든' 직선과 수직일 때, 직선 l을 평면 P의 수선이라 한다. (×)
ㅁ. 평행한 두 직선은 한 평면 위에 있다. (○)
ㅂ. 공간에서 한 직선과 직교하는 서로 다른 두 직선은 꼬인 위치에 있을 수도 있다. (×)
ㅅ. 한 평면 위에 있고 서로 만나지 않는 두 직선은 평행하다. (×)
ㅇ. 한 평면에 수직인 두 직선은 서로 평행하다. (○)
ㅈ. 한 직선과 꼬인 위치에 있는 두 직선은 평행할 수도 있다. (×)
ㅊ. 공간에서 한 직선과 평행한 서로 다른 두 직선은 평행하다. (○)
ㅋ. 한 평면에 평행한 서로 다른 두 직선은 한 점에서 만날 수도 있고, 꼬인 위치에 있을 수도 있다. (×)
ㅌ. 한 평면에 대하여 수직인 직선과 평행한 직선은 한 점에서 만날 수도 있다. (×)
ㅍ. 한 직선을 지나는 평면은 무수히 많다. (×)

2 답 ㄹ, ㅁ, ㅅ, ㅈ

ㄱ. $10>6+3$, 즉 가장 긴 변의 길이가 나머지 두 변 길이의 합보다 더 크므로 삼각형이 결정되지 않는다. (×)
ㄴ. 변 AB와 변 BC 사이의 각 $\angle B$(끼인각)의 크기가 정해져야 삼각형이 하나로 결정된다. (×)
ㄷ. 조건과 같이 세 각의 크기가 정해진 경우이면 결정되는 삼각형은 무수히 많다. (×)
ㄹ. $\angle B=40°$이므로 한 변의 길이와 두 각의 크기가 정해지면 삼각형은 하나로 결정된다. (○)
ㅁ. 두 변의 길이와 두 변 사이에 끼인각이 주어지면 삼각형은 하나로 결정된다. (○)
ㅂ. 두 각의 크기의 합, 즉 $\angle A+\angle B=85°+95°=180°$이므로 삼각형이 결정되지 않는다. (×)
ㅅ. 두 변의 길이와 두 변 사이에 끼인각이 주어지면 삼각형은 하나로 결정된다. (○)
ㅇ. 변 AB와 변 AC 사이에 끼인각 $\angle A$의 크기가 정해져야 삼각형이 하나로 결정된다. (×)
ㅈ. $\angle C=90°$이므로 한 변의 길이와 두 각의 크기가 정해지면 삼각형은 하나로 결정된다. (○)
ㅊ. $\angle B$의 크기가 180°이므로 세 점 A, B, C는 한 직선(또는 선분) 위에 있다. (×)

3 답 ㄴ, ㅁ, ㅊ, ㅌ

ㄱ. 넓이가 같은 두 정삼각형은 합동이다. (◯)

ㄴ. 한 밑각의 크기가 같은 두 이등변삼각형이면 모양은 같지만 크기가 다를 수 있다. (×)

ㄷ. 대응하는 두 변의 길이가 같고 끼인각의 크기가 같으므로 합동이다. (◯)

ㄹ. 빗변의 길이와 한 예각의 크기가 각각 같은 두 직각삼각형은 합동이다. (◯)

ㅁ. 세 각의 크기만 주어진 이등변삼각형은 무수히 많다. (×)

ㅂ. 꼭지각의 크기가 같으면 두 밑각의 크기도 같다. 즉 대응하는 한 변의 길이와 두 밑각의 크기가 같은 삼각형이므로 합동이다. (◯)

ㅅ. 대응하는 한 변의 길이와 그 양 끝각의 크기가 각각 같은 두 삼각형은 합동이다. (◯)

ㅇ. 밑변의 길이와 한 밑각의 크기가 같으면 다른 한 밑각의 크기도 같으므로 합동이다. (◯)

ㅈ. 대응하는 한 변의 길이가 같은 정삼각형은 합동이다. (◯)

ㅊ. 대응하는 변의 길이가 같은 정사각형이 아닌 마름모와 정사각형인 마름모는 합동이 아니다. (×)

ㅋ. 넓이가 같은 두 정사각형은 합동이다. (◯)

ㅌ. 둘레의 길이가 같은 두 이등변삼각형이라 해도 모양은 다를 수 있다. (×)

ㅍ. 둘레의 길이가 같은 두 원은 반지름 길이가 같으므로 합동이다. (◯)

STEP 2 | 반드시 등수 올리는 문제 pp. 025 ~ 030

01 ㄱ, ㄷ	**02** 5개	**03** ②
04 ④	**05** 8	**06** ④
07 11	**08** 21	**09** 3
10 ①	**11** 2	**12** ⑤
13 ③	**14** ㄹ, ㅁ, ㅂ	**15** ㄴ, ㄹ
16 ①	**17** 풀이 참조	**18** 7개
19 9	**20** 3개	**21** ⑤
22 65°	**23** $\frac{25}{2}$	**24** 5
25 16	**26** 3개	**27** 90°

01 답 ㄱ, ㄷ

ㄱ. 다음과 같이 생각하면 $f(2)$는 [그림 1]이 아니라 [그림 2]일 때이므로 $f(2)=4$

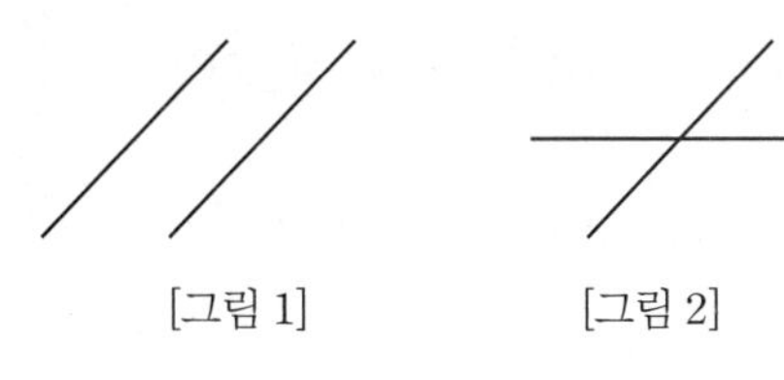

ㄴ. $f(2)=4$, $f(3)=7$이므로 $2f(2)>f(3)$

ㄷ. 네 번째 직선이 주어진 세 직선과 모두 만나도록 그으면

$f(4)=11$, 즉 $f(4)=11=7+4=f(3)+4$

전략

새로운 직선을 그을 때, 아래 왼쪽처럼 직선의 교점을 지나는 경우가 되지 않아야 한다. 즉 오른쪽 그림처럼 기존에 있는 직선과 모두 만나도록 그으면 생기는 영역의 개수가 최대가 된다.

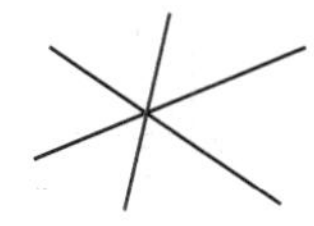
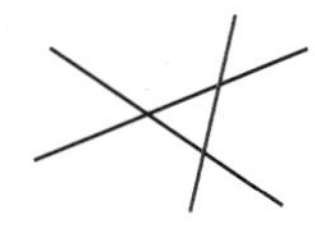

02 답 5개

$\overline{DE}$와 꼬인 위치에 있는 모서리는

HG, CG, GF, BF, CB

이므로 5개

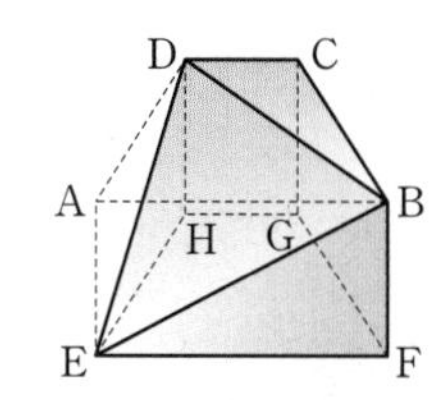

전략

먼저 직선 DE와 만나지 않는 모서리를 구해 본다.

참고

꼬인 위치에 있는 모서리 개수를 다음과 같이 구할 수도 있다.

(전체 모서리 개수)−(일치하거나 한 점에서 만나거나 평행한 모서리 개수)

위 문제에서 전체 모서리는 12개, 일치하는 모서리 1개, 평행한 모서리 0개, 한 점에서 만나는 모서리 6개이므로 구하려는 모서리 개수는

$12-1-6=5$

03 답 ②

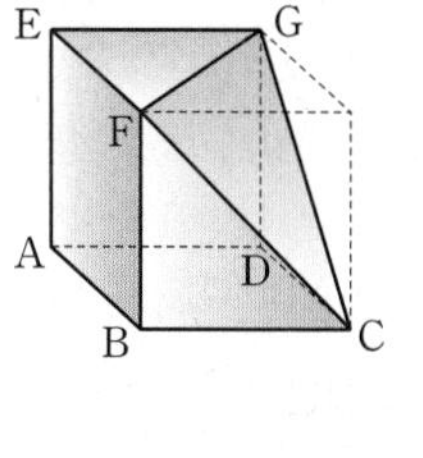

① 평면 EFG와 평면 FCG는 모서리 FG에서 만난다.

③ 평면 EFG와 모서리 CG는 한 점에서 만나며 수직이 아니다.

④ 평면 ABFE와 평면 EFG의 교선은 $\overline{EF}$이다.

⑤ 서로 평행한 두 평면 EFG와 평면 ABCD 사이의 거리는 $\overline{EA}$(또는 $\overline{FB}$, $\overline{GD}$)이다.

전략

공간에서 두 평면 사이의 위치 유형을 이해한다.

04 답 ④

① 모서리 AP와 만나지도 않고 평행하지도 않은 모서리는

DH, DC, CG, HE, HG, GQ

② 모서리 CG와 수직인 모서리는

DC, AC, HG, GQ

③ 모서리 AD에 평행한 면은 면 HEPQG, 면 CQG

④ 면 HEPQG와 만나는 면은 면 AEHD, 면 DHGC, 면 CQG, 면 AEP, 면 APQC로 모두 5개다.
⑤ 모서리 DH와 한 점에서 만나는 면은 면 DAC, 면 HEPQG

전략
꼬인 위치에 있는 두 직선은 같은 평면에 있지 않으면서 만나지 않는 두 직선을 말한다. 직선 AP와 직선 CQ는 같은 평면 위에 있다.

05 답 8

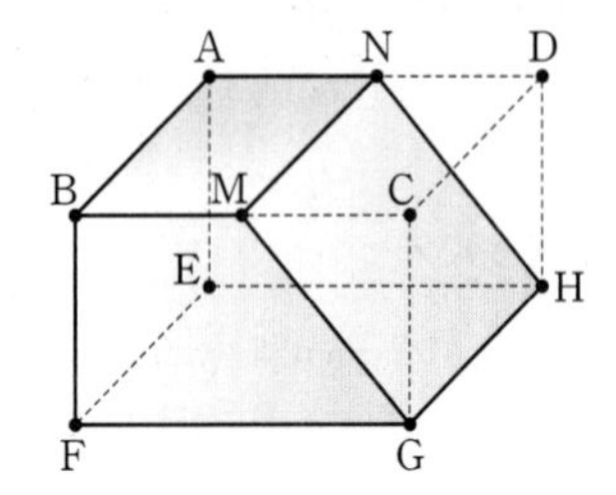

면 MGHN과 만나지 않는 모서리는 모서리 AB, EF이므로 $a=2$
또 면 MGHN과 한 점에서 만나는 모서리는 모서리 BM, AN, FG, EH, AE, BF이므로 $b=6$이다.
따라서 $a+b=2+6=8$

전략
면 MGHN을 아래 위로 연장한 것이 직선 AE, 직선 BF와 만나는 경우도 생각한다.

06 답 ④

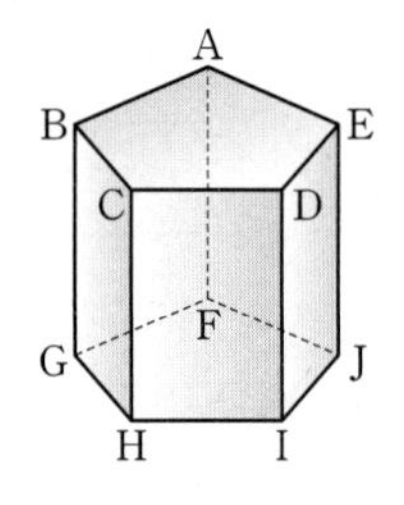

직선 BC와 꼬인 위치에 있는 직선은
$\overleftrightarrow{GF}$, $\overleftrightarrow{FJ}$, $\overleftrightarrow{JI}$, $\overleftrightarrow{IH}$, $\overleftrightarrow{AF}$, $\overleftrightarrow{EJ}$, $\overleftrightarrow{DI}$이고
직선 BG와 꼬인 위치에 있는 직선은
$\overleftrightarrow{FJ}$, $\overleftrightarrow{JI}$, $\overleftrightarrow{IH}$, $\overleftrightarrow{AE}$, $\overleftrightarrow{ED}$, $\overleftrightarrow{DC}$이므로
직선 BC와 직선 BG에 동시에 꼬인 위치에 있는 직선은
$\overleftrightarrow{FJ}$, $\overleftrightarrow{JI}$, $\overleftrightarrow{IH}$이다. 즉 $a=3$
면 BGHC에 평행한 직선은 $\overleftrightarrow{AF}$, $\overleftrightarrow{EJ}$, $\overleftrightarrow{DI}$, 즉 $b=3$
면 BGHC에 수직인 면은
면 ABCDE, 면 FGHIJ이므로 $c=2$
$\therefore a+b-c=3+3-2=4$

전략
직선 BC와 꼬인 위치에 있는 직선을 구하고, 직선 BG와 꼬인 위치에 있는 직선을 따로 구해 공통인 것을 찾는다.

07 답 11

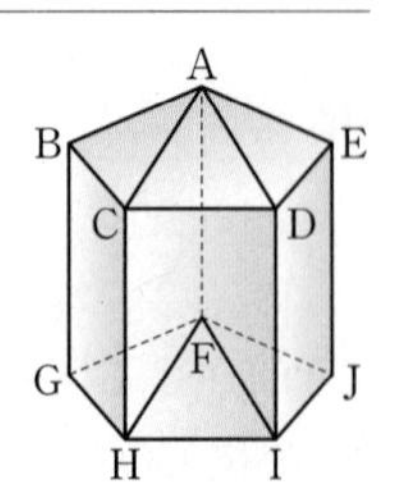

$\overline{AB}$와 평행한 모서리는 $\overline{FG}$뿐이므로
$a=1$
$\overline{AC}$와 꼬인 위치에 있는 모서리는
$\overline{BG}$, $\overline{DI}$, $\overline{EJ}$, $\overline{FG}$, $\overline{GH}$, $\overline{HI}$, $\overline{FI}$, $\overline{FJ}$
이므로 $b=8$

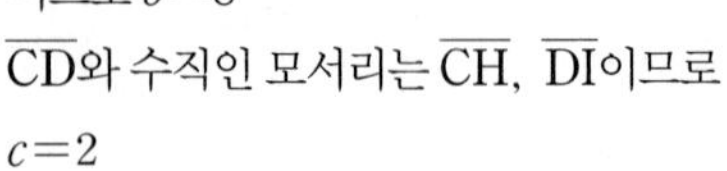

$\overline{CD}$와 수직인 모서리는 $\overline{CH}$, $\overline{DI}$이므로
$c=2$

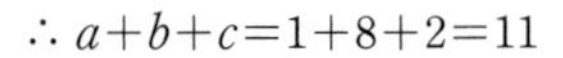

$\therefore a+b+c=1+8+2=11$

전략
△ACD는 $\overline{AC}=\overline{AD}$인 이등변삼각형이고 ∠CAD=36°, ∠ADE=36°이므로 $\overline{AC}$, $\overline{FH}$, $\overline{DE}$, $\overline{IJ}$는 서로 평행하다.

08 답 21

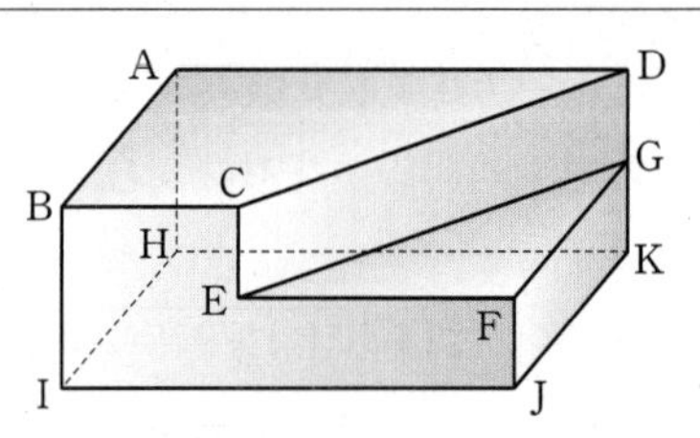

그림에서 모서리 DK와 수직인 모서리는
$\overline{AD}$, $\overline{HK}$, $\overline{KJ}$, $\overline{DC}$, $\overline{GE}$, $\overline{GF}$이므로 $a=6$
모서리 BI와 평행인 면은
면 AHKD, 면 CEGD, 면 FJKG이므로 $b=3$
면 ABCD와 수직인 면은
면 BIJFEC, 면 CEGD, 면 AHKD, 면 ABIH이므로 $c=4$
모서리 FG와 꼬인 위치에 있는 모서리는
$\overline{BC}$, $\overline{CD}$, $\overline{AD}$, $\overline{AH}$, $\overline{BI}$, $\overline{CE}$, $\overline{HK}$, $\overline{IJ}$이므로 $d=8$
$\therefore a+b+c+d=6+3+4+8=21$

전략
모서리 FG와 만나는 모서리를 제외하고, 또 모서리 FG와 평행한 모서리를 제외하면 모서리 FG와 꼬인 위치에 있는 것이 된다.

09 답 3

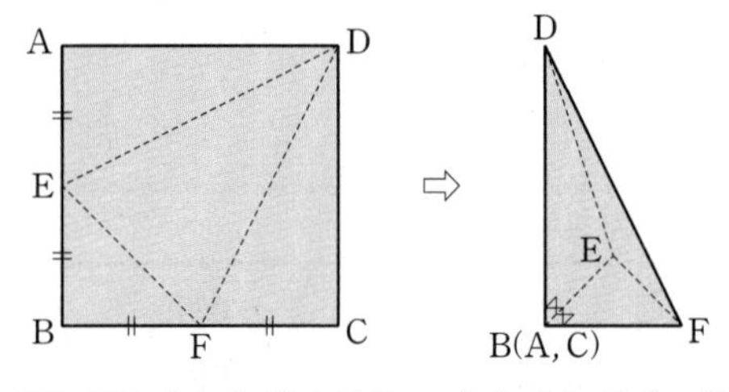

주어진 색종이를 접으면 위 오른쪽 그림과 같은 입체도형이 된다.
이때 면 EBF와 수직인 면은 면 DBF, 면 DBE이므로 $a=2$
또 $\overline{DE}$와 꼬인 위치에 있는 모서리는 $\overline{BF}$이므로 $b=1$
따라서 $a+b=2+1=3$

전략
전개도를 접었을 때 생기는 겨냥도는 세 꼭짓점 A, B, C가 한 점에서 모이는 삼각뿔이다.

10 답 ①

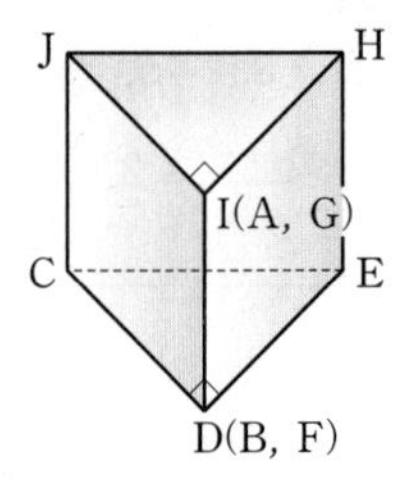

주어진 전개도에서 만들어지는 입체도형은 그림과 같다. 이때
ㄱ. 면 IJH와 수직인 모서리는
$\overline{ID}(=\overline{AB}=\overline{GF})$, $\overline{HE}$, $\overline{JC}$이므로 3개다. (○)
ㄴ. 면 CDE와 평행한 모서리는
$\overline{HI}$, $\overline{IJ}$, $\overline{JH}$이므로 3개다. (○)

ㄷ. 면 HEFG와 평행한 모서리는 $\overline{\text{JC}}$뿐이다. (○)
ㄹ. $\overline{\text{IJ}}$와 수직인 모서리는 $\overline{\text{HI}}$, $\overline{\text{ID}}$, $\overline{\text{JC}}$이다. (×)
ㅁ. $\overline{\text{AB}}$와 평행한 모서리는 $\overline{\text{HE}}$, $\overline{\text{JC}}$이다. (×)
ㅂ. $\overline{\text{IJ}}$와 꼬인 위치에 있는 모서리는 $\overline{\text{HE}}$, $\overline{\text{EC}}$, $\overline{\text{ED}}$이다. (○)

전략
전개도를 접었을 때 생기는 삼각기둥 겨냥도에서 밑면이 면 HIJ, 면 EDC임을 이용한다.

11 답 2

주어진 전개도에서 만들어지는 입체도형은 그림과 같다. 이때 $\overline{\text{AB}}$와 꼬인 위치에 있는 모서리는
$\overline{\text{CI}}$, $\overline{\text{JI}}$(또는 $\overline{\text{HI}}$), $\overline{\text{IF}}$이므로 $a=3$
$\overline{\text{AB}}$와 평행한 면은 면 CFI뿐이므로 $b=1$
따라서 $a-b=3-1=2$

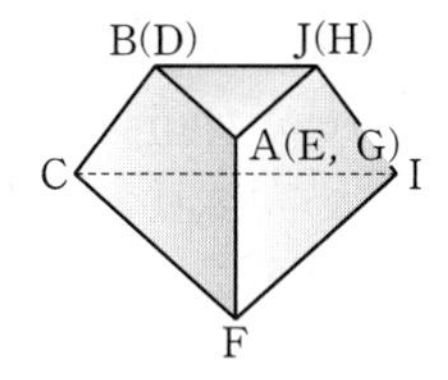

전략
전개도를 접었을 때 생기는 삼각뿔대 겨냥도에서 생각한다.

12 답 ⑤

전개도에서 입체도형의 겨냥도를 그리면 그림과 같다.
이때 면 CDGH와 수직인 면은

면 DEFG, 면 CHKN,
면 ABCN, 면 JIHK로 모두 4개다.
따라서 옳지 않은 것은 ⑤

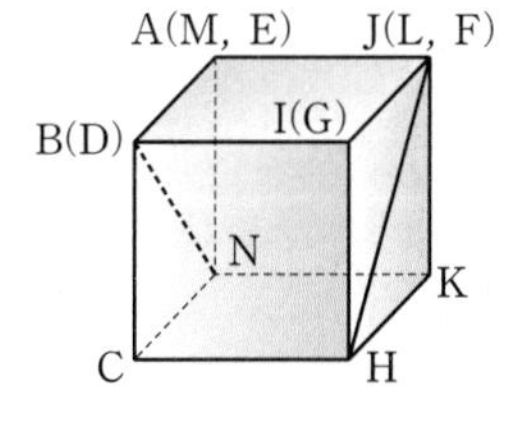

전략
밑면이 면 NCHK가 되도록 접은 겨냥도에서 생각한다.

13 답 ③

ㄱ. (○)

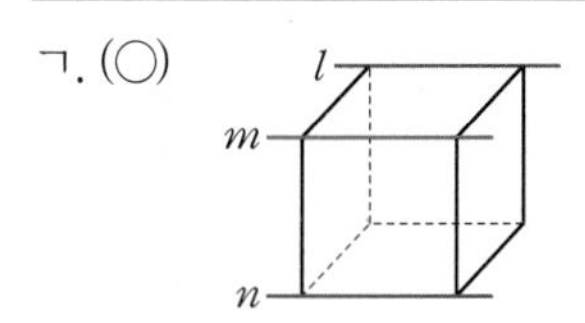

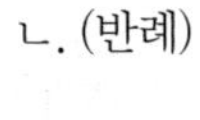
ㄴ. (반례)

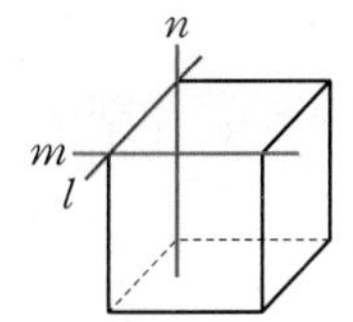

ㄷ. (반례)

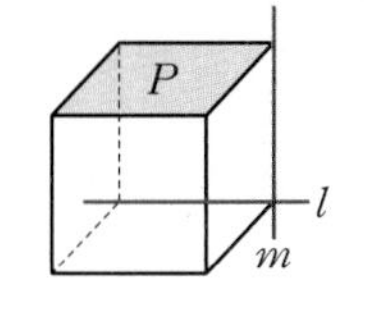

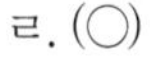
ㄹ. (○)

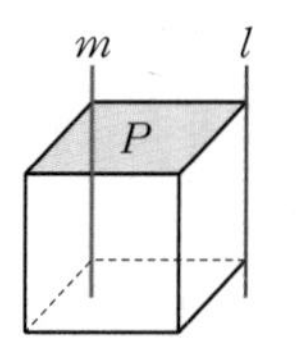

ㅁ. (○)

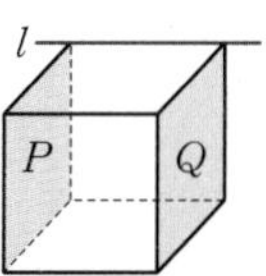

ㅂ. (반례)

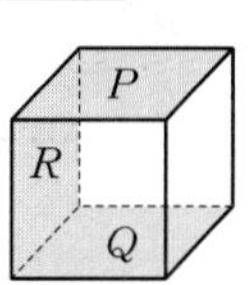

참고
다음과 같은 경우에는 공간에서 위치가 한 가지로만 정해진다.
① $l /\!/ m$, $l /\!/ n \Rightarrow m /\!/ n$　② $P /\!/ Q$, $P /\!/ R \Rightarrow Q /\!/ R$
③ $P /\!/ Q$, $P \perp R \Rightarrow Q \perp R$　④ $l \perp P$, $l \perp Q \Rightarrow P /\!/ Q$
⑤ $l \perp P$, $m \perp P \Rightarrow l /\!/ m$　⑥ $l \perp P$, $P /\!/ Q \Rightarrow l \perp Q$

전략
직육면체를 그려 놓고 보기의 각 조건에 맞는 경우를 따져 본다.

14 답 ㄹ, ㅁ, ㅂ

중심이 O인 원을 그려 생긴 교점이 C, D이므로 $\overline{\text{OC}}=\overline{\text{OD}}$
또 이 원과 반지름의 길이가 같은 원을 점 A를 중심으로 그렸으므로 $\overline{\text{OC}}=\overline{\text{OD}}=\overline{\text{AE}}=\overline{\text{AF}}$
다만 $\overline{\text{OC}}=\overline{\text{CD}}$인지 알 수는 없다.
또 점 X, 점 Y, 점 B는 각각 반직선 위의 임의의 점이므로 $\overline{\text{OY}}=\overline{\text{AB}}$인지 알 수 없다.
마찬가지로 $\overline{\text{OX}}=\overline{\text{OY}}$인지도 알 수 없다.
따라서 옳은 것은 ㄹ, ㅁ, ㅂ

전략
반지름 길이가 같은 원을 그렸을 때 생기는 선분의 길이는 같다. 즉 $\overline{\text{OC}}=\overline{\text{OD}}=\overline{\text{AE}}=\overline{\text{AF}}$

15 답 ㄴ, ㄹ

ㄱ. 중심이 각각 점 P, 점 C인 두 원의 반지름 길이가 다를 수 있다. (×)
ㄴ. ㉥에서 그린 원은 반지름 길이가 $\overline{\text{AB}}$인 원이다.
즉 $\overline{\text{AB}}=\overline{\text{CD}}$ (○)
ㄷ. $\angle\text{AQB}$와 크기가 같은 $\angle\text{CPD}$를 작도한 것이다. (×)
ㄹ. ㉡-㉢-㉠-㉤-㉥-㉣ 순으로 작도할 수 있다. (○)
따라서 옳은 것은 ㄴ, ㄹ

전략
크기가 같은 엇각을 그려 평행선을 작도할 수 있음을 이용한다.

16 답 ①

주어진 그림은 동위각의 크기가 같으면 두 직선은 서로 평행함을 이용하여 평행선을 작도한 것이다.

점 A를 중심으로 하는 원과 점 P를 중심으로 하는 원은 반지름 길이가 같으므로

$\overline{AB}=\overline{AC}=\overline{PQ}=\overline{PR}$

또 $\overline{BC}=\overline{QR}$, $\angle BAC=\angle QPR$

하지만 $\overline{AB}=\overline{BC}$인지는 알 수 없으므로 옳지 않은 것은 ①

전략
$\overline{AB}=\overline{PQ}$이므로 $\overline{AB}$와 $\overline{PQ}$가 반지름인 두 원의 반지름 길이는 같다.
또한 $\overline{BC}=\overline{QR}$이다.

17 답 풀이 참조

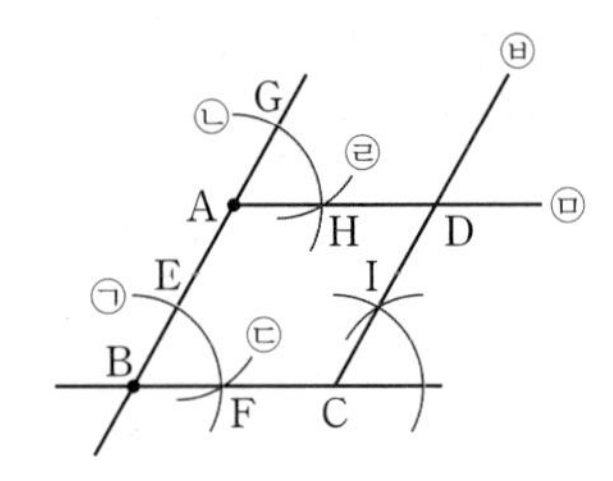

㉠ 점 B를 중심으로 하는 원을 그려 $\overline{AB}$, $\overline{BC}$와 만나는 점을 각각 E, F라 한다.

㉡ 점 A를 중심으로 하고 반지름 길이가 $\overline{BE}$인 원을 그려 $\overrightarrow{BA}$와 만나는 점을 G라 한다.

㉢, ㉣, ㉤
컴퍼스를 사용하여 두 점 E, F 사이의 거리를 잰 후, 점 G를 중심으로 하고 반지름 길이가 $\overline{EF}$인 원을 그려 ㉡에서 그린 원과 만나는 점을 H라 하고, $\overrightarrow{AH}$를 긋는다.

㉥ 같은 방법으로 점 C를 지나고 $\overline{AB}$와 평행한 $\overrightarrow{CI}$를 긋고 $\overrightarrow{AH}$와 만나는 점을 D라 하면 사각형 ABCD는 평행사변형이다.

전략
평행사변형은 두 쌍의 대변이 각각 평행함을 이용하여 작도한다.

18 답 7개

이등변삼각형의 세 변의 길이를 a, a, b라 하면

$2a+b=30$에서 $2a=30-b$의 좌변이 짝수이므로 우변도 짝수, 즉 b가 될 수 있는 값은 2, 4, 6, 8, 10, 12, 14이다.

b값에 따라 정해지는 a값은 각각 하나이므로 조건을 만족시키는 삼각형은 모두 7개

전략
이등변삼각형의 세 변의 길이를 a, a, b처럼 생각할 수 있다.

참고
① 세 변의 길이가 자연수이므로 홀수, 짝수를 생각할 수 있다.
② 가장 긴 변의 길이가 b라면 $b<2a$, 즉 $b<30-b$에서 $b<15$
※ 가장 긴 변의 길이가 a이면 $a<a+b$는 항상 성립한다.

19 답 9

주어진 세 변의 길이에서 가장 큰 값이 $x+5$이므로

$x+5<x+(x+2)$ $\quad\therefore x>3$

또 둘레 길이 $x+(x+2)+(x+5)<22$에서 $x<5$

따라서 $3<x<5$인 범위에 있는 자연수 $x=4$이므로

가장 긴 변의 길이는 $4+5=9$

전략
가장 긴 변의 길이는 $x+5$이다.

20 답 3개

삼각형이 되려면 (가장 긴 변의 길이)<(나머지 두 변의 길이의 합)이어야 하므로 이 조건에 맞는 세 변 길이의 순서쌍은

(6, 5, 4), (6, 5, 3), (6, 5, 2), (6, 4, 3), (5, 4, 3)
(5, 4, 2), (4, 3, 2)이다.

이 중에서 세 변의 길이의 합이 소수가 되는 경우는

$6+5+2=13$, $6+4+3=13$, $5+4+2=11$이므로

서로 다른 삼각형은 3개다.

전략
삼각형이면 어떤 경우든
(가장 긴 변의 길이)<(나머지 두 변의 길이의 합)이 성립한다.

21 답 ⑤

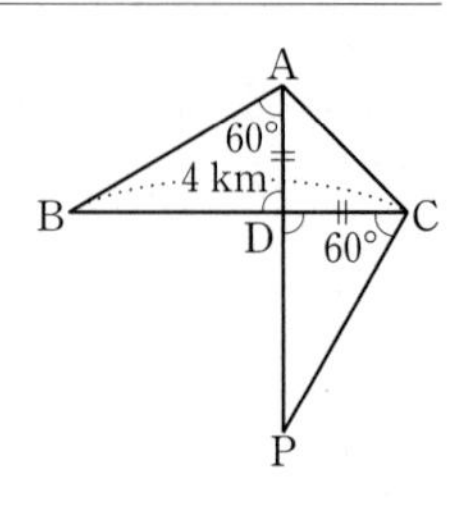

$\angle BDA$와 $\angle PDC$는 맞꼭지각이므로

크기가 서로 같다.

또 $\angle BAD=\angle DCP=60°$

이고, $\overline{AD}=\overline{DC}$이므로

$\triangle ABD\equiv\triangle CPD$ (ASA합동)

이때 $\overline{BD}=\overline{DP}$이고

$\overline{AP}=\overline{AD}+\overline{DP}=\overline{CD}+\overline{DB}=\overline{BC}$

이므로 $\overline{PA}=\overline{BC}=4$ km

전략
서로 같은 것을 모두 찾아본다.

22 답 65°

$\triangle ABE\equiv\triangle ADG$ (SSS 합동)이므로

$\overline{AE}=\overline{AG}$, $\angle BAE=\angle DAG$

$\triangle AEF$와 $\triangle AGF$에서

$\overline{AE}=\overline{AG}$, $\overline{AF}$는 공통

$\angle A=90°$이므로

$\bullet+\triangle=90°-45°=45°$

또 $\angle GAF=\bullet+\triangle=45°=\angle EAF$

따라서 $\triangle AEF\equiv\triangle AGF$ (SAS 합동)

$\therefore\ \angle AFD=\angle AFE=180°-(45°+70°)=65°$

전략

선분 CD의 연장선 위에 $\overline{BE}=\overline{DG}$가 되도록 점 G를 잡아 △ABE와 합동인 삼각형을 그려 본다

23 답 $\frac{25}{2}$

△BCG와 △DCE에서

$\overline{BC}=\overline{DC}$, $\overline{GC}=\overline{EC}$

$\angle GCB=90^\circ-\angle DCG$

$=\angle ECD$

∴ △BCG≡△DCE (SAS 합동)

∴ (△DCE의 넓이)

=(△BCG의 넓이)

$=\frac{1}{2}\times5\times5=\frac{25}{2}$

전략

△DCE와 합동인 삼각형을 찾는다.

24 답 5

점 D에서 변 AC에 평행한 선분을 그어 변 BC와 만나는 점을 G라 하면 △DBG는 한 변의 길이가 4인 정삼각형이다. 이때

$\angle GDF=\angle CEF$(엇각),

$\angle DFG=\angle EFC$(맞꼭지각),

$\overline{GD}=\overline{CE}=4$에서

△GDF≡△CEF (ASA 합동)

따라서 $\overline{DF}=\overline{FE}=\frac{1}{2}\overline{DE}=5$

전략

점 D에서 변 AC에 평행한 선분을 그어 변 BC와 만나는 점을 G라 하고 서로 같은 것을 찾아본다.

25 답 16

정사각형에서 두 대각선 길이가 같으므로 $\overline{OB}=\overline{OC}$

또 $\angle OBM=\angle OCN=45^\circ$, $\angle BOM=\angle CON$이므로

△OBM≡△OCN (ASA 합동)

(□OMCN의 넓이)=(△OMC의 넓이)+(△OCN의 넓이)

=(△OMC의 넓이)+(△OBM의 넓이)

=(△OBC의 넓이)

$=\frac{1}{4}$(□ABCD의 넓이)=16

전략

정사각형 ABCD에서 두 대각선의 교점이 O이므로

$\angle BOC=\angle POQ=90^\circ$, 이때 $\angle BOM=\angle CON$임을 이용한다.

26 답 3개

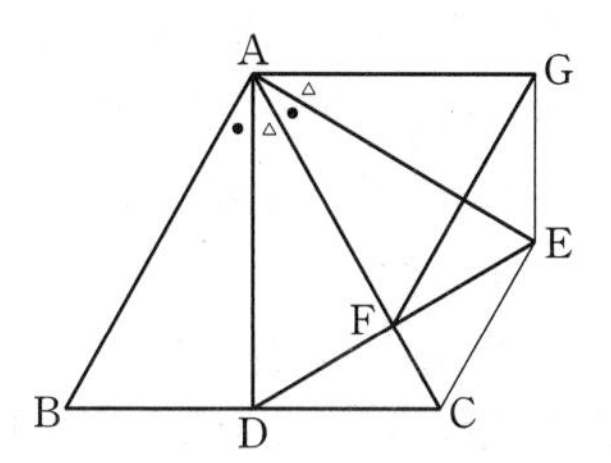

△ABC, △ADE, △AFG는 모두 정삼각형이므로

$\overline{AB}=\overline{AC}$, $\overline{AD}=\overline{AE}$,

$\overline{AF}=\overline{AG}$이다.

또 $\angle BAC=\angle DAE$

$=\angle FAG=60^\circ$

이므로

$\angle BAD=\angle FAE$, $\angle DAF=\angle EAG$

△BAD≡△CAE, △DAF≡△EAG (SAS 합동)

따라서 보기에서 옳은 것을 찾으면

$\angle ADB=\angle AEC$, $\overline{BD}=\overline{CE}$, $\angle ADF=\angle AEG$

로 모두 3개

전략

정삼각형임을 이용해 각 변의 길이는 a, b, c, 각의 크기는 x, y를 써서 나타낸 다음 서로 합동인 삼각형을 찾아본다.

27 답 90°

$\overline{BC}=\overline{DC}$, $\overline{CE}=\overline{CG}$이고 $\angle BCE=\angle DCG$이므로

△EBC≡△GDC

(SAS 합동)

이때 $\overline{DC}$와 $\overline{BE}$의 교점을 P라 하면

$\angle EBC=\angle GDC$,

$\angle BPC=\angle DPO$에서

$x=\angle GDC+\angle DPO=\angle PBC+\angle BPC=90^\circ$

전략

□ABCD와 □ECGF가 모두 정사각형이고 $\angle BCE=\angle$ DCG임을 이용한다.

STEP 3 | 전교 1등 **확실하게** 굳히는 문제 pp. 031 ~ 032

1 (1) 6개 (2) 9개 **2** 8개

3 (1) 6 (2) 3 (3) 8 **4** 30°

1 답 (1) 6개 (2) 9개

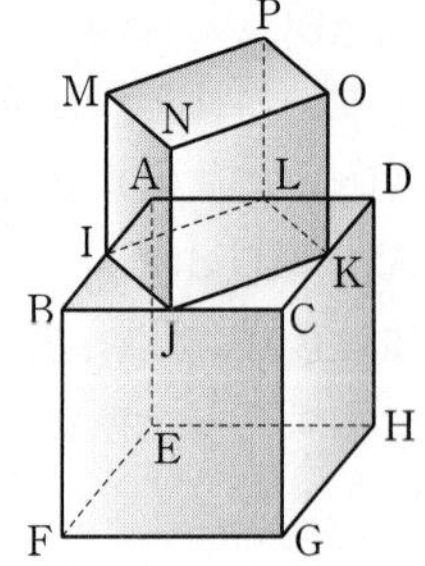

주어진 입체도형에 그림과 같이 꼭짓점을 나타내 보자.

(1) 모서리 BF와 평행한 면은
면 AEHD, 면 CGHD
면 MIJN, 면 PLKO, 면 NJKO,
면 MILP
이므로 모두 6개

(2) 모서리 CD와 만나는 모서리는
$\overline{JK}$, $\overline{KL}$, $\overline{OK}$, $\overline{BC}$, $\overline{AD}$, $\overline{CG}$, $\overline{DH}$, $\overline{IJ}$, $\overline{IL}$
이므로 모두 9개

전략
위에 얹힌 정육면체에서도 구하려는 것을 찾아본다.

2 답 8개

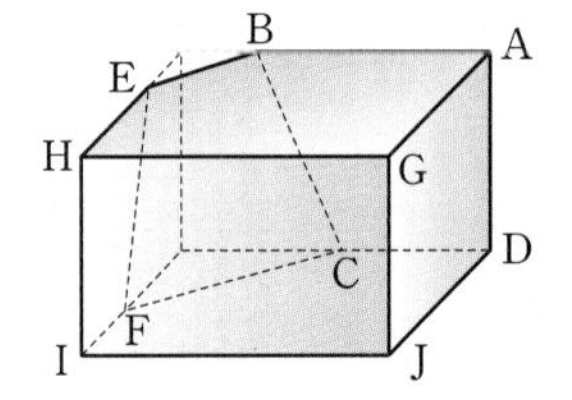

주어진 전개도에서 생각할 수 있는 입체도형의 겨냥도는 그림과 같으므로 모서리 BC와 꼬인 위치에 있는 모서리는
$\overline{HI}$, $\overline{IJ}$, $\overline{JG}$, $\overline{GH}$, $\overline{AG}$, $\overline{DJ}$, $\overline{EH}$, $\overline{IF}$
따라서 모두 8개

전략
직육면체를 그려 놓고 전개도를 참고해 꼭짓점을 결정한다.
※ 직사각형 HIJG가 정면이 되는 직육면체를 네 점 E, F, C, B를 지나는 평면으로 자른 것으로 생각할 수 있다.

3 답 (1) 6 (2) 3 (3) 8

㉠ 4보다 작은 수에서 생각한다.
㉡ 4보다 작은 수에서 생각한다.
㉢ 7보다 작은 수에서 생각한다.
㉣ 9보다 작은 수에서 생각한다.

두 변의 이쑤시개 개수	나머지 한 변의 이쑤시개 개수
2, 2	㉠ 1, 2, 3
3, 1	㉡ 3
4, 3	㉢ 2, 3, 4, 5, 6
5, 4	㉣ 2, 3, 4, 5, 6, 7, 8

(1) $1+2+3=6$
(2) ㉠~㉣에서 공통인 수는 3
(3) ㉠~㉣에서 가장 큰 수는 8

전략
이쑤시개의 길이를 1이라 생각하고 가장 긴 변의 길이가 나머지 두 변의 길이를 더한 것보다 작도록 삼각형의 변의 길이를 정한다.

4 답 30°

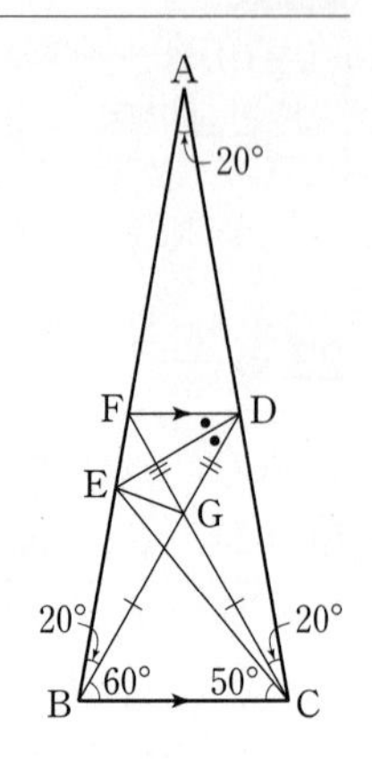

$\overline{FD}$가 변 BC에 평행하도록 변 AB 위에 점 F를 잡으면
$\overline{AB}=\overline{AC}$, $\overline{AD}=\overline{AF}$
$\angle ABD=\angle CAF=20^\circ$
$\therefore$ $\triangle ABD\equiv\triangle ACF$ (SAS 합동)
이때 $\angle ABD=\angle ACF=20^\circ$
$\overline{BD}$와 $\overline{CF}$의 교점을 G라 하면
$\angle GFD=\angle BCF=\angle GBC$
$=\angle GDF=60^\circ$
에서 $\triangle GBC$, $\triangle GDF$는 정삼각형이다.
$\therefore$ $\overline{BC}=\overline{BG}$, $\overline{GD}=\overline{DF}$
또 $\angle BEC=180^\circ-(80^\circ+50^\circ)=50^\circ=\angle BCE$이므로
$\overline{BE}=\overline{BC}$에서 $\overline{BE}=\overline{BG}$
즉 $\triangle BGE$는 이등변삼각형이고 이때
$\angle BGE=\angle BEG=80^\circ$
한편 $\angle BGF=180^\circ-60^\circ=120^\circ$이므로
$\angle EGF=120^\circ-80^\circ=40^\circ$
또 $\angle BFC=180^\circ-(80^\circ+60^\circ)=40^\circ$
$\therefore$ $\angle EGF=\angle EFG=40^\circ$
즉 $\triangle EGF$는 이등변삼각형
$\therefore$ $\overline{EG}=\overline{EF}$
한편 $\overline{DG}=\overline{DF}$이고 $\angle EFD=\angle EGD$이므로
$\triangle DEF\equiv\triangle DEG$
따라서 $\angle EDF=\angle EDG$, $\angle GDF=60^\circ$이므로
$\angle BDE=30^\circ$

전략
① 변 BC와 평행한 보조선이 생기도록 한다.
② 합동인 삼각형을 찾아 본다.

Ⅱ 평면도형

01 다각형

[확인 ❶] 답 33

구각형의 한 꼭짓점에서 그을 수 있는 대각선 개수

$a=9-3=6$

대각선의 총 개수 $b=\frac{9\times6}{2}=27$

$\therefore a+b=6+27=33$

[확인 ❷] 답 105°

$\triangle$ABC는 이등변삼각형이므로

$\angle BAC=\angle ABC=35^\circ$

이때 $\triangle$ABC에서

$\angle$ACD는 $\angle$C에 대한 외각이므로

$\angle ACD=35^\circ+35^\circ=70^\circ$

또 $\triangle$ACD는 이등변삼각형이므로

$\angle ADC=\angle ACD=70^\circ$

따라서 $\angle x$는 $\triangle$ABD의 한 외각이므로

$x=35^\circ+70^\circ=105^\circ$

[확인 ❸] 답 50°

$\angle BAD=180^\circ-45^\circ=135^\circ$

사각형의 내각 크기의 합은 360°이므로

$135^\circ+x+75^\circ+100^\circ=360^\circ$

$\therefore x=50^\circ$

[확인 ❹] 답 65°

맞꼭지각이 되는 외각 크기가 서로 같으므로

$x+40^\circ=55^\circ+50^\circ \qquad \therefore x=65^\circ$

[확인 ❺] 답 50°

$110^\circ=(60^\circ+x)+y$에서 $x+y=50^\circ$

[확인 ❻] 답 110°

$\triangle$ABC에서 $40^\circ+2(\bullet+\blacktriangle)=180^\circ$

$\therefore \bullet+\blacktriangle=70^\circ$

$\triangle$DAB에서 $x+\bullet+\blacktriangle=180^\circ$

$\therefore x=180^\circ-70^\circ=110^\circ$

STEP 1 억울하게 울리는 문제 pp. 036~038

1 ○	**2-1** 1620°	**2-2** 35
3-1 27	**3-2** 20	**4-1** 9
4-2 65	**5-1** 136°	**5-2** 195°
6-1 50°	**6-2** 96°	**7-1** 32°
7-2 34°		

1 답 ○

ㄱ. 변의 길이와 각의 크기가 모두 같아야 정다각형이다. (×)

ㄴ. 자기 자신과 이웃한 두 꼭짓점에는 대각선을 그을 수 없으므로 n각형의 한 꼭짓점에서 그을 수 있는 대각선은 $(n-3)$개다. (×)

ㄷ. (정다각형의 한 내각의 크기)$=\frac{(n-2)\times180^\circ}{n}$

(정다각형의 한 외각의 크기)$=\frac{360^\circ}{n}$ (×)

ㄹ. 네 내각의 크기가 같은 사각형은 정사각형이 아니라 직사각형이다. (×)

ㅁ. 정다각형의 종류는 정삼각형, 정사각형, 정오각형, …으로 무수히 많다. (×)

ㅂ. 열 명이 서로 한 번씩 악수할 때, 악수한 총 횟수는 (십각형의 대각선 개수)+(십각형의 변의 개수)이다. (×)

ㅅ. 한 외각의 크기가 둔각인 정다각형은 정삼각형뿐이지만 임의의 다각형에서 둔각인 외각이 있을 수 있다. (×)

ㅇ. 정n각형에서

(한 내각의 크기)$=180^\circ-$(한 외각의 크기)

$=180^\circ-\frac{360^\circ}{n}$ (○)

ㅈ. 정n각형의 한 외각의 크기는 $\frac{360^\circ}{n}$이다.

이때 $360=2^3\times3^2\times5$이므로 360의 약수는 $4\times3\times2$, 즉 24개이고, 이중에서 $n\geq3$인 자연수는 22개이다. (×)

ㅊ. 삼각형에서는 대각선이 0개임을 주의한다. (×)

2-1 답 1620°

n각형의 한 꼭짓점에서 대각선을 $(n-3)$개 그을 수 있으므로

$n-3=8$에서 $n=11$

즉 (십일각형의 내각 크기의 합)$=180^\circ\times(11-2)=1620^\circ$

2-2 답 35

n각형의 한 꼭짓점에서 대각선 $(n-3)$개를 모두 그었을 때 생기는 삼각형 개수는 $(n-2)$이므로 $n-2=8$에서 $n=10$

즉 (십각형의 대각선 개수)$=\frac{10\times(10-3)}{2}=35$

3-1 답 27

주어진 다각형을 n각형이라 하자. 이 다각형의 변 AB 위에 한 점 C를 잡고 두 점 A, B를 제외하여 만든 새로운 다각형은 $(n-1)$각형이다. $(n-1)$각형의 한 꼭짓점 C에서 이웃하지 않은 다른 꼭짓점을 연결해서 생기는 삼각형은 $(n-3)$개다.

그림처럼 점 C에서 두 점 A, B와 이웃한 꼭짓점을 연결할 때 삼각형이 각각 하나씩 생기므로 $(n-3)+2=8$임을 알 수 있다.

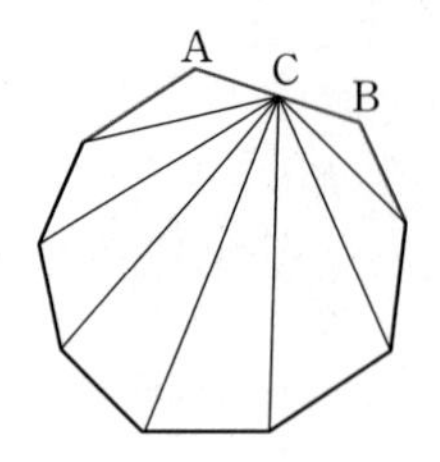

이때 $n=9$이므로 처음에 주어진 다각형은 구각형이고, 구각형의 대각선은 27개다.

다른 풀이

n각형에서 조건과 같이 하면 변 AB를 제외한 $(n-1)$개의 변에 대하여 $(n-1)$개의 삼각형이 생긴다.

즉 $n-1=8$에서 $n=9$

3-2 답 20

n각형의 내부에 잡은 한 점에서 n각형의 모든 꼭짓점을 연결할 때 생기는 삼각형은 n개다. 삼각형이 8개 생겼다면 처음에 주어진 다각형은 팔각형이고, 팔각형의 대각선은 20개다.

4-1 답 9

대각선 AB를 생각할 때, 한 쪽에 꼭짓점이 한 개 있으면 그림처럼 대각선을 포함해서 삼각형이 하나 생기고, 다른 쪽에 꼭짓점이 세 개 있으면 대각선이 한 변인 오각형이 생긴다. 이때 필요한 꼭짓점은 모두 $2+1+3=6$(개), 즉 육각형이고 육각형의 대각선은 9개다.

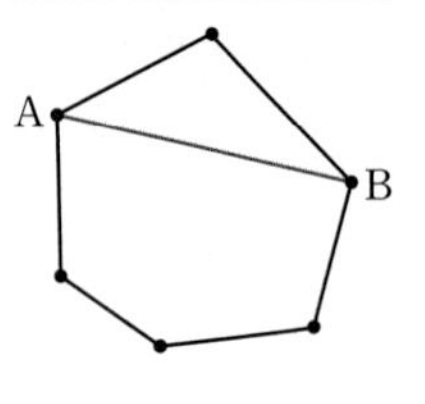

4-2 답 65

다각형의 한 꼭짓점을 기준으로 내각 크기와 외각 크기의 합은 $180°$이다. n각형일 때 내각 크기와 외각 크기의 합은 $180°\times n$이므로 $180°\times n=2340°$에서 $n=13$

따라서 십삼각형이고, 십삼각형의 대각선은 65개다.

5-1 답 136°

$\angle BAD=a$, $\angle ABE=b$라 하면

$\triangle ABC$에서

$2(a+b)=180°-92°=88°$

$\therefore a+b=44°$

이때 $x=180°-(a+b)$

$=180°-44°=136°$

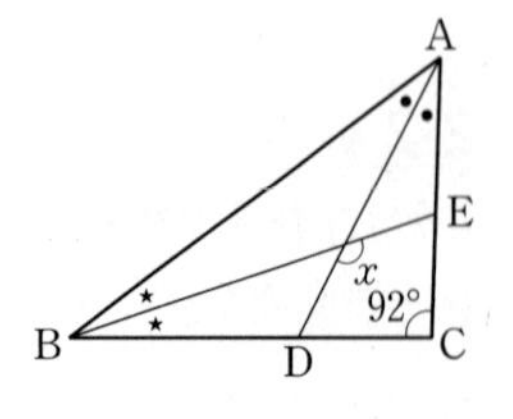

5-2 답 195°

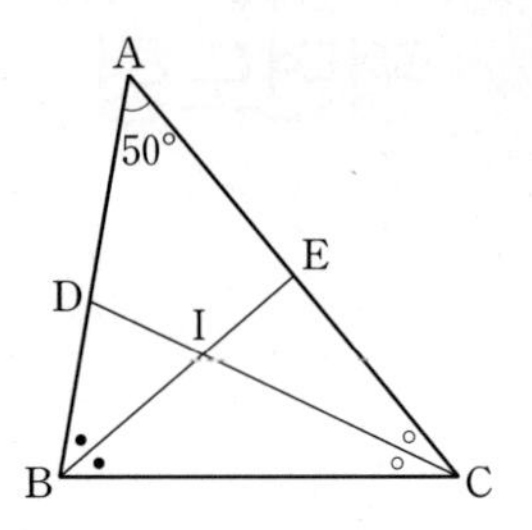

$\angle ABI=x$, $\angle ECD=y$라 하면

$2(x+y)=180°-50°=130°$ $\therefore x+y=65°$

한편 $\triangle DBC$에서 각 D의 외각의 크기는 $\angle ADI=2x+y$

$\triangle EBC$에서 각 E의 외각의 크기는 $\angle AEI=x+2y$

$\therefore \angle ADI+\angle AEI=3(x+y)=195°$

다른 풀이

$\angle BIC=\angle DIE=180°-(x+y)=115°$

$\therefore \angle ADI+\angle AEI=360°-(50°+115°)=195°$

6-1 답 50°

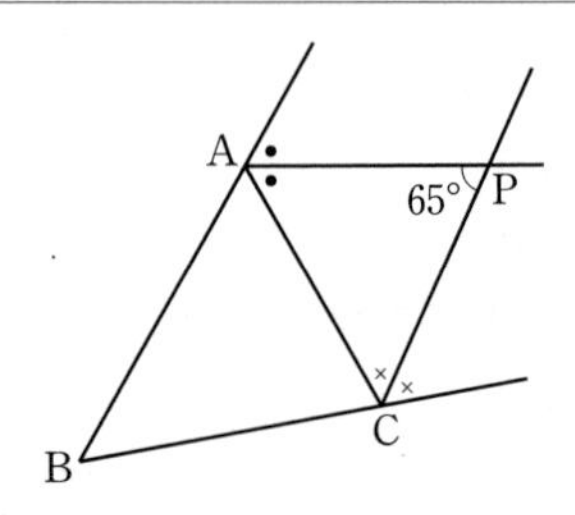

$\angle PAC=x$, $\angle PCA=y$라 하면

$x+y=180°-65°=115°$

또 $\angle BAC=180°-2x$, $\angle BCA=180°-2y$에서

$\angle ABC=180°-(180°-2x+180°-2y)$

$=2(x+y)-180°$

$=50°$

6-2 답 96°

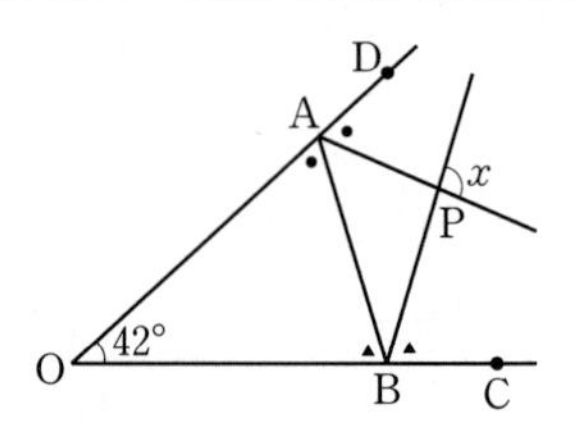

$\angle BAO=\angle PAD=a$, $\angle ABO=\angle PBC=b$라 하면

$a+b=180°-42°=138°$

$x=180°-(\angle PAB+\angle PBA)$

$=180°-\{(180°-2a)+(180°-2b)\}$

$=2(a+b)-180°$

$=96°$

7-1 답 32°

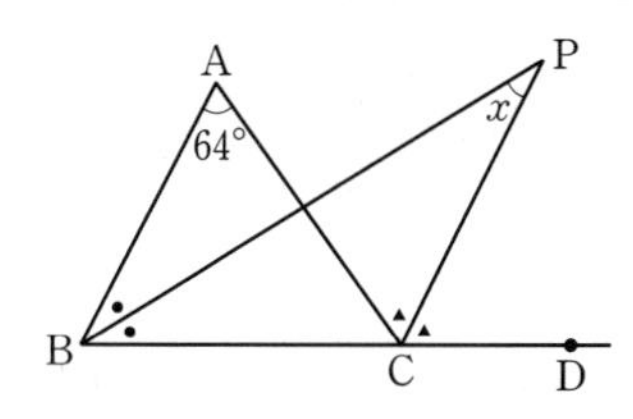

△ABC에서 ∠ACB의 외각 ∠ACD$=64°+2●$

즉 $2▲=64°+2●$에서 $▲-●=32°$

△PBC에서 ∠PCB의 외각 ∠PCD$=x+●$

즉 $x=▲-●=32°$

다른 풀이

공식을 이용하면 $64°=2x$에서 $x=32°$

7-2 답 34°

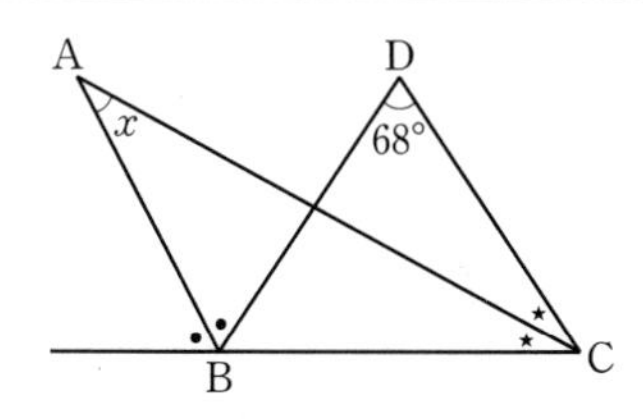

△ABC에서 $●=x+★$ ······ ㉠

△DBC에서 $2●=68°+2★$ ∴ $●=34°+★$ ······ ㉡

㉠=㉡에서 $x+★=34°+★$ ∴ $x=34°$

다른 풀이

공식을 이용하면 $2x=68°$에서 $x=34°$

STEP 2 반드시 등수 올리는 문제 pp. 039 ~ 044

01 ㄹ, ㅁ	**02** ④	**03** 75
04 45	**05** 10개	**06** ④
07 90°	**08** 160°	**09** 105°
10 74°	**11** 45°	**12** 25°
13 77°	**14** 112°	**15** ②
16 1080°	**17** 105°	**18** 69°
19 ②	**20** 96°	**21** 123°
22 150°	**23** 81°	**24** ⑤
25 12개	**26** 10개	

01 답 ㄹ, ㅁ

ㄹ. n각형의 외각 크기의 합이 360°이므로 외각 크기의 합이 360° 라는 조건만으로 n을 구할 수 없다.

ㅁ. 한 내각의 크기만으로 몇 각형인지 알 수 없다.

전략

정다각형이면 한 내각의 크기나 한 외각의 크기만으로 어떤 다각형인지 알 수 있지만 정다각형이 아니라면 알 수 없다.

02 답 ④

주어진 다각형을 n각형이라 하면 $a=n$이고

한 꼭짓점에서 그을 수 있는 대각선은

$(n-3)$개이므로 $b=n-3$

이때 생기는 삼각형은 $(n-2)$개이므로 $c=n-2$

$a+b+c=n+(n-3)+(n-2)=19$ ∴ $n=8$

전략

n각형이라 하고 a, b, c 값을 각각 n으로 나타낸다.

03 답 75

십오각형에서 변의 개수는 15이므로 $a=15$

대각선 개수는 $\frac{15\times12}{2}=15\times6=90$이므로 $b=90$

∴ $b-a=90-15=75$

전략

각 학생을 다각형의 꼭짓점이라 생각하면

- (이웃한 학생끼리 악수한 총 횟수)=(다각형의 변의 개수)
- (이웃하지 않은 학생끼리 목례를 한 총 횟수) =(다각형의 대각선 개수)

04 답 45

1학년 열 개 반을 열 개의 꼭짓점으로 나타내고, 경기를 하는 두 반을 선분으로 모두 연결하면 전체 경기 수는 '십각형의 변의 개수'와 '십각형의 대각선 개수'의 합과 같다.

∴ $10+\frac{10\times(10-3)}{2}=45$

전략

각 반을 다각형의 한 꼭짓점이라 생각하고 경기를 하는 두 반을 선분으로 연결해 본다.

05 답 10개

(필요한 횡단보도 개수)

=(오각형의 변의 개수)+(오각형의 대각선 개수)

$=5+\frac{5\times2}{2}=10$

전략

그림과 같이 오거리에서 각 모퉁이를 점으로 나타내면 필요한 횡단보도는 오각형의 변과 대각선이다.

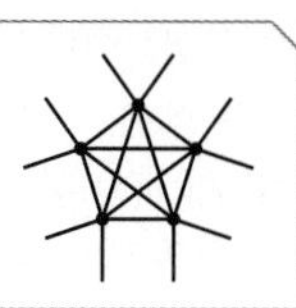

06 답 ④

$\angle BAC=27°+27°=\angle BCA$이므로

$\angle CBD=27°+54°$

$\quad=81°=\angle CDB$

$\therefore x=180°-81°=99°$

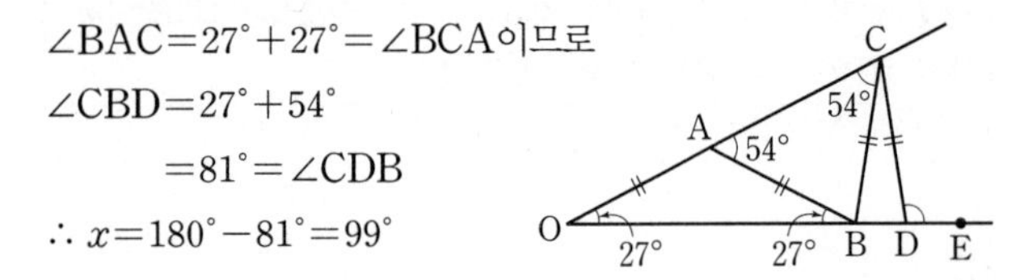

전략

이등변삼각형에서 두 밑각의 크기가 같다는 것과 삼각형의 외각의 크기는 그 각과 이웃하지 않은 두 내각 크기의 합과 같음을 이용한다.

07 답 90°

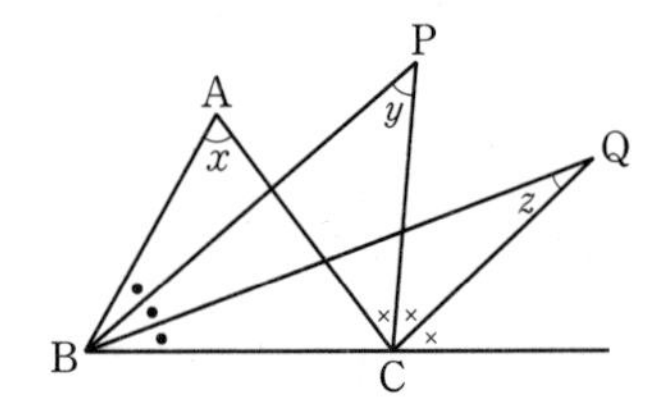

$\angle ABP=a$, $\angle ACP=b$라 하면

$3b=3a+x$ …… ㉠

$2b=2a+y$ …… ㉡

$b=a+z$ …… ㉢

이고 ㉡에서 $y=2b-2a=45°$

㉠과 ㉢을 더하면 $4b=4a+x+z$에서

$x+z=2(2b-2a)=90°$

전략

$\triangle ABC$, $\triangle PBC$, $\triangle QBC$ 각각에서 삼각형의 외각의 크기는 그 각과 이웃하지 않은 두 내각 크기의 합과 같음을 이용한다.

08 답 160°

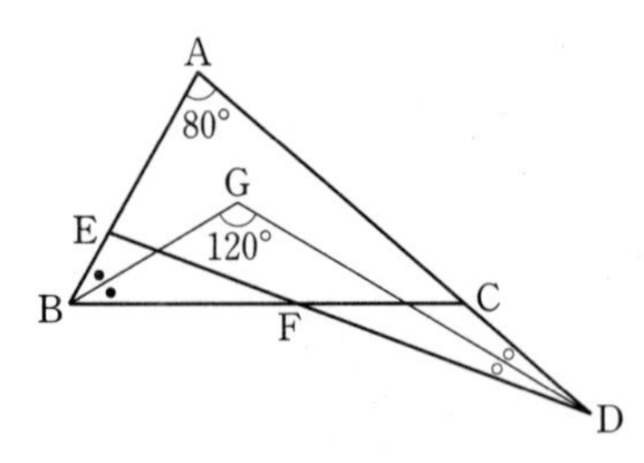

도형 ABGD에서 $\angle BGD=80°+●+○$

$\therefore ●+○=40°$

도형 GBFD에서 $\angle BFD=120°+●+○=160°$

$\therefore \angle EFC=\angle BFD=160°$

전략

① 오른쪽 그림에서 $x=▲+●+○$이 성립한다.
주어진 그림에서 이와 같은 모양을 두 개 찾을 수 있다.

② $\angle EFC=\angle BFD$

※ 위 풀이와 달리 공식을 이용하지 않고 풀어도 된다.

09 답 105°

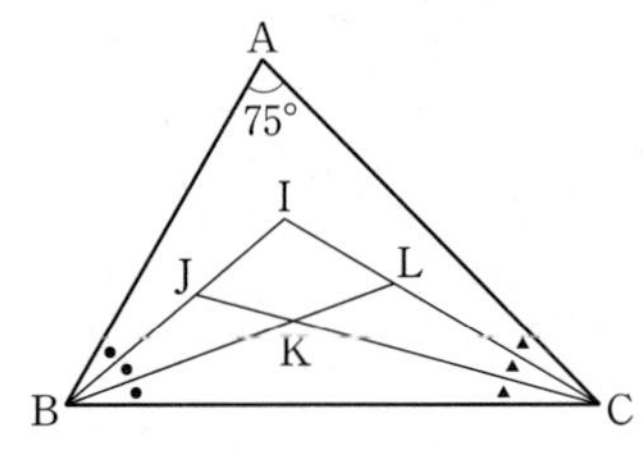

$\angle B+\angle C=180°-75°=105°$, 즉 $3(●+▲)=105°$

$\triangle JBC$에서 $\angle IJK=2●+▲$

$\triangle LBC$에서 $\angle ILK=●+2▲$

$\therefore \angle IJK+\angle ILK=3(●+▲)=105°$

다른 풀이

공식을 이용하면

$\angle BIC=75°+●+▲$,

$\angle BKC=75°+2(●+▲)$

$\angle IJK+\angle ILK=360°-(\angle BIC+\angle BKC)$

$\quad=360°-\{150°+3(●+▲)\}$

$\quad=105°$

전략

$\angle IJK$는 $\triangle JBC$에서 $\angle J$의 외각이고, $\angle ILK$는 $\triangle LBC$에서 $\angle L$의 외각이다.

10 답 74°

$\triangle FBD$에서

$\angle EFG=30°+40°=70°$

또 $\triangle ACG$에서

$\angle FGE=45°+27°=72°$

이때 $\triangle EFG$에서

$x+70°+72°=180°$

$\therefore x=38°$

$\triangle BHE$에서

$y+30°+38°=180°$

$\therefore y=180°-(30+38°)$

$\quad=112°$

$\therefore y-x=112°-38°$

$\quad=74°$

다른 풀이

$\triangle JCE$에서 $\angle BJI=27°+x$이므로 $\angle JIH=57°+x$

$\triangle AID$의 세 내각 크기에서 $\angle JIH=95°$이므로 $x=38°$

$\triangle ACG$에서 $\angle HGD=27°+45°=72°$이므로

$\triangle GHD$에서 $y=72°+40°=112°$

전략

삼각형의 외각의 성질을 이용한다.

11 답 $45°$

$\angle EBF = a$, $\angle ADE = b$라 하면

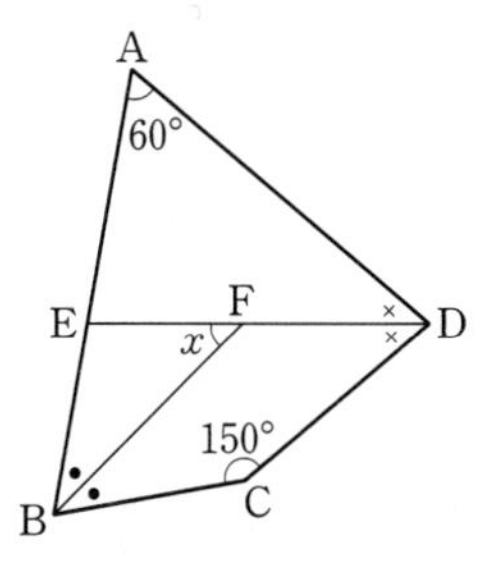

사각형 ABCD에서

$60° + 2a + 2b + 150° = 360°$

$\therefore a + b = 75°$

또 △AED에서 $\angle BED = 60° + b$

$\therefore x = 180° - a - (60° + b)$

$= 120° - 75° = 45°$

전략

사각형 ABCD의 내각 크기의 합이 360°이고, 삼각형의 외각의 크기는 그 각과 이웃하지 않은 두 내각 크기의 합과 같음을 이용한다.

12 답 $25°$

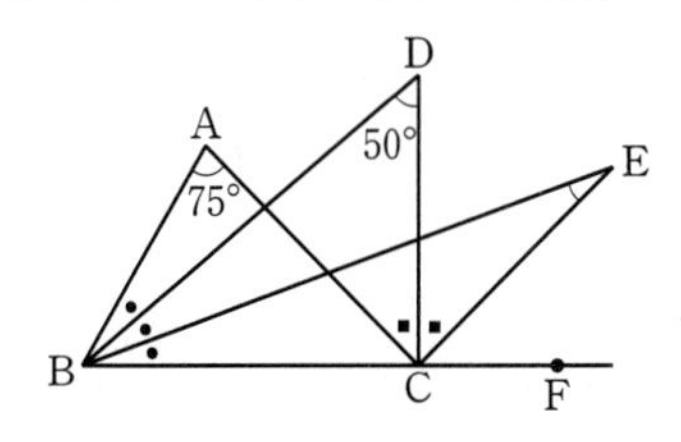

$\angle ABD = a$, $\angle ACD = b$, $\angle BEC = x$라 하면

△EBC에서 $\angle ECF = x + a$

△DBC에서 $50° + 2a = x + a + b$

즉 $x = 50° + a - b$ ⋯⋯ ㉠

△ABC에서 $75° + 3a = 2b + x + a = 2b + (50° + a - b) + a$

위 식을 정리한 $b = 25° + a$를 ㉠에 대입하면

$x = 50° + a - (25° + a) = 25°$

전략

도형 BDCE에서 공식④를 이용해도 된다.

13 답 $77°$

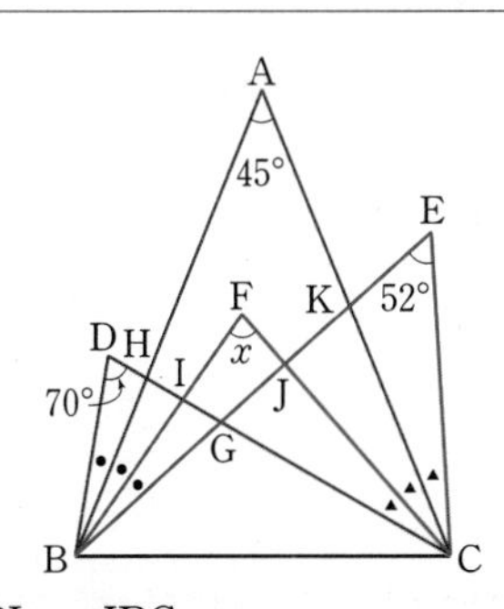

$\angle DBH = \angle HBI = \angle IBG = a$

$\angle ECK = \angle KCJ = \angle JCG = b$

라 하면 △DBH와 △AHC에서

$\angle BHI = 70° + a = 45° + 2b$ $\therefore a = 2b - 25°$

또 △FBJ와 △EJC에서 $\angle BJC = x + a = 52° + 2b$

즉 $x = 52° + 2b - a$에 $a = 2b - 25°$를 대입하면

$x = 52° + 2b - (2b - 25°) = 77°$

전략

두 삼각형에 대하여 모두 외각인 것을 찾는다. 예를 들어 ∠BJC는 삼각형 FBJ와 삼각형 EJC에서 각각 외각이 된다.

※ 공식 ①을 이용한다.

14 답 $112°$

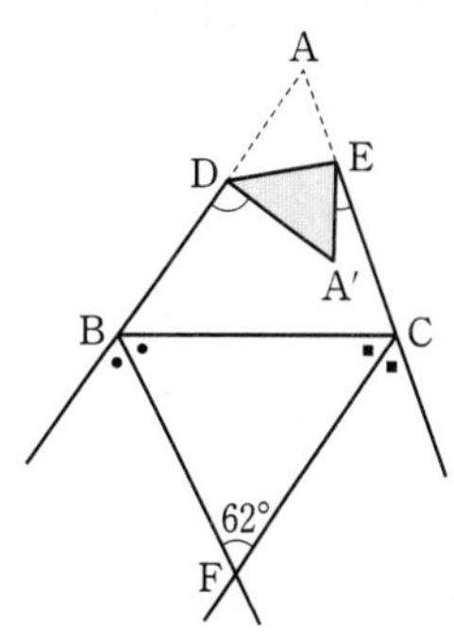

$\angle ADE = \angle A'DE = x$,

$\angle AED = \angle A'ED = y$,

$\angle DAE = a$, $\angle CBF = b$, $\angle BCF = c$라 하면

△BFC에서 $b + c = 180° - 62° = 118°$

△ABC의 외각 크기의 합이 360°이므로

(각 A의 외각 크기) $= 360° - (2b + 2c)$

$= 360° - 2 \times 118° = 124°$

$\therefore a = 180° - 124° = 56°$

△ADE에서 $x + y + 56° = 180°$이므로

$x + y = 124°$

$\angle A'DB + \angle A'EC = (180° - 2x) + (180° - 2y)$

$= 360° - 2(x + y)$

$= 360° - 2 \times 124° = 112°$

전략

❶ 종이접기에서 크기가 같은 각을 찾아본다.

❷ △ABC에서 ∠B와 ∠C의 외각이 언급되어 있으므로 ∠A의 외각 크기를 구하는 방법을 생각해본다.

15 답 ②

$\angle BAO = a$, $\angle BCO = b$라 하면

사각형 ABCD에서

$70° + 2(a + b) + 130° = 360°$

$\therefore a + b = 80°$

또 사각형 AOCD에서

$a + x + b + 130° = 360°$

$\therefore x = 360° - 130° - (a + b) = 150°$

전략

사각형의 내각 크기의 합이 360°임을 이용한다.

※ 도형 ABCO에서 공식 ②를 이용해 $x = 70° + a + b$라 해도 된다.

16 답 1080°

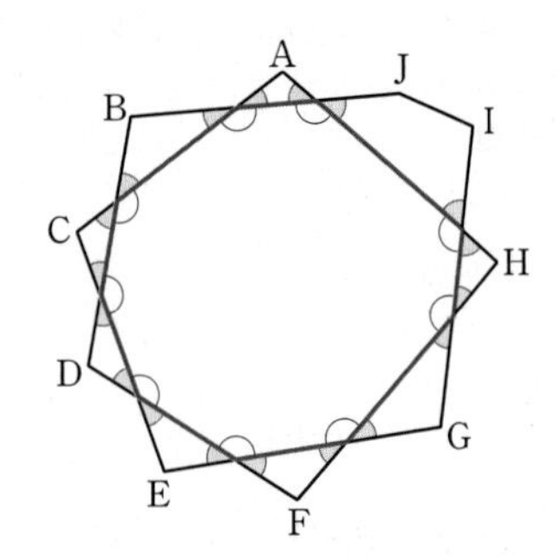

구하려는 각의 크기는

(삼각형 8개 내각 크기의 합)+(사각형의 내각 크기의 합)에서

(색으로 나타낸 구각형 외각 크기의 합)×2

를 뺀 것과 같으므로

$180° \times 8 + 360° - 360° \times 2 = 1080°$

전략
다각형의 내각 크기의 합에서 무엇을 제외하면 구하려는 것이 되는지 생각해 본다.

17 답 105°

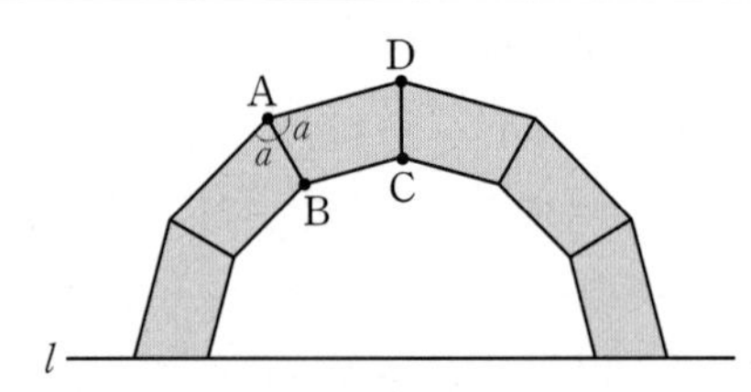

위 그림에서 $\angle DAB = a$라 하면

(칠각형 내각 크기의 합)$=5 \times 2a + a + a = 900°$

$a = 75°$ $\quad \therefore \angle ABC = 180° - a = 105°$

전략
색선으로 나타낸 도형은 칠각형이고, 칠각형의 내각 크기의 합이 900°임을 이용한다.

18 답 69°

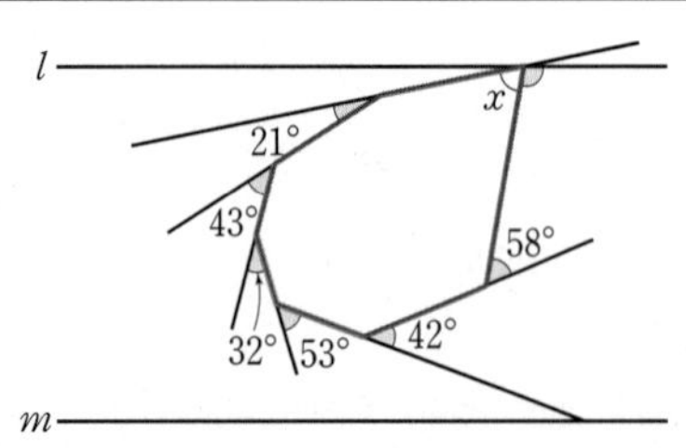

다각형의 외각 크기의 총합이 360°이므로

$21° + 43° + 32° + 53° + 42° + 58° + (180° - x) = 360°$

즉 $429° - x = 360°$에서 $x = 69°$

전략
그림에서 표시한 각들은 칠각형의 외각을 나타낸다.
※ 평행한 보조선을 차례로 그어 각의 크기를 나타내어 x를 구할 수도 있지만 과정이 복잡해서 틀리기 쉽다.

19 답 ②

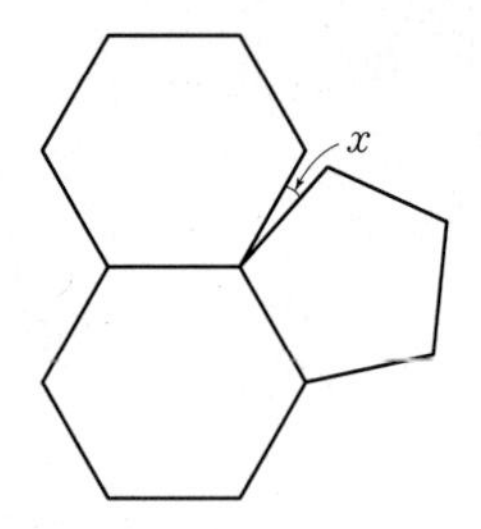

$x = 360° - (2 \times 120° + 108°) = 12°$

전략
정육각형의 한 내각의 크기는 120°이고, 정오각형의 한 내각의 크기는 108°임을 이용한다.

20 답 96°

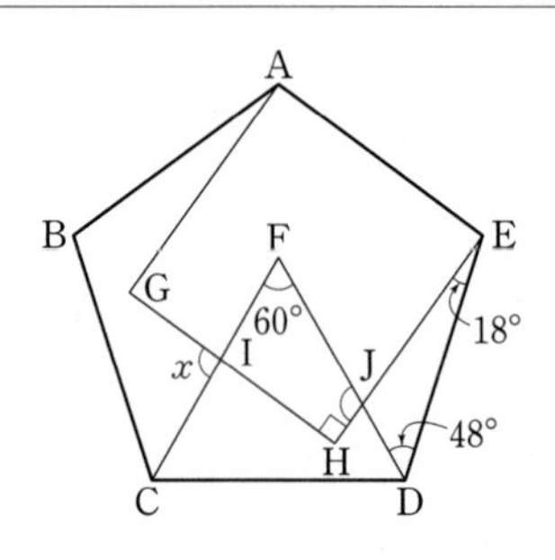

$\angle DEJ = 108° - 90° = 18°$

$\angle EDJ = 108° - 60° = 48°$

$\angle FJH = 180° - (18° + 48°) = 114°$

$\therefore x = \angle FIH = 360° - (60° + 90° + 114°) = 96°$

전략
$\angle FJH$의 크기를 알면 사각형의 내각 크기의 합을 이용할 수 있다.

21 답 123°

그림과 같이 각의 크기를 나타내 보자. 이때 정팔각형, 정육각형, 정오각형의 한 내각 크기는 차례로 135°, 120°, 108°이므로

$a = 135° - 108° = 27°$

$b = 360° - 120° = 240°$

$c = 135° - 120° = 15°$

$d = 135°$

$(a + x + c + d) + b$

$=$(사각형의 내각의 크기의 합)

$+360° -$(삼각형의 내각의 크기의 합)

$=540°$이므로

$x = 540° - (a + c + d + b)$

$= 540° - (27° + 15° + 135° + 240°) = 123°$

전략
$\angle x$를 포함한 오각형에서 각 내각의 크기를 구한다.

참고
180°보다 큰 내각을 포함하는 다각형을 오목다각형이라 한다.
(볼록 n각형의 내각 크기의 합)=(오목 n각형의 내각 크기의 합)

22 답 150°

위 그림에서
$a=360°-(135°+120°)=105°$
$b=180°-135°=45°$
$\therefore x=a+b=105°+45°=150°$

전략
$\angle x$는 그림에 있는 삼각형의 한 외각임을 이용한다.

23 답 81°

위 그림처럼 크기가 x, y인 두 각을 포함하는 사각형 ABCD에서
$\angle A=360°-(90°+108°)=162°$
$\angle D=360°-(108°+135°)=117°$
$\therefore x+y=360°-(162°+117°)=81°$

전략
정오각형의 한 내각의 크기는 108°이고, 정팔각형의 한 내각의 크기는 135°임을 이용한다.

24 답 ⑤

$\triangle BCP\equiv\triangle EDP$ (SAS 합동)이므로 $\overline{BP}=\overline{PE}$
$\therefore \triangle ABP\equiv\triangle AEP$ (SSS 합동)
이때 $\angle BAP=\angle EAP=\frac{1}{2}\times108°=54°$

또한 이등변삼각형 BCA에서
$\angle BCA=\angle BAC=\frac{1}{2}(180°-108°)=36°$
$\therefore z=54°-36°=18°$
또 $x=108°-(36°+60°)=12°$
한편 이등변삼각형 DEP에서
$\angle PDE=108°-60°=48°$
$\therefore \angle DEP=\frac{1}{2}(180°-48°)=66°$
이때 $\angle DEC=\frac{1}{2}(180°-108°)=36°$이므로
$y=66°-36°=30°$
$\therefore x+y-z=12°+30°-18°=24°$

전략
길이가 같은 변 사이에 있는 $\angle BCP=\angle EDP=108°-60°=48°$에서 $\triangle BCP\equiv\triangle EDP$임을 이용한다.

25 답 12개

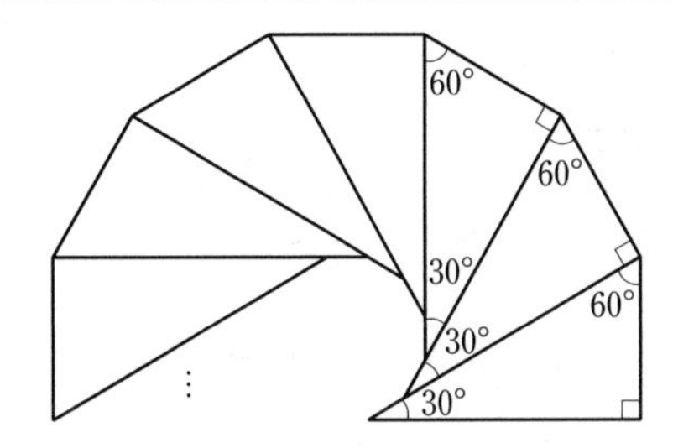

위 그림처럼 합동인 직각삼각형을 조건에 따라 계속 붙이면 가운데 부분에 정다각형이 생긴다는 걸 알 수 있다. 이 정n각형의 한 외각의 크기가 30°이므로 $n\times30°=360°$에서 $n=12$

전략
삼각형을 계속 그리면 내부에 정n각형이 생기고, 정n각형의 한 외각 크기가 30°임을 알 수 있다.

26 답 10개

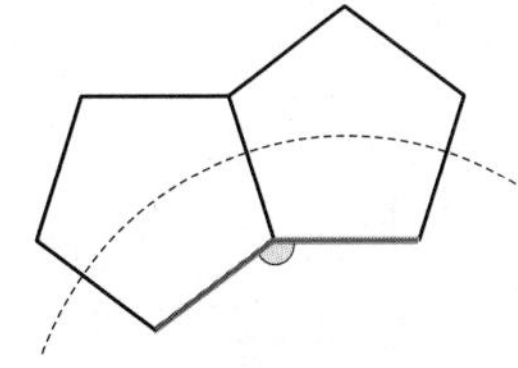

원 안쪽에 생기는 정n각형의 한 내각의 크기는 그림에서 표시한 각의 크기와 같다. 즉 $360°-2\times108°=144°$
이때 정n각형의 한 외각의 크기는 $180°-144°=36°$이므로
$36°\times n=360°$에서 $n=10$
따라서 필요한 정오각형은 모두 10개

전략
정오각형 n개를 배열하여 원둘레 위를 다 채웠을 때, 원 안쪽에 정n각형이 생긴다. 이 정n각형의 외각 크기를 이용한다.

STEP 3 | 전교 1등 **확실하게** 굳히는 문제 pp. 045 ~ 047

1 ②	**2** 328°	**3** 98°
4 11	**5** 90°	**6** 12

1 답 ②

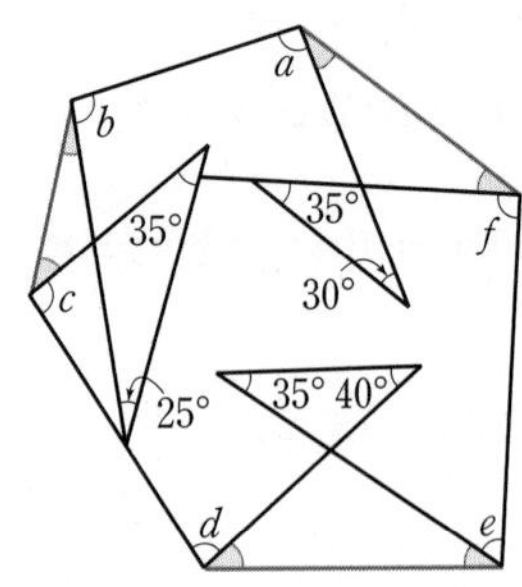

위 그림처럼 생각하면

$a+b+c+d+e+f$

$=$(육각형 내각 크기의 합)$-$(표시된 각 크기의 합)

(표시된 각 크기의 합)

$=(35°+25°)+(35°+40°)+(35°+30°)=200°$

$\therefore a+b+c+d+e+f=720°-200°=520°$

다른 풀이

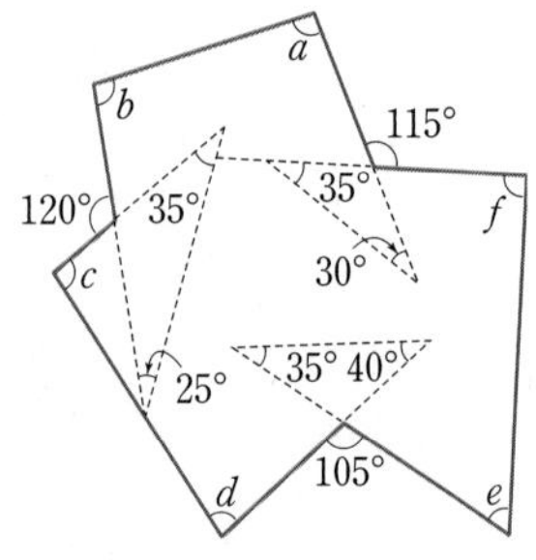

색선으로 나타낸 다각형이 구각형이므로

$a+b+c+d+e+f+240°+255°+245°=1260°$

$\therefore a+b+c+d+e+f=1260°-740°=520°$

전략

보조선을 그어 생긴 볼록다각형(육각형)에서 생각한다.

2 답 328°

$\overline{AC}$와 $\overline{BE}$의 교점을 P라 하고 두 점 A, B를 연결해 보자.

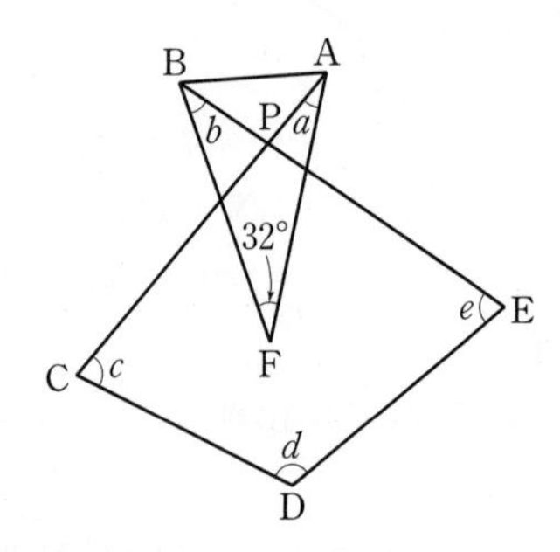

이때 사각형 PCDE에서

$c+d+e=360°-\angle CPE$

$\triangle FAB$에서 $\angle FAB+\angle FBA=148°$이므로

$\angle PAB+\angle PBA=148°-(a+b)=180°-\angle CPE$

정리하면 $a+b=\angle CPE-32°$

$\therefore a+b+c+d+e=(a+b)+(c+d+e)$

$=(\angle CPE-32°)+(360°-\angle CPE)$

$=328°$

다른 풀이

공식 ②를 이용하면

$\angle BPA=\angle CPE=32°+a+b$

이때 $360°=c+d+e+32°+a+b$

$\therefore a+b+c+d+e=360°-32°=328°$

전략

두 점 A, B를 연결하는 보조선을 긋고 삼각형과 사각형의 내각 크기의 합을 이용한다.

3 답 98°

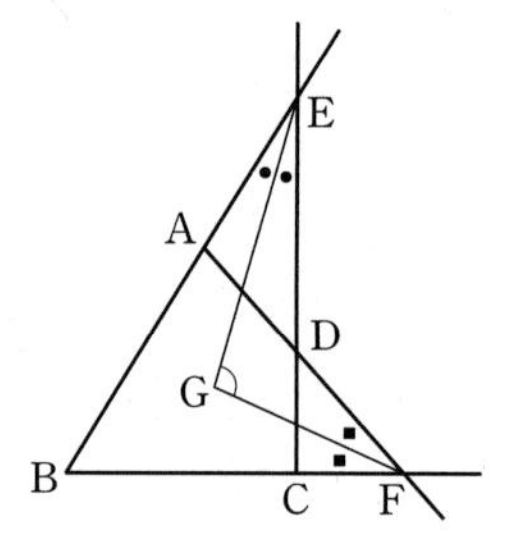

$\angle AEG=a$, $\angle DFG=b$,

$\angle EGF=x$, $\angle EDF=y$라 하면

$\angle BAD+\angle BCD=164°$이므로 사각형 ABCD에서

$\angle B+y+164°=360°$

$\therefore \angle B+y=196°$ …… ㉠

또 도형 EGFD에서

$y=x+a+b$ …… ㉡

마찬가지로 도형 EBFG에서

$x=\angle B+a+b$ …… ㉢

㉡에서 구한 $a+b=y-x$를 ㉢에 대입하면

$x=\angle B+y-x$

㉠에서 $\angle B+y=196°$이므로 $x=196°-x$

$\therefore x=98°$

전략

그림과 같은 모양에서

$x=$▲$+$●$+$○

임을 이용한다.

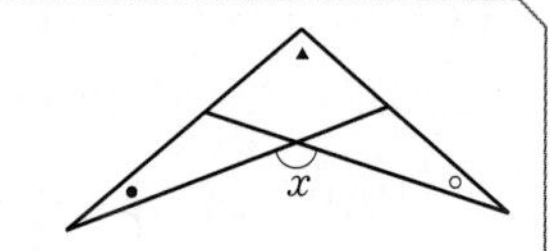

4 답 11

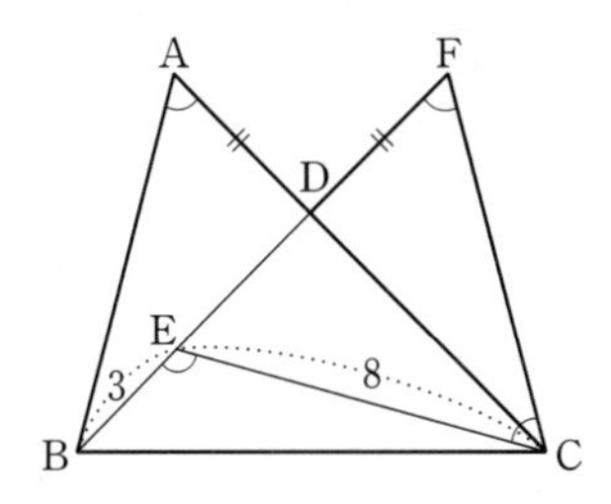

$\overline{BD}$의 연장선 위에 $\overline{AD}=\overline{DF}$가 되도록 점 F를 잡으면
$\overline{AD}=\overline{DF}$, $\overline{BD}=\overline{CD}$ (∵ △DBC는 이등변삼각형)이고,
∠ADB=∠FDC이므로 △ADB≡△FDC (SAS 합동)
이때 ∠BAD=∠CFD
또 △ECF에서 ∠BEC=∠ECF+∠EFC이고
∠BEC=2∠BAC=2∠EFC이므로
∠ECF=∠EFC
즉 △ECF는 $\overline{EC}=\overline{EF}=8$인 이등변삼각형이다.
따라서 $\overline{AC}=\overline{BF}=\overline{BE}+\overline{EF}=3+8=11$

전략
$\overline{BD}$의 연장선 위에 $\overline{AD}=\overline{DF}$가 되도록 점 F를 잡은 후에, 합동인 삼각형 및 이등변삼각형의 성질을 이용하자.

5 답 90°

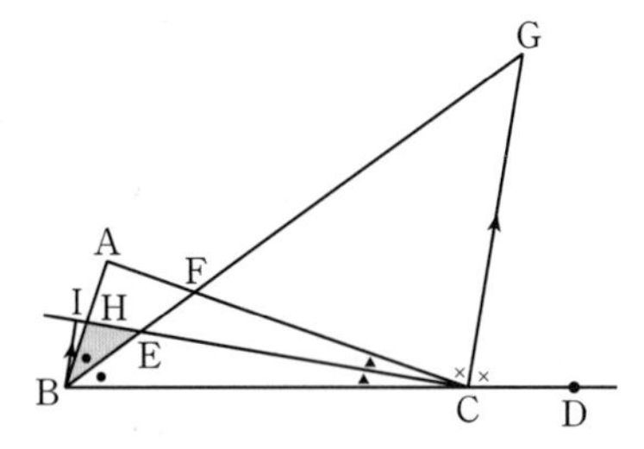

∠ECG=▲+×=90° (∵ 2(▲+×)=180°)
$\overline{CG}$와 $\overline{BI}$가 평행하므로 ∠BIH=∠ECG=90°
한편 $\overline{IH}=1$, $\overline{HE}=5$이고
$\overline{IH}:\overline{HE}$=(△BIH의 넓이) : (△BHE의 넓이)에서
(△BHE의 넓이)=15이므로
(△BIH의 넓이)=3
이때 (△BIE의 넓이)$=\frac{1}{2}\overline{IE}\times\overline{BI}=18$이고,
$\overline{BI}=6=\overline{IE}$이므로 △BIE는 이등변삼각형이다.
즉 ∠BEI=45°=●+▲에서
2(●+▲)=90°=∠B+∠C이므로
∠A=180°−(∠B+∠C)=180°−90°=90°

전략
① 180°=2(▲+×)에서 ▲+×=90°, 즉 ∠ECG=90°이고
$\overline{CG}$와 $\overline{BI}$가 평행하므로 엇각의 크기가 같음을 이용할 수 있다.
② ∠A=180°−2(●+▲)임을 이용한다.

6 답 12

다음과 같이 A_1, A_2, A_3, A_4를 찍어 보자.

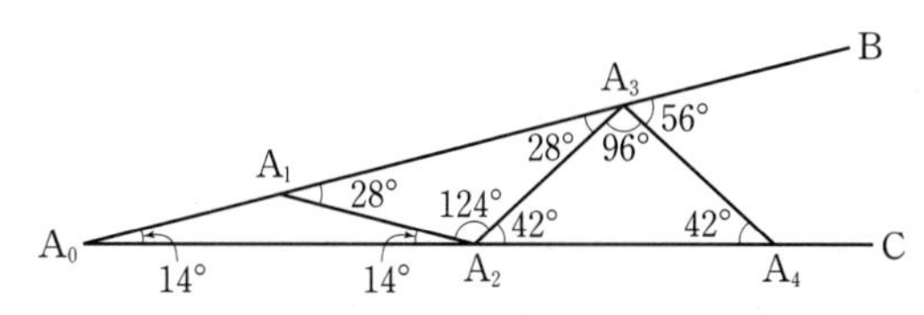

이때 $\angle A_0A_2A_1=14°$이므로 $\angle A_0A_3A_2=28°$,
$\angle A_0A_4A_3=42°$
같은 방법으로 A_5, A_6, A_7, A_8을 찍어 보자.

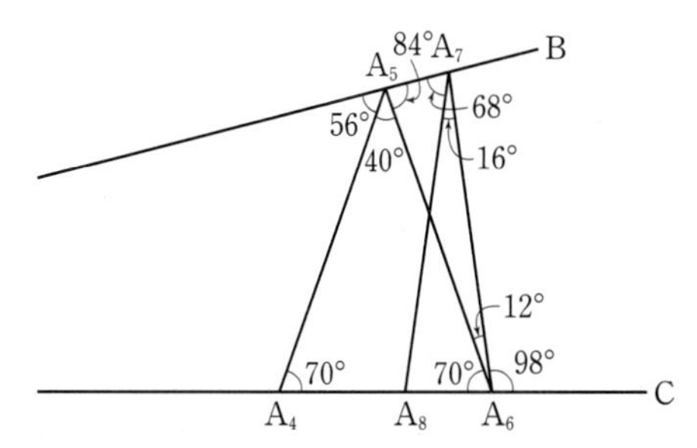

$\angle A_0A_5A_4=56°$, $\angle A_0A_6A_5=70°$, $\angle A_0A_7A_6=84°$
즉 $\angle A_0A_2A_1$부터 $\angle A_0A_7A_6$까지 14°씩 커진다.
이때 $\angle CA_6A_7=98°$이므로 A_8은 A_6 왼쪽에 위치한다.

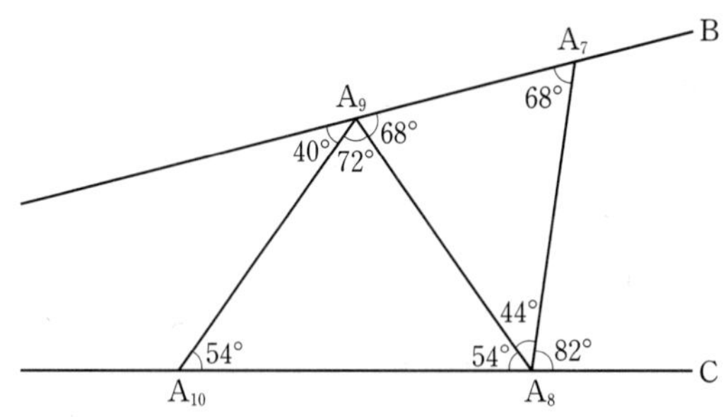

$\angle A_0A_7A_8=68°$, $\angle A_0A_8A_9=54°$, $\angle A_0A_9A_{10}=40°$이고,
마찬가지로 생각하면 $\angle A_0A_{10}A_{11}=26°$이고,
$\angle A_0A_{11}A_{12}=12°$이므로 A_{13}은 반직선 A_0B 위에 잡을 수 없다.
즉 A_{12}까지 잡을 수 있으므로 구하려는 최댓값 n은 12

전략
그림과 같이 A_0, A_1, A_2, ⋯, A_n을 찍으면 이등변삼각형이 계속 생긴다는 것을 알 수 있다. 이때 점 A_8이 A_0쪽으로 방향을 바꾼다는 점을 생각한다.

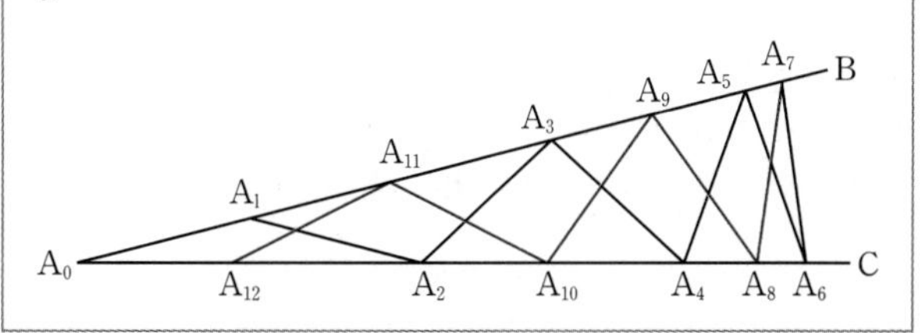

02 원과 부채꼴

[확인 ❶] 답 (1) 6π (2) 36π

(1) $40° : 60° = 4\pi : \overparen{CD}$에서 $2 : 3 = 4\pi : \overparen{CD}$

$\therefore \overparen{CD} = 6\pi$

(2) $40° : 60° =$(부채꼴 AOB의 넓이) $: 54\pi$에서

$2 : 3 =$(부채꼴 AOB의 넓이) $: 54\pi$

$\therefore$ (부채꼴 AOB의 넓이) $= 36\pi$

[확인 ❷] 답 ㄱ

ㄱ. (참) $\angle COD = 2 \times \angle AOB$이므로

$\overparen{CD} = 2\overparen{AB}$ $\quad \therefore \overparen{AB} = \frac{1}{2}\overparen{CD}$

ㄴ. (거짓) 한 원에서 현의 길이는 중심각의 크기에 정비례하지 않는다.

ㄷ. (거짓) $\overline{OC} = \overline{CD}$인지 알 수 없다.

ㄹ. (거짓) 그림처럼

$\triangle OCD < \triangle OCP + \triangle OPD = 2 \times \triangle OAB$

$\therefore \triangle OCD < 2\triangle OAB$

따라서 옳은 것은 ㄱ

[확인 ❸] 답 225°

중심각의 크기를 $a°$라 하면

$10\pi = 16\pi \times \frac{a}{360}$에서 $a = 225$

따라서 중심각의 크기는 225°

[확인 ❹] 답 $6\pi + 6$

❶ (큰 호의 길이) $= 2\pi \times 6 \times \frac{120}{360} = 4\pi$

❷ (작은 호의 길이) $= 2\pi \times 3 \times \frac{120}{360} = 2\pi$

❸ (선분의 길이) $\times 2 = 3 \times 2 = 6$

$\therefore$ (색칠한 부분의 둘레 길이) $=$ ❶ $+$ ❷ $+$ ❸

$= 6\pi + 6$

[확인 ❺] 답 $\frac{27}{8}\pi$

(색칠한 부분의 넓이)

$=$ (큰 부채꼴의 넓이) $-$ (작은 부채꼴의 넓이)

$= \pi \times 6^2 \times \frac{45}{360} - \pi \times 3^2 \times \frac{45}{360} = \frac{27}{8}\pi$

STEP 1 | 억울하게 울리는 문제 pp. 050 ~ 052

1 ㄷ, ㅅ, ㅊ, ㅋ	**2-1** 60	**2-2** 50
2-3 24π	**3-1** 39	**3-2** 24
3-3 12	**4-1** 27	**4-2** 92
5-1 62	**5-2** 56	

1 답 ㄷ, ㅅ, ㅊ, ㅋ

ㄱ. 원 위의 두 점을 잡으면 나누어지는 두 부분은 호이다. (×)

ㄴ. 한 원에서 지름보다 긴 현은 없다. (×)

ㄷ. 원 위의 두 점을 이은 선분을 현이라 한다. (○)

ㄹ. 반원에 대한 중심각의 크기는 180°이다. (×)

ㅁ. 반지름 길이가 다른 두 원이면 부채꼴의 중심각 크기가 같아도 현의 길이는 서로 다르다. (×)

ㅂ. 한 원에서 현의 길이와 중심각의 크기는 정비례하지 않는다. 예를 들어 중심각의 크기가 60°일 때 현의 길이와 중심각의 크기가 300°일 때 현의 길이는 서로 같다. (×)

ㅅ. 한 원에서 부채꼴의 호의 길이와 넓이는 각각 중심각의 크기에 정비례한다. (○)

ㅇ. 지름을 포함한 반원은 부채꼴이면서 활꼴이다. (×)

ㅈ. 한 원에서 중심각의 크기가 같은 부채꼴의 넓이는 같다. (×)

ㅊ. 그림처럼 한 원에서 부채꼴의 중심각의 크기가 60°이면 원의 반지름 길이와 현의 길이가 같다. (○)

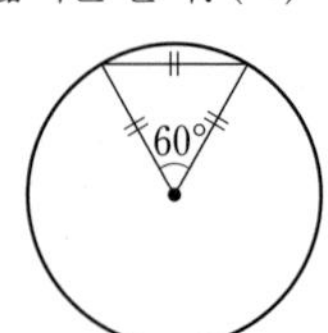

ㅋ. 한 원에서 길이가 가장 긴 현은 지름이고, 지름은 원의 중심을 지난다. (○)

ㅌ. 한 원에서 현의 길이와 중심각 크기는 정비례하지 않는다. (×)

2-1 답 60

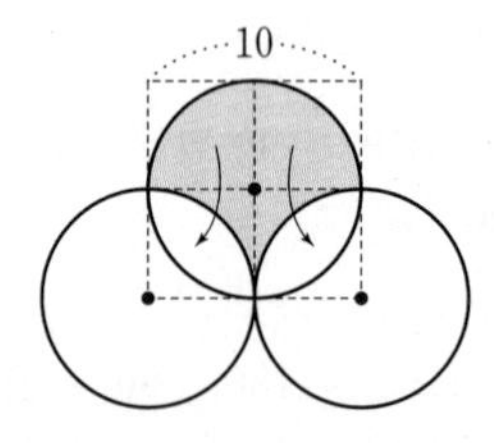

색칠한 부분의 둘레 길이는 지름의 길이가 10인 원의 둘레 길이와 같고, 넓이는 한 변의 길이가 10인 정사각형 넓이의 절반이다.

즉 (둘레 길이) $= 10\pi$, (넓이) $= 50$

에서 $a = 10$, $b = 50$이므로 $a + b = 60$

2-2 답 50

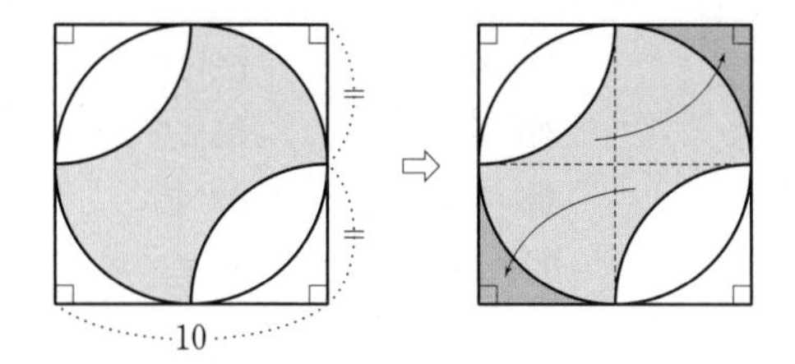

위 그림처럼 생각하면 색칠한 부분의 넓이는 한 변의 길이가 10인 정사각형 넓이의 절반과 같다. 즉 $10\times10\times\frac{1}{2}=50$

2-3 답 24π

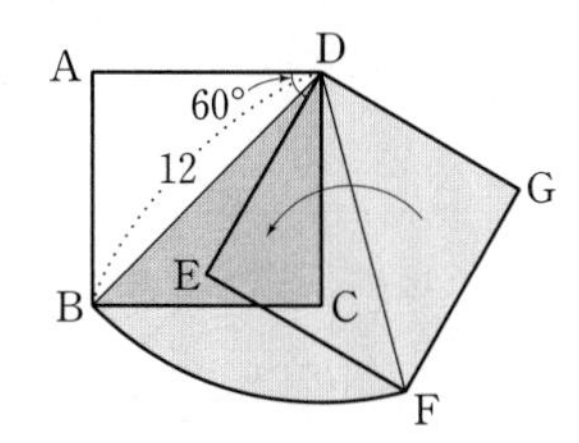

그림처럼 회전한 정사각형 DEFG를 생각하면
(△DFG의 넓이)=(△DBC의 넓이)이므로
색칠한 부분의 넓이는 부채꼴 DBF의 넓이와 같다.
이 부채꼴의 중심각의 크기가 60°이므로 넓이는
$\frac{1}{6}\pi\times12^2=24\pi$

3-1 답 39

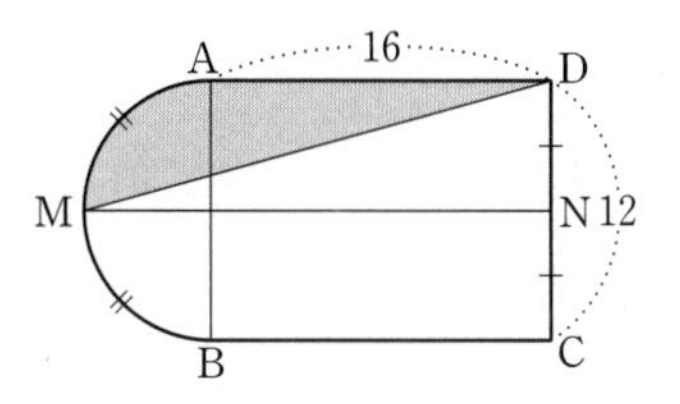

$\overline{CD}$의 중점을 N이라 하면
(색칠한 부분의 넓이)
=(도형 AMND의 넓이)−(△DMN의 넓이)
=(사분원의 넓이)+(□ABCD 넓이의 절반)
 −(△DMN의 넓이)
$=\frac{1}{4}\pi\times6^2+\frac{1}{2}\times16\times12-\frac{1}{2}\times22\times6$
$=9\pi+30$
즉 $a=9$, $b=30$이므로 $a+b=39$

3-2 답 24

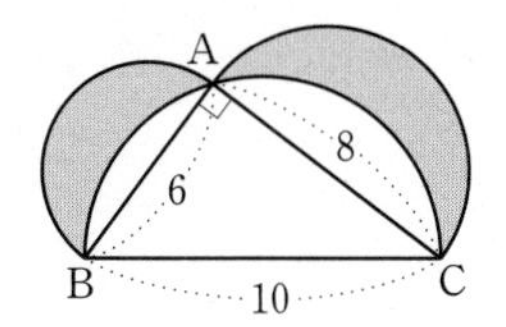

(색칠한 부분의 넓이)
=(지름 길이가 6인 반원의 넓이)
 +(지름 길이가 8인 반원의 넓이)
 +(△ABC의 넓이)
 −(지름 길이가 10인 반원의 넓이)
$=\left(\frac{9}{2}\pi+8\pi+24-\frac{25}{2}\pi\right)$
$=24$

3-3 답 12

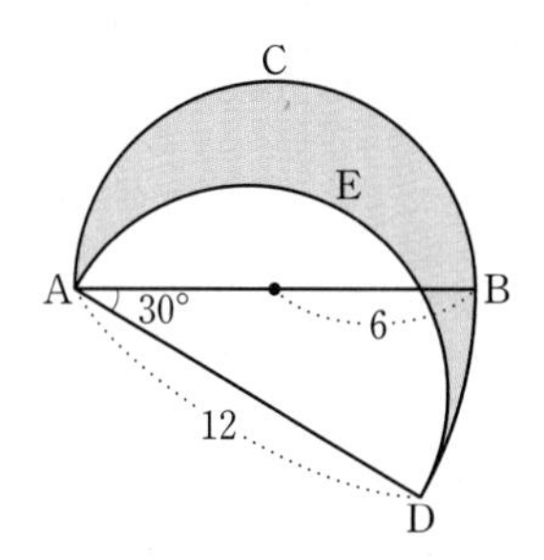

(색칠한 부분의 넓이)
=(반원 ACB의 넓이)+(부채꼴 ABD의 넓이)
 −(반원 AED의 넓이)
=(부채꼴 ABD의 넓이)
=(중심각 크기가 30°이고 반지름 길이가 12인 부채꼴의 넓이)
$=\frac{1}{12}\pi\times12^2=12\pi$
$\therefore a=12$

4-1 답 27

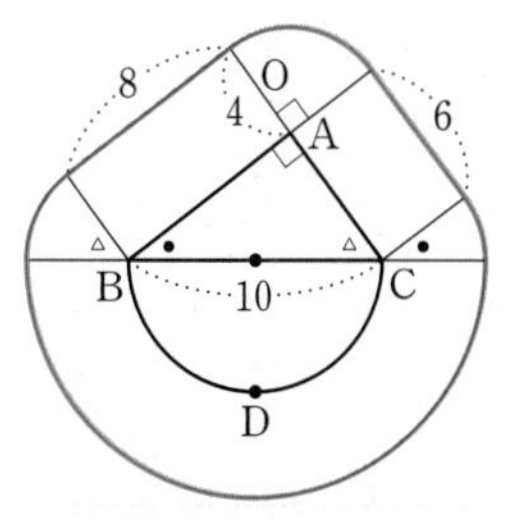

원이 그리는 자취는 그림에서 색선으로 나타낸 부분이다.
이때 중심각 크기가 각각 ●, △, 90°인 세 부채꼴의 중심각 크기를 모두 더한 것이 180°이므로
(원이 그리는 선의 길이)
$=8+6+\frac{1}{2}\times8\pi+\frac{1}{2}\times18\pi$
$=13\pi+14$
에서 $a=13$, $b=14$이므로 $a+b=27$

4-2 답 92

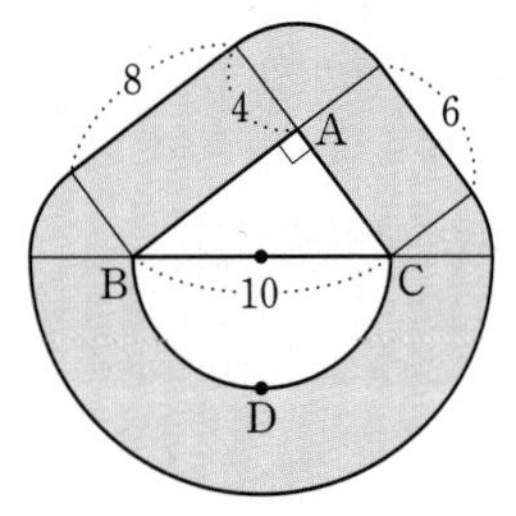

원이 지나간 자리는 그림과 같다.
이때 세 부채꼴 중심각 크기를 모두 더한 것이 180°이므로
(원이 그리는 영역의 넓이)
$=32+24+\frac{1}{2}\pi\times4^2+\frac{1}{2}\pi\times9^2-\frac{1}{2}\pi\times5^2$
$=36\pi+56$
에서 $a=36$, $b=56$이므로 $a+b=92$

5-1 답 62

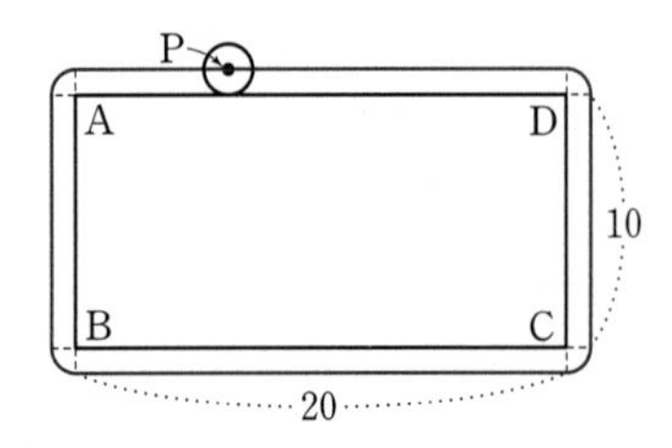

원의 중심 P가 움직인 자리는 그림과 같다.
이때 원의 중심이 이동한 거리는
(□ABCD의 둘레 길이)+(반지름 길이가 1인 원의 둘레 길이)
와 같으므로 구하려는 길이는 $60+2\pi$이다.
즉 $a=2$, $b=60$이므로 $a+b=62$

5-2 답 56

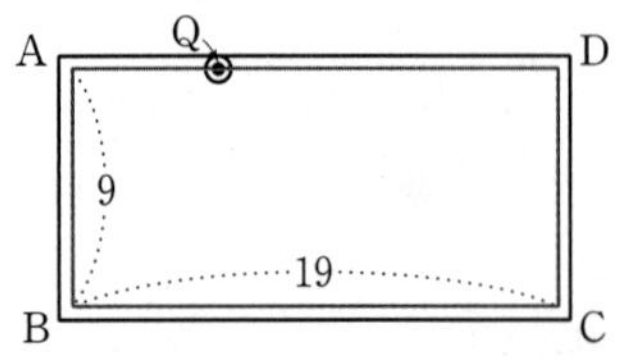

원의 중심 Q가 움직인 자리를 그려 보면 위 그림과 같이 가로 길이가 19이고 세로 길이가 9인 직사각형이다.
따라서 원의 중심이 움직인 거리는
$(9+19)\times2=56$

STEP 2 반드시 등수 올리는 문제 pp. 053 ~ 059

01 ③	**02** 9π	**03** 16
04 9	**05** ①	**06** 50°
07 16π	**08** 75π	**09** ⑤
10 ④	**11** (1) 120° (2) 6π	**12** ⑤
13 8π	**14** 2π	**15** $\frac{16}{3}\pi$
16 ①	**17** 5	**18** ④
19 ①	**20** $104-26\pi$	**21** 28
22 ②	**23** ①	**24** ③
25 ⑤	**26** ②	**27** ③
28 ③	**29** 83	**30** 4π
31 ②	**32** 15π	**33** ⑤

01 답 ③

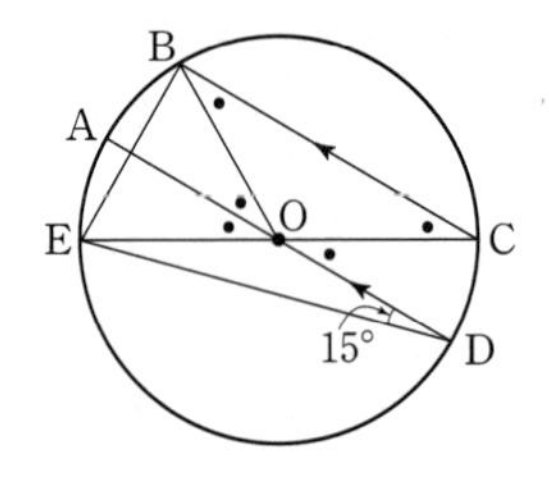

ㄱ. $\angle AOB=\angle CBO$ (엇각), $\angle COD=\angle BCO$ (엇각)
이때 △OBC가 이등변삼각형이므로
$\angle AOB=\angle COD$ $\therefore \widehat{AB}=\widehat{CD}$ (○)

ㄴ. $\angle AOE=\angle ODE+\angle OED$
$=2\angle ODE=30°$
$\angle BOE=2\angle AOE=60°$
$\therefore \overline{OB}=\overline{OC}=\overline{BE}$
또 △OBC에서 $\overline{BC}<\overline{OB}+\overline{OC}=2\overline{OB}$ (×)

ㄷ. $\angle AOB=30°$일 때, $\widehat{AB}=\pi$이므로
$\angle BOC=120°$일 때, $\widehat{BC}=4\pi$ (○)

ㄹ. (원 둘레 길이)$=3\widehat{BC}=12\pi$이므로
(지름 길이)$=12$
$\overline{AD}$가 지름이므로 $\overline{AD}=12$ (○)

ㅁ. △BEO가 정삼각형이므로 $\angle BEC=60°$이고,
$\angle ECD=\frac{1}{2}(180°-30°)=75°$
즉 $\angle BEC\neq\angle ECD$
따라서 $\overline{BE}$와 $\overline{CD}$는 평행하지 않다. (×)

전략
$\angle COD=\angle AOE=\angle BOA=\angle OBC=\angle OCB$임을 이용한다.

02 답 ③

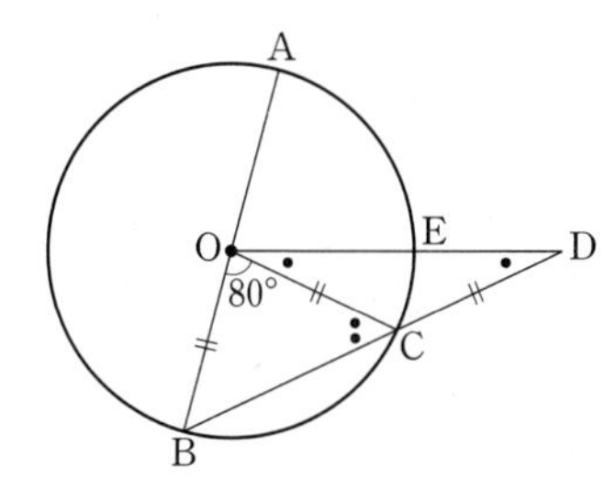

$\angle BOC=80^\circ$이므로 $\angle OCB=50^\circ$

또 $\angle OCB=2\angle EOC$에서 $\angle EOC=25^\circ$

$\therefore \angle EOA=180^\circ-(80^\circ+25^\circ)=75^\circ$

따라서 $\widehat{AE}=3\widehat{CE}=9\pi$

전략

$\angle COE$와 $\angle EOA$를 각각 구해 두 각의 크기 비를 이용한다.

03 답 16

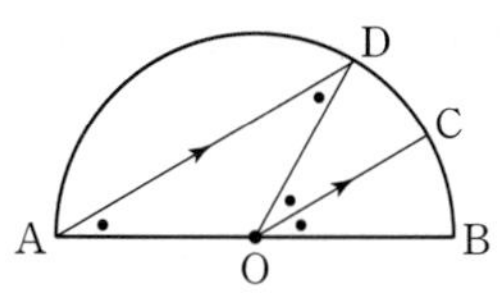

$\angle OAD=\angle ODA=\angle DOC=\angle COB=30^\circ$

에서 $\angle DOB=2\angle COB=60^\circ$

이때 $\angle DOA=180^\circ-60^\circ=120^\circ$

따라서 $\widehat{AD}=2\widehat{BD}=16$

전략

크기가 같은 각들을 표시하고, $\angle DOB$와 $\angle DOA$를 각각 구해 두 각의 크기 비를 이용한다.

04 답 9

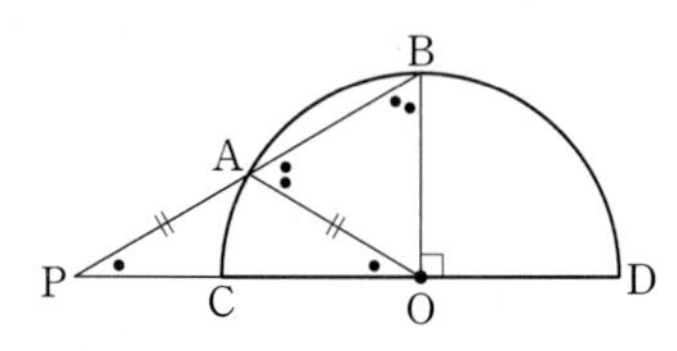

$\angle APC=a$라 하면 $\angle AOC=a$

$\angle BAO=2a$이고 $\triangle OAB$가 이등변삼각형이므로

$\angle ABO=\angle BAO=2a$

이때 $\angle APC+\angle ABO=3a=90^\circ$에서

$a=30^\circ$이므로 $\angle AOB=60^\circ$

이 원의 반지름 길이를 r라 하면

$\widehat{AB}=\frac{1}{6}\times 2\pi\times r=3\pi$에서 $r=9$

전략

$\angle APC=a$라 하면 $\angle BAO=2a$이고 $\angle APC+\angle ABO=90^\circ$임을 이용한다.

05 답 ①

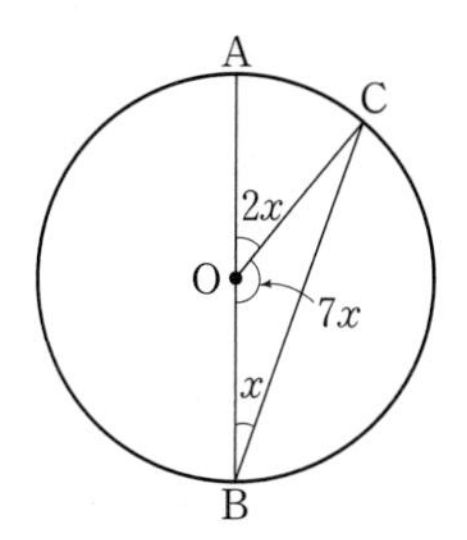

$7\widehat{AC}=2\widehat{BC}$에서 $\widehat{AB}:\widehat{BC}=2:7$

즉 $\angle AOC:\angle COB=2:7$이므로

그림처럼 $\angle ABC=x$라 하면 $\angle AOC=2x$, $\angle COB=7x$

따라서 $2x+7x=180^\circ$에서 $x=20^\circ$

전략

한 원에서 부채꼴의 호의 길이는 중심각의 크기에 정비례함을 이용한다.

06 답 ①

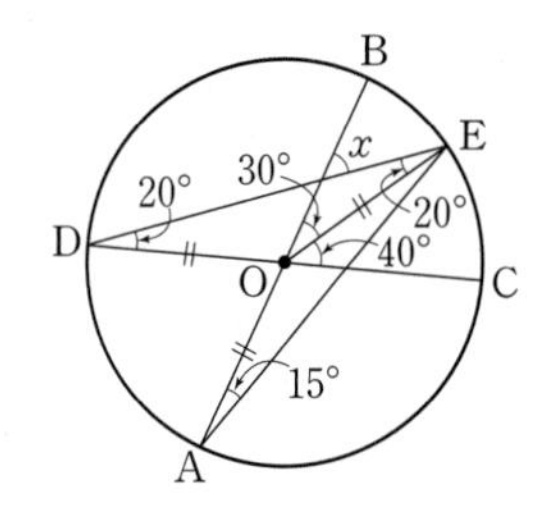

$\angle BOE=2\angle OAE=30^\circ$

$\widehat{BE}:\widehat{CE}=3:4$에서 $\angle BOE:\angle COE=3:4$

$\angle BOE=30^\circ$이므로 $\angle COE=40^\circ$

이때 $\angle DEO=\frac{1}{2}\angle COE=30^\circ$

$\therefore x=\angle BOE+\angle DEO=30^\circ+20^\circ=50^\circ$

전략

삼각형의 외각의 크기는 이웃하지 않은 두 내각 크기의 합과 같음을 이용한다.

07 답 ②

합동인 세 원의 반지름 길이를 r라 하면 그림처럼 각 원의 중심을 연결해서 얻은 삼각형은 한 변의 길이가 r인 정삼각형이다.

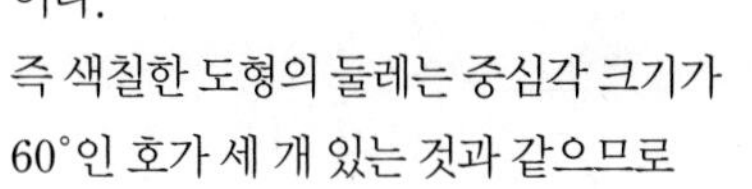

즉 색칠한 도형의 둘레는 중심각 크기가 60°인 호가 세 개 있는 것과 같으므로

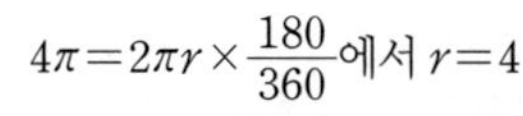

$4\pi=2\pi r\times\frac{180}{360}$에서 $r=4$

따라서 반지름 길이가 4인 원의 넓이는 16π

전략

세 원의 중심을 연결하여 얻은 삼각형을 이용한다.

08 답 ⑤

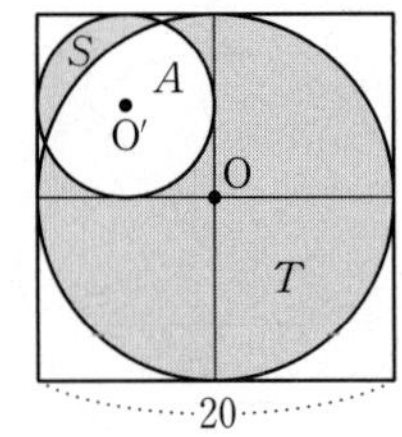

중심이 O′인 원에서 색칠하지 않은 영역을 A라 하면

$T-S=(T+A)-(S+A)$

$=$(중심이 O인 원의 넓이)$-$(중심이 O′인 원의 넓이)

$=100\pi-25\pi=75\pi$

전략

중심이 O′인 원에서 색칠하지 않은 영역을 이용하여 $T-S$를 구한다.

09 답 ⑤

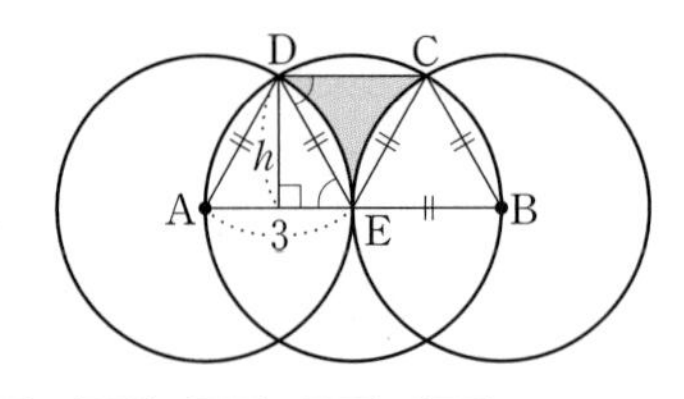

ㄱ. $\overline{AD}=\overline{AE}=\overline{ED}=\overline{EC}=\overline{BE}=\overline{BC}=3$

즉 $\triangle$DEC는 정삼각형이다. (○)

ㄴ. (색칠한 부분의 넓이)

$=$(사각형 ABCD의 넓이)$-2\times$(부채꼴 ADE의 넓이)

$=S-2\times\frac{1}{6}\pi\times3^2=S-3\pi$ (○)

ㄷ. $\angle$DEA$=\angle$CDE$=60^\circ$로 엇각의 크기가 같으므로

$\overline{CD}\,/\!/\,\overline{AB}$ (○)

ㄹ. 점 D에서 변 AB에 내린 수선의 발까지의 거리는 사다리꼴 ABCD의 높이와 같으므로

$S=\frac{1}{2}(6+3)h$에서 $h=\frac{2}{9}S$ (○)

전략

색칠한 부분은 사다리꼴 ABCD에서 부채꼴 ADE, 부채꼴 BCE를 뺀 것과 같다.

10 답 ④

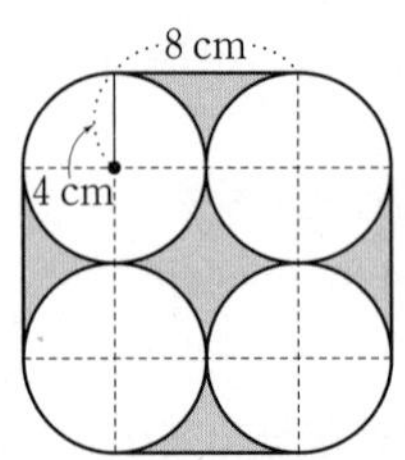

(전체 넓이)$=8\times8+8\times4\times4+\pi\times4^2=(192+16\pi)$ cm^2

(원 4개의 넓이)$=4\times\pi\times4^2=64\pi$ (cm^2)

(색칠한 부분의 넓이)$=(192-48\pi)$ cm^2

전략

전체 넓이 (정사각형 1개, 직사각형 4개, 부채꼴 4개)에서 원 4개의 넓이를 빼면 색칠한 부분의 넓이가 된다.

11 답 (1) 120° (2) 6π

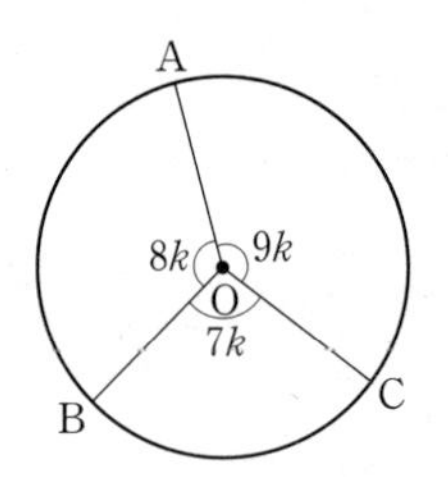

(1) $\angle AOC=360^\circ\times\frac{8}{7+8+9}=120^\circ$

(2) 반지름 길이가 4이므로 원의 넓이는 16π이고,

부채꼴 AOC의 넓이는

$16\pi\times\frac{9}{7+8+9}=6\pi$

다른 풀이

$\angle BOC=7k$, $\angle AOB=8k$, $\angle COA=9k$라 하면

$7k+8k+9k=360^\circ$에서 $k=15^\circ$이므로

$\angle BOC=105^\circ$, $\angle AOB=120^\circ$, $\angle COA=135^\circ$

전략

중심각의 크기와 호의 길이, 부채꼴의 넓이는 정비례함을 이용한다.

12 답 ⑤

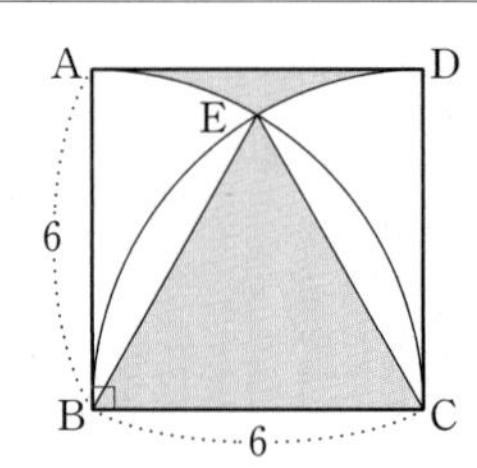

그림에서 $\overline{BE}=\overline{BC}=\overline{CE}=6$이므로 $\triangle$EBC는 정삼각형이다.

즉 $\angle ABE=90^\circ-60^\circ=30^\circ$, $\angle ECD=90^\circ-60^\circ=30^\circ$에서

(색칠한 부분의 넓이)$=$(정사각형 넓이)$-2\times\pi\times6^2\times\frac{30}{360}$

$=36-6\pi$

전략

색칠한 부분은 정사각형에서 부채꼴 ABE와 부채꼴 ECD를 뺀 것과 같다.

13 답 8π

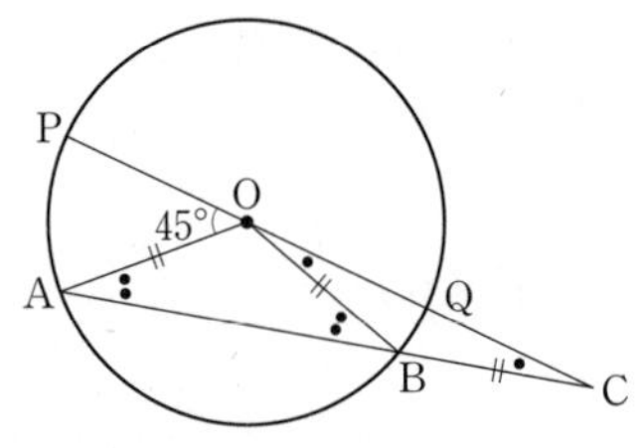

$\angle BCQ=x$라 하면 $\angle ABO=\angle BAO=2x$

이때 $45^\circ=\angle BAO+\angle BCQ=3x$ $\therefore x=15^\circ$

즉 $\angle AOB=180^\circ-(45^\circ+15^\circ)=120^\circ$

따라서 부채꼴 AOB의 넓이는

$3\pi\times\frac{120}{45}=8\pi$

전략

$\triangle OAB$, $\triangle BCO$가 모두 이등변삼각형임을 이용해 $\angle AOB$의 크기가 120°임을 구한다. 이때 부채꼴 AOB의 넓이는 부채꼴 AOP 넓이의 $\frac{120}{45}$배이다.

14 답 2π

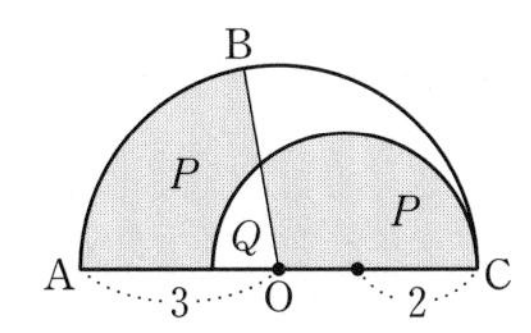

넓이가 같은 두 영역을 P, 그 사이에 있는 영역을 Q라 하면

(부채꼴 AOB의 넓이)$=P+Q$

$=$(반지름 길이가 2인 반원의 넓이)

$=\frac{1}{2}\pi\times2^2=2\pi$

전략

부채꼴 AOB의 넓이는 반지름 길이가 2인 반원의 넓이와 같다.

15 답 $\frac{16}{3}\pi$

그림과 같이 보조선을 그으면 $\triangle AFG$, $\triangle EFD$는 정삼각형이다.

$\therefore\ \angle AFG=\angle EFD=60^\circ$

이때 $\angle EFA=90^\circ-\angle AFG=30^\circ$

$\angle AFD=\angle EFD-\angle EFA$

$=60^\circ-30^\circ=30^\circ$

$\therefore\ \widehat{AD}=2\pi\times8\times\frac{30}{360}=\frac{4}{3}\pi$

색칠한 부분의 둘레 길이는 $4\widehat{AD}$이므로 $4\widehat{AD}=\frac{16}{3}\pi$

전략

$\triangle AFG$, $\triangle EFD$가 정삼각형임을 이용한다.

16 답 ①

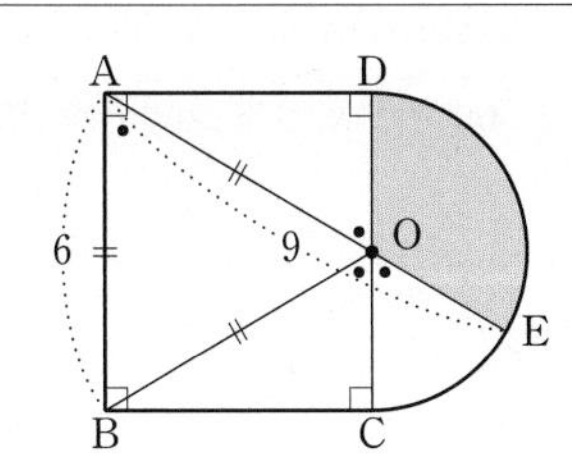

$\overline{OC}=\overline{OD}=\overline{OE}=3$이므로 $\overline{AO}=9-3=6$

이때 $\overline{BO}=\overline{AO}=6$이므로 $\triangle ABO$는 정삼각형이다.

$\angle EOC=\angle AOD=\angle BAO=60^\circ$에서

$\angle DOE=180^\circ-60^\circ=120^\circ$

$\therefore$ (부채꼴 OED의 넓이)$=\pi\times3^2\times\frac{120}{360}=3\pi$

전략

색칠한 부분은 반지름 길이가 $\overline{OE}=\overline{OC}=3$인 부채꼴이므로 $\angle DOE$의 크기를 구한다.

17 답 5

(반지름 길이가 4인 반원 넓이)

$=\frac{1}{2}\pi\times4^2=8\pi$

(반지름 길이가 8인 부채꼴 넓이)$=4\pi$

$\angle ABC=x^\circ$라 하면

$\pi\times8^2\times\frac{x}{360}=4\pi$에서 $x=22.5$

이때 (색칠한 부분의 둘레 길이)$=\frac{1}{2}\times8\pi+\frac{22.5}{360}\times16\pi+8$

$=8+5\pi$

$\therefore\ a=5$

전략

(반지름 길이가 4인 반원 넓이)$=2\times$(반지름 길이가 8인 부채꼴 넓이)임을 이용한다.

18 답 ④

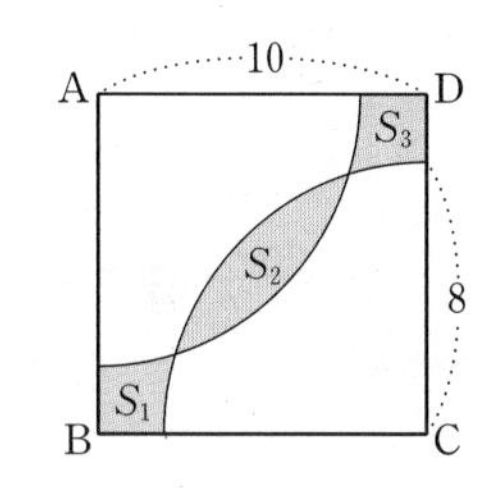

$S_1+S_3-S_2$는

(정사각형의 넓이)

$-$(두 사분원의 넓이 합)

과 같으므로

$S_1+S_3-S_2=10^2-2\times\frac{1}{4}\pi\times8^2$

$=100-32\pi$

전략

(사분원의 넓이)$-S_2=S$라 하면 $S+S_2+S+S_1+S_3=100$에서 $S_1+S_3-S_2=100-2(S+S_2)$

19 답 ①

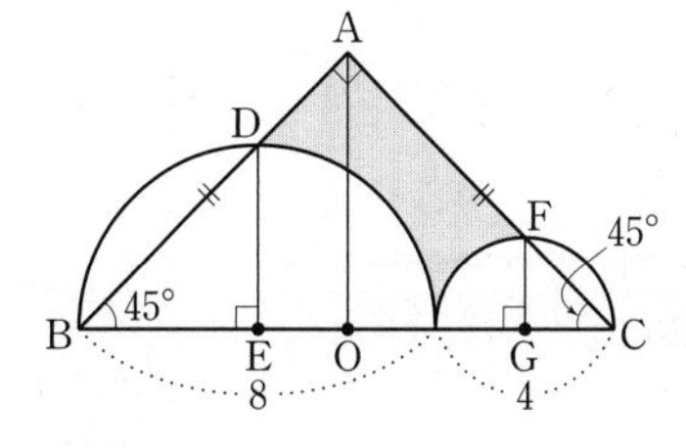

(색칠한 부분의 넓이)

$=\triangle ABC-\triangle DBE-\triangle FGC$

$-$(반지름 길이가 4인 사분원의 넓이)

$-$(반지름 길이가 2인 사분원의 넓이)

이다.

$(\triangle ABC$의 넓이$)=\frac{1}{2}\times 12\times 6=36$

$(\triangle DBE$의 넓이$)=\frac{1}{2}\times 4\times 4=8$

$(\triangle FGC$의 넓이$)=\frac{1}{2}\times 2\times 2=2$

(반지름의 길이가 4인 사분원의 넓이)$=\frac{1}{4}\times\pi\times 4^2=4\pi$

(반지름의 길이가 2인 사분원의 넓이)$=\frac{1}{4}\times\pi\times 2^2=\pi$

$\therefore$ (색칠한 부분의 넓이)$=36-(8+4\pi+\pi+2)$

$=26-5\pi$

전략

직각삼각형에서 어떤 부분을 빼면 색칠한 부분이 되는지 생각해 본다.

20 답 $104-26\pi$

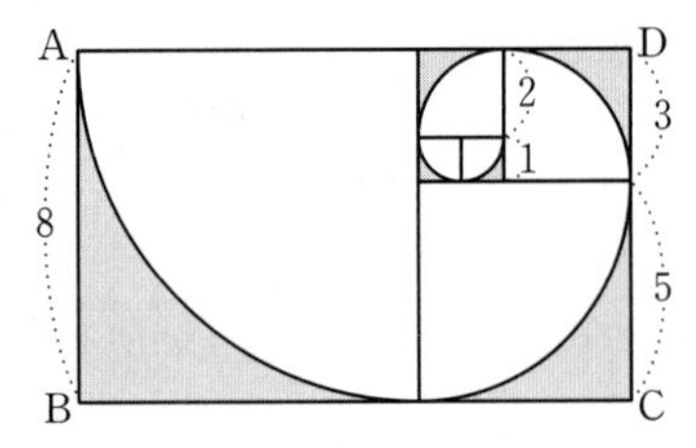

가장 작은 정사각형의 한 변 길이는 1이고

그 다음으로 큰 정사각형의 한 변 길이는 차례로 2, 3, 5, 8이다.

(색칠한 부분의 넓이)

$=2\left(1^2-\frac{1}{4}\pi\times 1^2\right)+\left(2^2-\frac{1}{4}\pi\times 2^2\right)+\left(3^2-\frac{1}{4}\pi\times 3^2\right)$

$+\left(5^2-\frac{1}{4}\pi\times 5^2\right)+\left(8^2-\frac{1}{4}\pi\times 8^2\right)$

$=104-26\pi$

전략

색칠한 부분은 정사각형에서 사분원을 뺀 것과 같다. 이때 한 변의 길이가 1인 정사각형이 두 개 있다는 점을 주의한다.

21 답 28

분침은 1분 동안 6° 움직이므로 12분 동안 72° 움직인다.

즉 눈금 10을 기준으로 60°+72°=132°에 있다.

시침은 1분 동안 0.5° 움직이므로 12분 동안 6° 움직이고, 눈금 10을 기준으로 6°인 위치에 있다.

따라서 두 바늘이 이루는 각의 크기는 132°−6°=126°이고 시계 둘레가 80 cm이므로

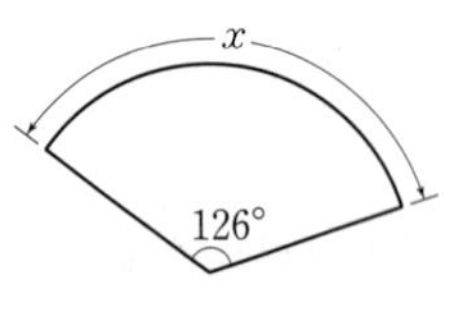

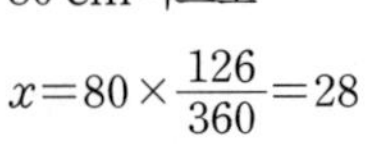

$x=80\times\frac{126}{360}=28$

전략

눈금 10을 기준으로 10시 12분일 때 시침이 움직인 각과 분침이 움직인 각을 구한다.

22 답 ②

반지름 길이가 r인 부채꼴 3개의 중심각 크기가 모두 120°이므로 캔을 묶는 데 필요한 최소한의 끈 길이는

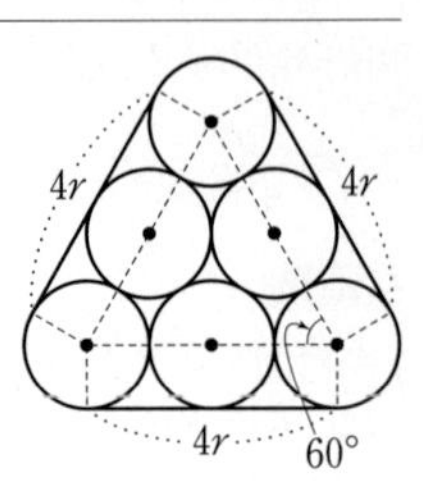

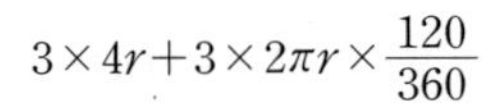

$3\times 4r+3\times 2\pi r\times\frac{120}{360}$

$=12r+2\pi r$

$=a\pi+b$

에서 $a=2r$, $b=12r$이므로 $b=6a$

전략

원의 반지름 길이를 r라 하고 부채꼴 모양 부분에 주의하여 끈의 길이를 구해 본다.

23 답 ①

원의 중심 O가 움직인 거리는 오각형의 둘레 길이와 부채꼴 5개의 호의 길이를 모두 더한 것과 같다.

이때 부채꼴 5개의 중심각 크기의 합은 오각형의 외각 크기의 합과 같으므로 360°이다.

따라서 원의 중심 O가 움직인 거리는

$(3+4+3+3+4)+4\pi\times\frac{360}{360}=17+4\pi$

전략

(원의 중심 O가 움직인 거리)

=(오각형의 둘레 길이)+(부채꼴 5개의 호의 길이의 합)

참고

n각형에서 반지름 길이가 r인 원의 중심이 이동한 거리는

(n각형의 둘레 길이)$+2\pi r$

24 답 ③

각 꼭짓점에서 원의 중심이 이동하는 자취는 호이고, 8개 호의 중심각 크기의 총합이 360°이므로 8개 호의 길이 합은 $2\pi\times 2=4\pi$이다.

따라서 이 원의 중심이 이동한 거리는

$5\times 8+4\pi=40+4\pi$

전략

원의 중심이 이동한 거리는

(정팔각형의 둘레 길이)$+2\pi r$임을 이용한다.

25 답 ⑤

원이 움직인 영역을 나타내면 그림에서 색칠한 부분이므로

(색칠한 부분의 넓이)

=(직사각형 2개의 넓이)

+(부채꼴 3개의 넓이)

+(두 부채꼴 넓이의 차)

따라서 구하려는 넓이는

$10\times4\times2+\pi\times4^2\times\frac{300}{360}$

$+\pi\times14^2\times\frac{60}{360}-\pi\times10^2\times\frac{60}{360}$

$=80+\frac{40}{3}\pi+\frac{98}{3}\pi-\frac{50}{3}\pi$

$=80+\frac{88}{3}\pi$

원이 부채꼴의 호를 따라 움직일 때 나타나는 영역은 직사각형이 아님을 주의한다.

26 답 ②

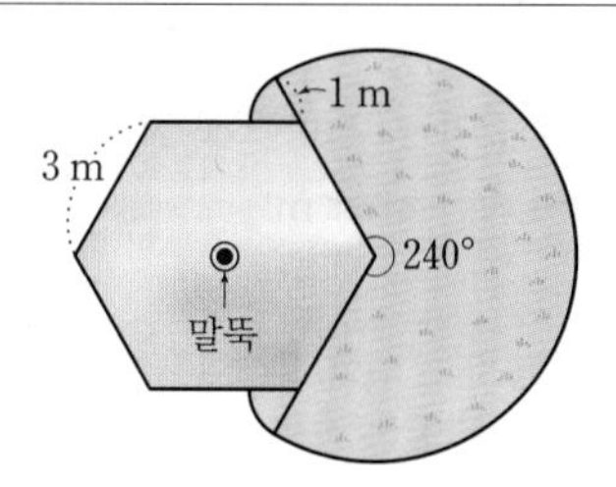

염소가 움직일 수 있는 영역은 그림과 같다. 즉 중심각의 크기가 60°이고 반지름 길이가 1 m인 부채꼴 2개와 중심각의 크기가 240°이고 반지름 길이가 4 m인 부채꼴로 나눌 수 있다.

따라서 구하려는 넓이는

$2\times\pi\times1^2\times\frac{60}{360}+\pi\times4^2\times\frac{240}{360}=\frac{\pi}{3}+\frac{32}{3}\pi=11\pi\ (\text{m}^2)$

전략

문을 중심으로 반지름 길이가 4 m인 원을 그렸을 때 염소가 움직일 수 있는 부분을 나타내 본다.

27 답 ③

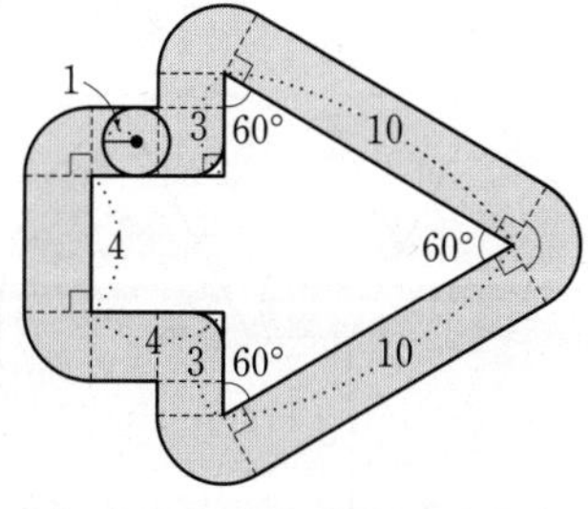

원이 주어진 도형을 따라 움직인 영역은 색칠한 부분과 같다.

이때 부채꼴 5개의 중심각 크기의 합은

$90^\circ+120^\circ+120^\circ+120^\circ+90^\circ=540^\circ$이므로

(부채꼴로 표시되는 영역 넓이의 합)$=\pi\times2^2\times\frac{540}{360}=6\pi$

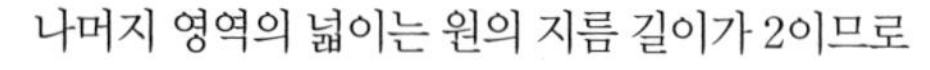
나머지 영역의 넓이는 원의 지름 길이가 2이므로

(도형의 둘레 길이)×2에서 두 번 더한 부분과 원이 지나지 않는 부분을 뺀다. 즉

(도형의 둘레 길이)$\times2-2\times2\times2-2\times\left(1-\frac{\pi}{4}\right)=66+\frac{\pi}{2}$

따라서 구하려는 넓이는 $66+\frac{13}{2}\pi$

전략

원이 주어진 도형을 따라 돌 때 부채꼴 모양이 되는 경우를 생각하고, 각 부채꼴 중심각의 크기를 구해본다. 이때 안쪽 직각 모서리 부분을 돌 때 원이 지나지 않는 영역이 있다는 점을 주의한다.

28 답 ③

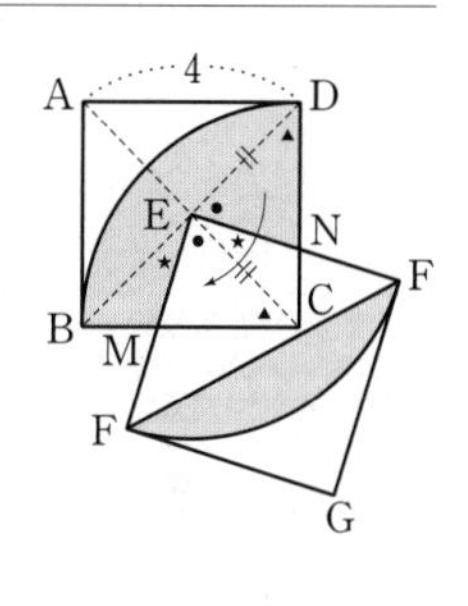

그림과 같이 두 정사각형의 교점을 M, N이라 하면

$\triangle$EMC$\equiv\triangle$END (ASA 합동)

$\triangle$EMB$\equiv\triangle$ENC (ASA 합동)

이므로 색칠한 부분의 넓이는

$2\left(\pi\times4^2\times\frac{1}{4}-\frac{1}{2}\times4\times4\right)+\frac{1}{2}\times4\times2$

$=8\pi-12$

전략

대각선 BD를 그었을 때 생기는 네 삼각형에서 색칠하지 않은 한 삼각형과 색칠한 한 삼각형이 합동임을 이용한다.

29 답 83

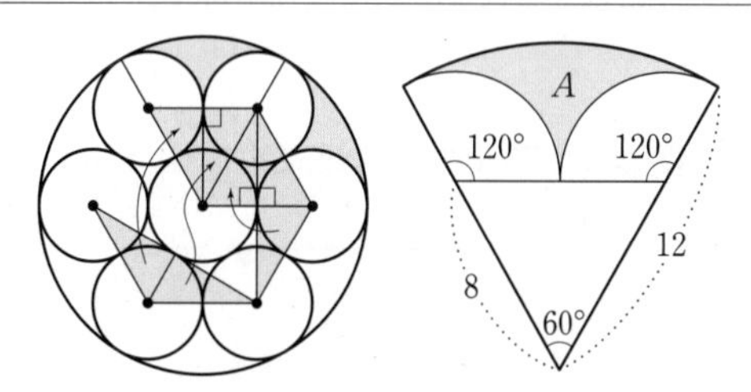

위 오른쪽 그림과 같이 영역 A는 중심각 크기가 60°이고 반지름 길이가 12인 부채꼴에서 한 변의 길이가 8인 정삼각형과 중심각 크기가 120°이고 반지름 길이가 4인 두 부채꼴을 뺀 것과 같다. 이때 정삼각형 두 개를 합한 넓이가 색칠한 두 이등변삼각형의 넓이와 같으므로 중심각 크기가 120°인 부채꼴 넓이만 빼면 된다. 즉 구하려는 넓이는

$2\times\left\{\pi\times12^2\times\frac{60}{360}-\left(\pi\times4^2\times\frac{120}{360}\right)\times2\right\}=\frac{80}{3}\pi$

$\therefore m+n=83$

전략

색칠한 부분은 접하는 세 원 사이와, 밑변의 길이가 12이고 높이가 4인 이등변삼각형이다.

30 답 4π

점 A는 다음과 같이 이동한다.

① 점 A → 점 A_1

② 점 A_1 → 점 A_2

③ 점 A_2 → 점 A_3

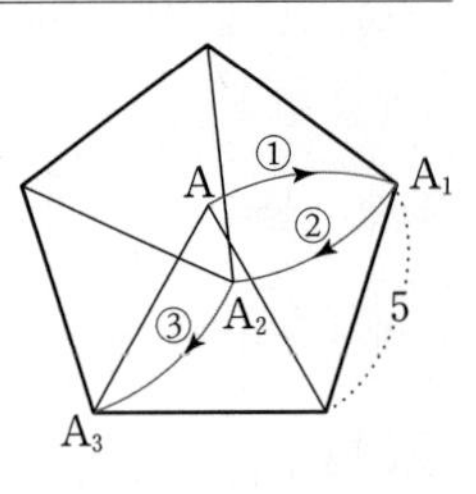

각각의 이동에서 회전한 각의 총합은 $(108°-60°)\times3$이므로

이동한 총 거리는 $10\pi\times\dfrac{(108°-60°)\times3}{360°}=4\pi$

> **전략**
> 정삼각형이 움직일 때, 점 A가 움직이지 않는 경우도 있다.
> (A_3에서 처음 위치로 돌아갈 때 A_3은 움직이지 않는다는 점을 주의한다.)

31 답 ②

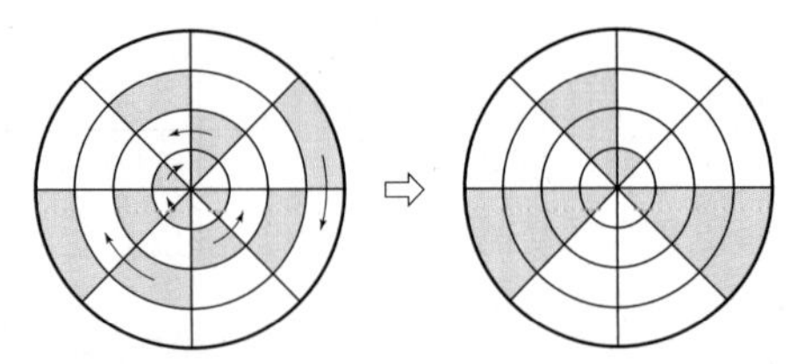

위 그림에서 생각하면 색칠한 영역은

(i) 반지름 길이가 4 cm이고 중심각 크기가 90°인 부채꼴

⇨ $\pi\times4^2\times\dfrac{90}{360}=4\pi\ (\text{cm}^2)$

(ii) 반지름 길이가 3 cm이고 중심각 크기가 45°인 부채꼴

⇨ $\pi\times3^2\times\dfrac{45}{360}=\dfrac{9}{8}\pi\ (\text{cm}^2)$

(iii) 반지름 길이가 1 cm이고 중심각 크기가 45°인 부채꼴

⇨ $\pi\times1^2\times\dfrac{45}{360}=\dfrac{1}{8}\pi\ (\text{cm}^2)$

(i), (ii), (iii)에서 색칠한 영역의 넓이는 $\dfrac{21}{4}\pi\ \text{cm}^2$

> **전략**
> 색칠한 영역을 최대한 모아 본다. 원을 8등분한 부채꼴의 중심각 크기는 45°이다.

32 답 15π

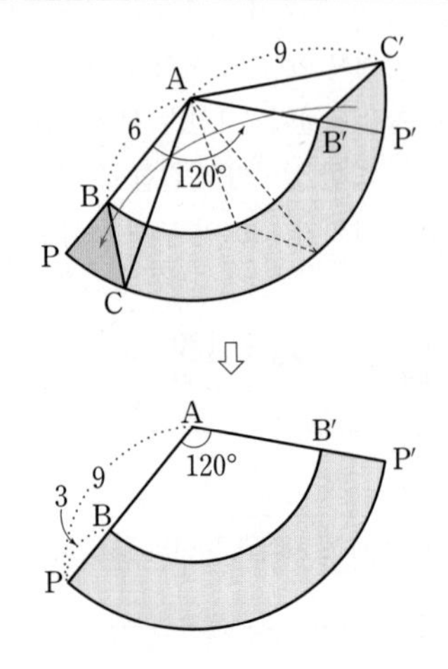

위 그림처럼 생각하면 문제에서 색칠한 부분의 넓이는 도형 BPP′B′의 넓이와 같으므로

$\pi\times9^2\times\dfrac{120}{360}-\pi\times6^2\times\dfrac{120}{360}=15\pi$

> **전략**
> 특정 부분을 이동하면 넓이를 구할 수 있는 간단한 도형이 된다.

33 답 ⑤

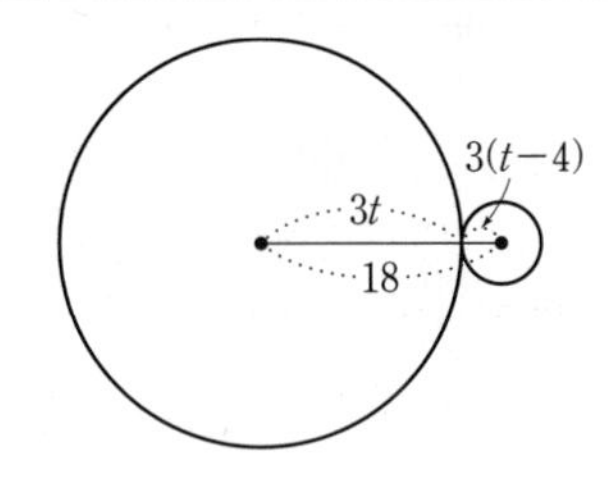

t초 후 첫 번째 원의 반지름 길이는 $3t$ m이고, 두 번째 원의 반지름 길이는 $3(t-4)$ m이다.

두 원이 만날 때 반지름 길이의 합이 18 m이므로

$3t+3(t-4)=18$에서 $t=5$

즉 첫 번째 원의 반지름 길이는 15 m이므로 넓이는

$\pi\times15^2=225\pi\ (\text{m}^2)$

두 번째 원의 반지름 길이는 3 m이므로 넓이는 $\pi\times3^2=9\pi\ (\text{m}^2)$

이므로 두 원의 넓이 차는 $216\pi\ \text{m}^2$

> **전략**
> t초 후 두 원의 반지름 길이는 $3t$ m, $3(t-4)$ m이고, 두 원의 반지름 길이의 합이 18 m일 때 만난다.

STEP 3 | 전교 1등 **확실하게** 굳히는 문제 pp. 060 ~ 064

1 ③	**2** 정육각형	**3** $66\pi+120$
4 16π m	**5** 16π	**6** 30π
7 1	**8** 4π	
9 (1) $\dfrac{a}{3}\pi+\dfrac{b}{2}\pi$ (2) 5 : 3		

1 답 ③

송아지가 움직일 수 있는 영역은 그림과 같다.

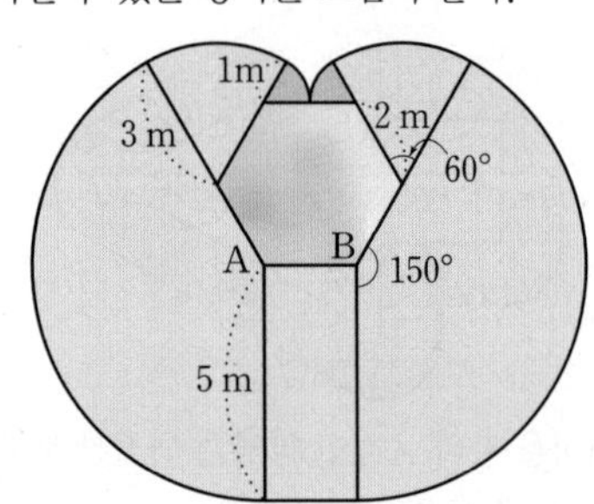

이때 구하려는 넓이는 직사각형 모양과 중심각 크기가 60°인 부채꼴, 중심각 크기가 150°인 부채꼴로 나눌 수 있으므로 다음과 같다.

$5\times2+2\times\pi\times5^2\times\frac{150}{360}+2\times\pi\times3^2\times\frac{60}{360}+2\times\pi\times1^2\times\frac{60}{360}$

$=\left(10+\frac{145}{6}\pi\right)\text{m}^2$

전략

두 점 A, B 각각에서 반지름 길이가 5인 원을 그려보고 넓이를 구할 수 있는 영역으로 구분한다. 이때 두 점 A, B 사이에서 그려지는 영역은 직사각형임을 주의한다.

2 답 정육각형

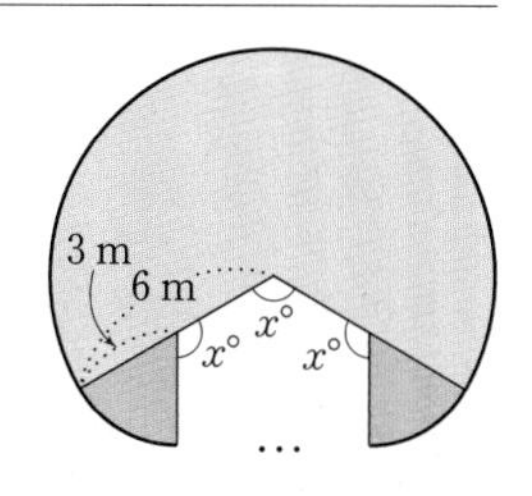

송아지가 움직이는 영역은 그림처럼 나타낼 수 있다. 정다각형의 한 내각 크기를 $x°$라 하면 색칠한 부분의 넓이에서

$27\pi=\pi\times6^2\times\frac{(360°-x°)}{360°}$

$\quad+\pi\times3^2\times\frac{(180°-x°)}{360°}\times2$

즉 $27=\frac{360-x}{10}+\frac{360-2x}{40}$에서

$360\times5-6x=40\times27 \qquad \therefore x=120$

따라서 정다각형의 한 내각의 크기가 $120°$이므로 가축 우리 모양은 정육각형이다.

전략

정n각형의 한 꼭짓점을 기준으로 반지름 길이가 6 m인 원과 한 변의 길이가 3 m인 정다각형 일부를 그려 놓고 송아지가 움직이는 영역을 나타내 본다. 이때 송아지는 연결된 변 4개까지 움직일 수 있다.

3 답 $66\pi+120$

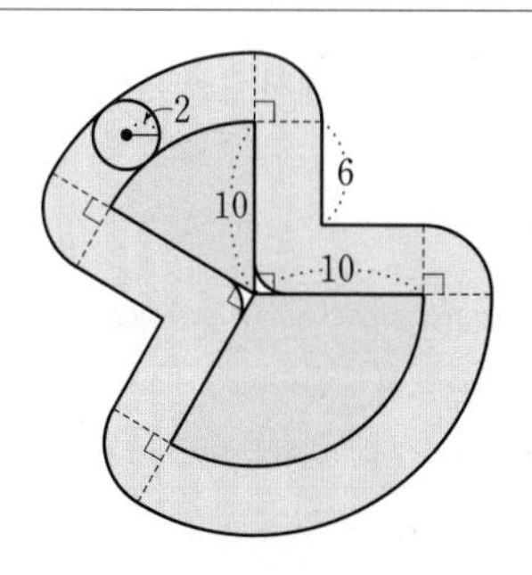

반지름 길이가 2인 원이 지나간 영역은 그림과 같다.

이때 반지름 길이가 2인 작은 원이 움직인 넓이는

$4\times\pi\times4^2\times\frac{90}{360}+2\times(10\times10-6\times6)$

$+\pi\times(14^2-10^2)\times\frac{180}{360}-2(4-\pi)$

$=66\pi+120$

전략

중심각 크기의 합이 $180°$인 두 부채꼴 둘레를 따라 도는 경우이다. 직각 모서리 부분을 지날 때 원이 지나지 않은 영역이 있음을 주의한다.

4 답 16π m

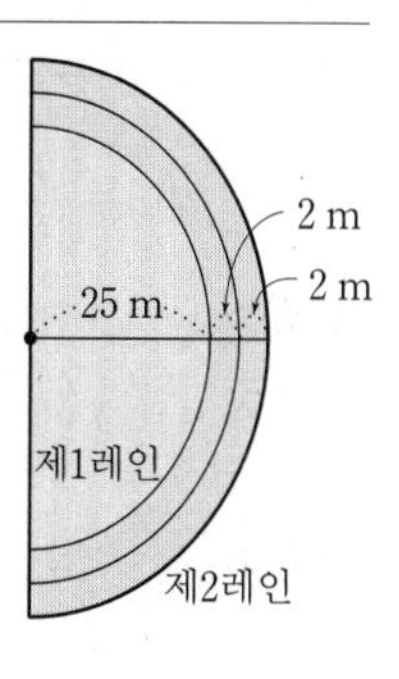

제1레인의 반원 길이는 25π m~27π m이고, 제2레인의 반원 길이는 27π m~29π m이다.

같은 방법으로 생각하면 제5레인의 반원 길이는 33π m~35π m이다.

육상 트랙을 한 바퀴 돌 때 반원 구간을 두 번 지나므로 제5레인과 제1레인의 길이 차는 $8\pi\times2=16\pi$ (m)여야 한다.

전략

반원의 길이 차를 계산하면 된다. 각 레인의 반원 길이를 범위로 나타내 보자.

5 답 16π

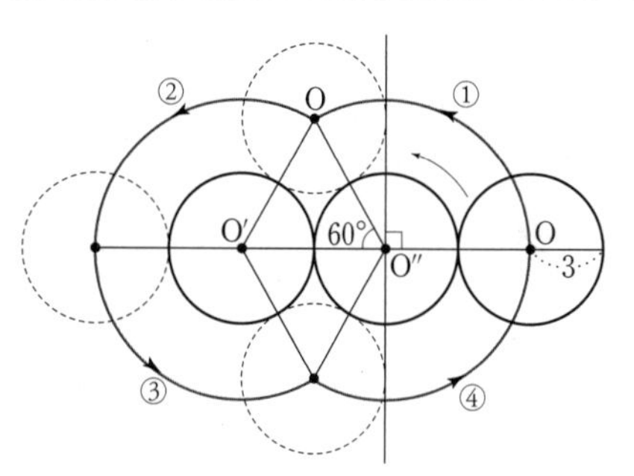

위 그림처럼 생각하면 ①~④ 각각에서 중심 O가 움직이는 거리가 모두 같다.

즉 구하려는 거리는

$2\pi\times6\times\frac{120}{360}\times4=16\pi$

전략

원의 중심 O의 자취는 반지름 길이가 6인 원의 일부이다.

6 답 30π

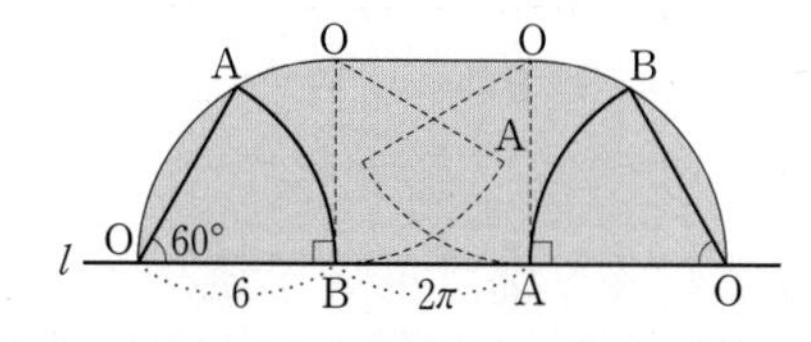

구하려는 영역은 그림에서 색칠한 부분이므로 넓이는

$2\times\pi\times6^2\times\frac{90}{360}+2\pi\times6=30\pi$

전략

$\overset{\frown}{AB}=2\pi\times6\times\frac{60}{360}=2\pi$이므로 직선 l 위에서 $\overline{AB}=2\pi$

부채꼴이 움직이는 영역은 반지름 길이가 6인 두 개의 사분원과 직사각형으로 나누어 생각할 수 있다.

7 답 1

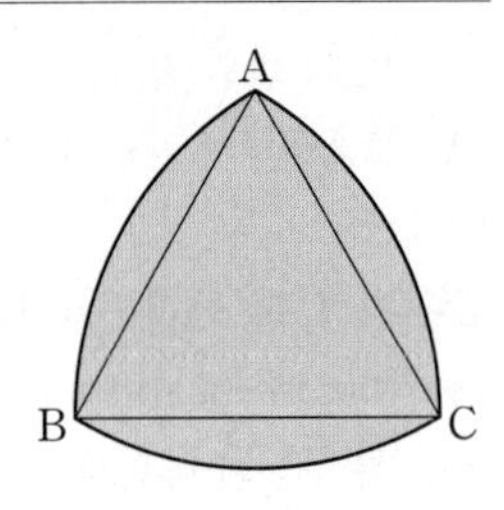

△ABC의 넓이가 S이고 부채꼴 BAC의 넓이는 $\frac{T}{6}$이므로

(활꼴 1개의 넓이)$=\frac{T}{6}-S$

(색칠한 부분의 넓이)

$=3\left(\frac{T}{6}-S\right)+S=\frac{T}{2}-2S$

에서 $p=\frac{1}{2}$, $q=2$

따라서 $pq=\frac{1}{2}\times 2=1$

전략

(부채꼴 BAC의 넓이)$=\frac{1}{6}T$이고, 색칠한 부분은 활꼴 3개와 정삼각형으로 구분할 수 있다.

8 답 4π

점 M은 그림에서 나타낸 것처럼

$M \to M_1 \to M_2 \to M_3$으로 이동한다.

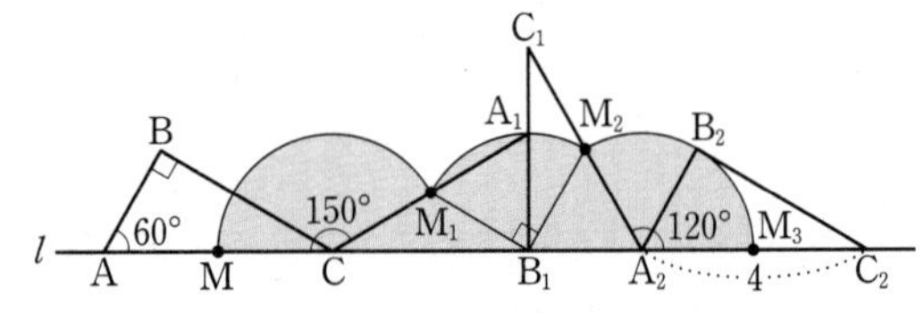

이때 점 M의 자취와 직선 l로 둘러싸인 부분은 그림에서 색칠한 부분과 같다.

색칠한 부분은 반지름 길이가 2이고 중심각 크기가 150°, 90°, 120°인 부채꼴과 두 삼각형 CM_1B_1, $B_1M_2A_2$로 생각할 수 있다.

이때 (△CM_1B_1의 넓이)+(△$B_1M_2A_2$의 넓이)는

(△ABC의 넓이)$=T$와 같다.

세 부채꼴의 넓이는

$\pi\times 2^2\times\frac{150}{360}+\pi\times 2^2\times\frac{90}{360}+\pi\times 2^2\times\frac{120}{360}=4\pi$이므로

$S=4\pi+T$

$\therefore S-T=4\pi$

전략

① 점 M이 그리는 자취와 직선 l 사이의 영역을 나타내면 부채꼴 3개와 삼각형 2개로 나누어 생각할 수 있다.

② $\triangle CM_1B_1=\frac{1}{2}\triangle ABC$, $\triangle B_1M_2A_2=\frac{1}{2}\triangle ABC$이므로

$\triangle CM_1B_1+\triangle B_1M_2A_2=\triangle ABC=T$

9 답 (1) $\frac{a}{3}\pi+\frac{b}{2}\pi$ (2) 5 : 3

인공위성 S_1은 60분에 360°를 돌고, 인공위성 S_2는 40분에 360°를 돈다. 즉 1분 동안 S_1은 6° 회전하고, S_2는 9° 회전한다.

(1) x분 뒤 두 인공위성 S_1과 S_2가 일직선 위에 있다면 그림과 같이 생각할 수 있다.

$9x-30=6x$, $3x=30$에서 $x=10$

이때 10분 동안 S_1은 60°, S_2는 90° 움직이므로

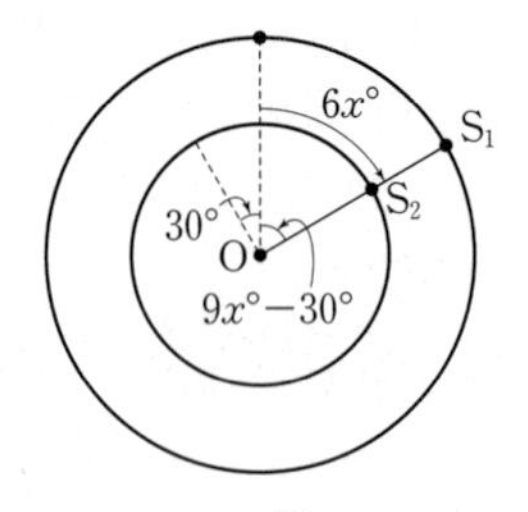

S_1이 움직인 거리는 $2\pi\times a\times\frac{60}{360}$

S_2가 움직인 거리는 $2\pi\times b\times\frac{90}{360}$

따라서 두 인공위성 S_1, S_2가 움직인 거리의 합은 $\frac{a}{3}\pi+\frac{b}{2}\pi$

(2) 두 인공위성 S_1과 S_2가 처음으로 일직선에 위치하고 나서 y분 뒤 그림과 같은 경우가 된다고 하면 S_1이 움직인 각의 크기는 $6y°$, S_2가 움직인 각의 크기는 $9y°$이다.

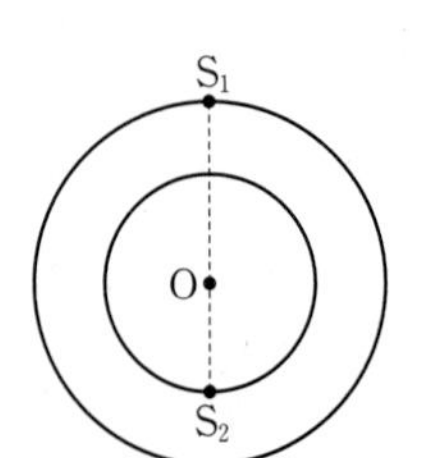

즉 $9y-6y=180$에서 $y=60$

즉 13시 이후 $\angle S_1OS_2=180°$가 될 때까지 S_1과 S_2는 70분 동안 돌았으므로

S_1이 움직인 거리는 $2\pi a\times\frac{6}{360}\times 70$

S_2가 움직인 거리는 $2\pi b\times\frac{9}{360}\times 70$

즉 $\frac{7}{3}a\pi : \frac{7}{2}b\pi=10 : 9$에서 $3a=5b$

$\therefore a : b=5 : 3$

전략

(1) x분 뒤 두 인공위성이 처음으로 일직선 위에 있다면 세 점 O, S_1, S_2는 이 순서대로 같은 직선 위에 있다.

(2) 세 점 S_1, O, S_2는 이 순서대로 같은 직선 위에 있다.

III 입체도형

01 다면체와 회전체

[확인 ❶] 답 팔각뿔대

(가), (나)에서 두 밑면이 서로 평행하고 옆면이 사다리꼴인 다면체는 각뿔대이다. 또 (다)에서 십면체는 면이 10개이므로 각뿔대의 밑면 2개를 빼면 옆면은 8개이다.
따라서 구하는 입체도형은 밑면이 팔각형인 팔각뿔대이다.

[확인 ❷] 답 3

각 다면체의 모서리 개수는 다음과 같다.
삼각뿔 : $2\times3=6$(개),
사각뿔대 : $3\times4=12$(개)
오각기둥 : $3\times5=15$(개)
따라서 $a=6$, $b=12$, $c=15$이므로
$a+b-c=6+12-15=3$

[확인 ❸] 답 20개, 12개, 30개

정이십면체의 면은 20개이다.
정이십면체의 면 모양은 정삼각형이고, 한 꼭짓점에 모이는 면은 5개이므로 꼭짓점은 모두 $\frac{20\times3}{5}=12$(개)
한 모서리에 모이는 면은 항상 2개이므로 모서리는 모두
$\frac{20\times3}{2}=30$(개)

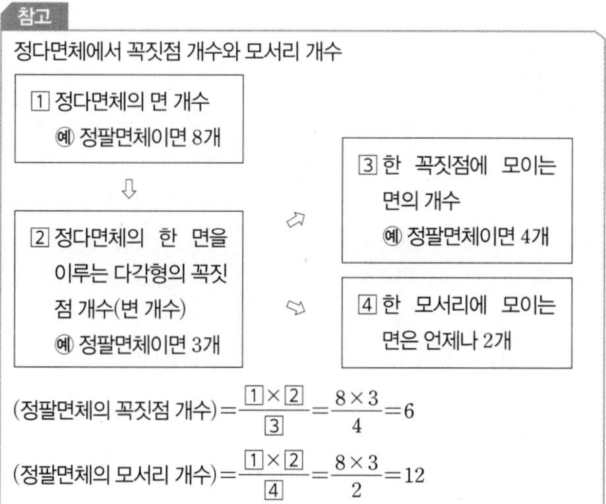

[확인 ❹] 답 ㄱ, ㄷ, ㄹ

정팔면체는 다면체이고 반원은 평면도형이므로 주어진 도형 중 회전체는 원기둥, 반구, 원뿔대이다. 즉 ㄱ, ㄷ, ㄹ

[확인 ❺] 답 180

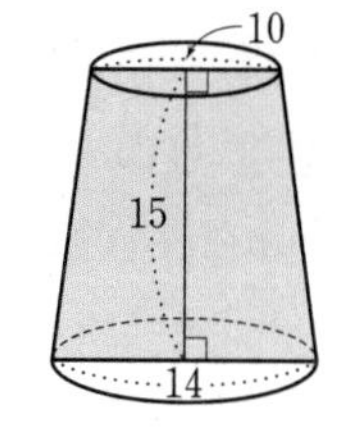

주어진 원뿔대를 회전축을 포함하는 평면으로 자를 때의 단면은 오른쪽 그림에서 색칠한 부분이다. 즉 윗변 길이가 10, 아랫변 길이가 14, 높이가 15인 등변사다리꼴이다.
따라서 구하는 단면의 넓이는
$\frac{1}{2}(10+14)\times15=180$

STEP 1 | 억울하게 울리는 문제 pp. 068~070

1 ㄷ, ㅇ, ㅋ	**2-1** ⑤	**2-2** ③
3-1 ②	**3-2** ②	**4-1** ④
4-2 ①	**5-1** ④	**5-2** ⑤
6-1 풀이 참조	**6-2** 풀이 참조	

1 답 ㄷ, ㅇ, ㅋ

ㄱ. 사각뿔은 육면체가 아니라 오면체다. (×)
ㄴ. n각뿔의 모서리는 밑면과 옆면에서 각각 n개씩 있으므로 모두 $2n$개다. (×)
ㄹ. 정이십면체의 각 면의 모양은 정삼각형이다. (×)
ㅁ. 정다면체에서 한 꼭짓점에 모이는 면이 4개인 것은 정팔면체다. (×)
ㅂ. 정다면체에서 한 모서리에 모이는 면은 항상 2개다. (×)
ㅅ. 반구를 회전축을 포함하는 평면으로 자른 단면은 반원이다. (×)
ㅈ. 원뿔대를 회전축을 포함하는 평면으로 자른 단면 모양이 사다리꼴이고, 회전축에 수직인 평면으로 자른 단면은 항상 원이다. (×)
ㅊ. 원뿔을 회전축을 포함하는 평면으로 자른 단면 모양은 이등변삼각형이다. (×)
ㅌ. 원뿔이나 원뿔대를 회전축에 수직인 평면으로 자르면 단면 모양은 자르는 위치에 따라 크기가 다른 원이 된다. 또 그림과 같이 속을 판 원기둥을 회전축에 수직인 평면으로 자르면 모두 합동이지만 모양은 원이 아니다. (×)

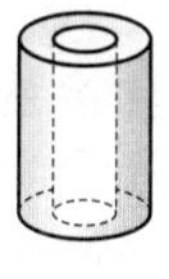

2-1 답 ⑤

(n각기둥의 면의 개수)$=n+2$, (n각기둥의 꼭짓점 개수)$=2n$
(n각기둥의 모서리 개수)$=3n$
$|2n-(n+2)|=|n-2|=12$에서 $n=14$
이때 (십사각기둥의 모서리 개수)$=3\times14=42$

2-2 답 ③

각뿔대이면 밑면이 두 개 있으므로
(전체 면의 개수)$=2+$(옆면의 개수)이다. $100=2+98$에서
주어진 각뿔대의 옆면은 98개 있으므로 밑면은 구십팔각형이다.
구십팔각뿔대의 모서리 개수는 $98\times3=294$(개)

3-1 답 ②

각기둥의 밑면을 n각형이라 하면
n각형에서 그을 수 있는 대각선 개수는 $\frac{n(n-3)}{2}$이므로
$\frac{n(n-3)}{2}=9$, $n(n-3)=6\times3$ $\quad\therefore n=6$
즉 주어진 입체도형은 육각기둥이고 육각기둥에서
꼭짓점은 12개, 면은 8개이므로 $a=12$, $b=8$
$\therefore a-b=12-8=4$

3-2 답 ②

n각뿔에서 (꼭짓점 개수)$=x=n+1$, (모서리 개수)$=y=2n$이고, (면의 개수)$=z=n+1$이므로
$\frac{x+y+z}{2}=\frac{(n+1)+2n+(n+1)}{2}=2n+1$
따라서 $A=2$, $B=1$이므로 $A-B=2-1=1$

참고
(n각뿔의 꼭짓점 개수)$=n+1$, (n각뿔의 면 개수)$=n+1$,
(n각뿔의 모서리 개수)$=2n$

4-1 답 ④

주어진 전개도로 만들어지는 입체도형은 사각뿔대이다. 사각뿔대의 꼭짓점은 8개이고, 각뿔 중에서 꼭짓점이 8개인 것은 칠각뿔이다. 칠각뿔의 밑면은 칠각형이다.

4-2 답 ①

주어진 전개도로 만들어지는 입체도형은 정팔면체이다. 정팔면체의 꼭짓점 개수는 6개이고, 주어진 입체도형에서 꼭짓점이 6개인 것을 찾으면 삼각기둥뿐이다.

5-1 답 ④

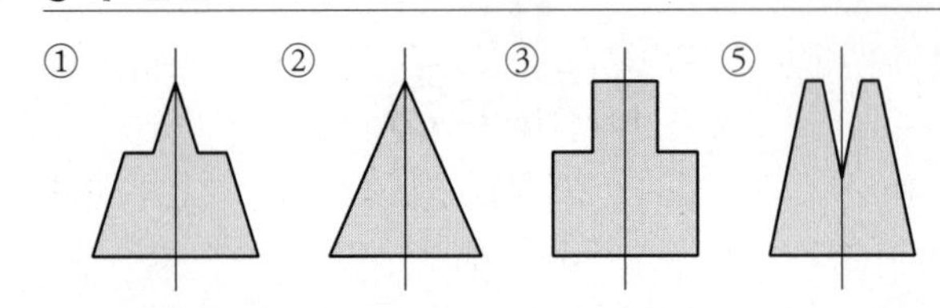

회전체를 회전축을 포함하는 평면으로 자른 단면은 회전축에 대하여 선대칭도형이다. 따라서 회전체를 회전축을 포함하는 평면으로 자를 때 나올 수 있는 단면 모양이 아닌 것은 ④

5-2 답 ⑤

원뿔을 한 평면으로 자를 때 생기는 단면 모양은 다음과 같다.

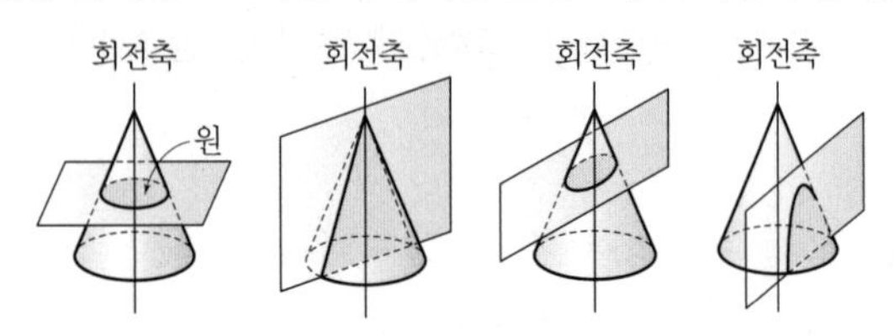

6-1 답 풀이 참조

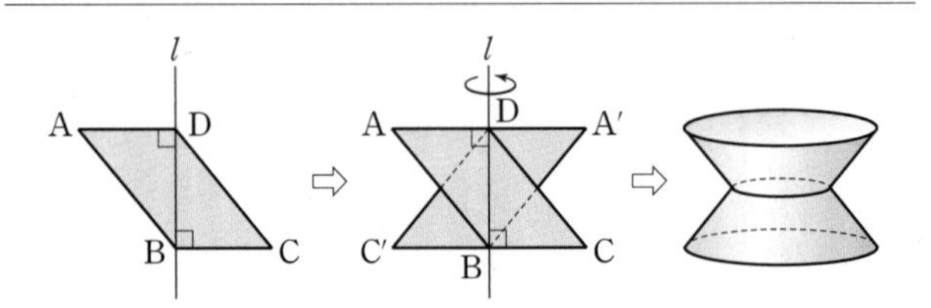

참고
평행사변형 ABCD와 회전축에 대칭인 도형을 그린다.

6-2 답 풀이 참조

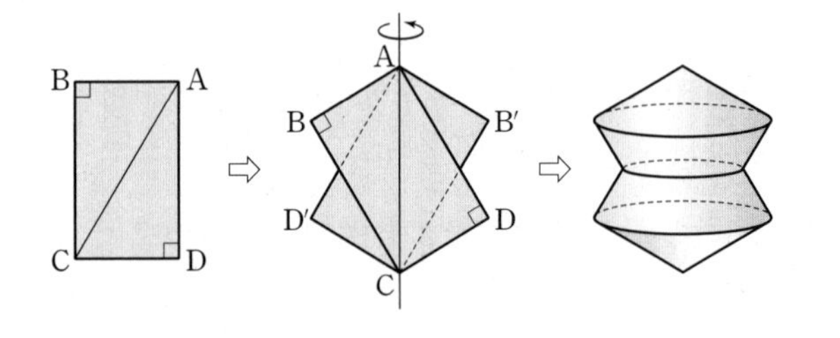

STEP 2 반드시 등수 올리는 문제 pp. 071 ~ 076

01 ④	**02** ③	**03** 정오각형
04 60개	**05** 12	**06** 8개
07 ②	**08** ④	**09** ②
10 ④	**11** ③	**12** 점 B, 점 E
13 풀이 참조	**14** ④	
15 (1) $\overline{AB}$ (2) $\overline{DB}$ (3) $\overline{AC}$		**16** ①, ⑤
17 ③	**18** 8π	**19** ⑤
20 ②	**21** 68	**22** ⑤
23 4	**24** ②	**25** 12초

01 답 ④

$v-e+f=2$는 다면체에서 성립하는 성질이므로 원기둥이나 원뿔과 같은 입체도형에서는 성립하지 않는다.
정사면체와 정육면체이면 한 꼭짓점에 면이 3개 모이지만, 정팔면체이면 한 꼭짓점에 모이는 면은 4개다.
따라서 태준이와 지영이가 틀린 내용을 말했다.

02 답 ③

$v-e+f=2$에 $v=\frac{1}{2}e$, $f=\frac{2}{3}e$를 대입하면

$\frac{1}{2}e-e+\frac{2}{3}e=2 \quad \therefore e=12$

즉 모서리가 12개이고, 이때 $f=\frac{2}{3}\times 12=8$에서
면이 8개인 정다면체는 정팔면체뿐이다.

전략
정다면체이므로 $v-e+f=2$가 성립한다.

03 답 정오각형

$5f=3v=2e$이므로 $5f=3v$에서 $v=\frac{5}{3}f$ ⋯⋯ ㉠

$5f=2e$에서 $e=\frac{5}{2}f$ ⋯⋯ ㉡

㉠, ㉡을 $v-e+f=2$에 대입하면

$\frac{5}{3}f-\frac{5}{2}f+f=2,\ 10f-15f+6f=12 \quad \therefore f=12$

따라서 면의 개수가 12인 정다면체는 정십이면체이고,
정십이면체이면 한 면의 모양은 정오각형이다.

전략
주어진 관계를 이용해 어느 한 문자로 나타낸 다음 다면체에서 성립하는 $v-e+f=2$에 대입한다.

04 답 60개

정오각형이 12개이므로 이때 꼭짓점은 $12\times 5=60$(개)
정삼각형이 80개이므로 이때 꼭짓점은 $80\times 3=240$(개)
한 꼭짓점에 모이는 면이 5개이므로
주어진 구십이면체의 꼭짓점 개수는 $\frac{60+240}{5}=60$

전략
모든 꼭짓점에서 각 꼭짓점에 모이는 면이 5개다.

05 답 12

정육면체의 한 꼭짓점마다 새로 생기는 꼭짓점은 3개이고, 1개가 없어진다. 또 모서리는 새로 3개 더 생기고 없어지는 것은 없다.
즉 꼭짓점 하나가 없어져서 꼭짓점은 2개씩 늘어나고,
모서리는 3개씩 늘어나므로 전체 다면체에서
$v=8+2\times 8=24,\ e=12+3\times 8=36$
$\therefore e-v=12$

전략
정육면체의 한 꼭짓점에서 조건과 같은 삼각뿔을 하나 잘라낼 때 더 늘어나는 꼭짓점과 모서리 개수를 각각 구해 본다.

06 답 8개

다음과 같이 자르는 경우를 생각할 수 있다.

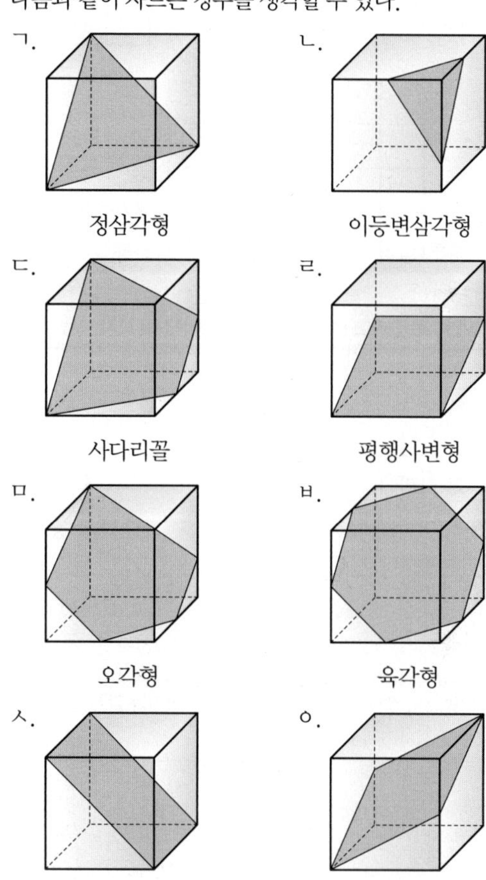

전략
보기에 주어진 각 다각형이 나오도록 정육각형을 한 평면으로 자르는 걸 생각해 본다.

07 답 ②

정육면체의 면이 6개이므로 정육면체의 여섯 면 각각에서 중점을 찍어 얻은 입체도형은 꼭짓점이 6개인 정다면체이다. 즉 정팔면체라야 한다.

전략
면의 개수와 꼭짓점의 개수를 생각한다.

참고

정다면체에서 각 면의 중심을 새로운 꼭짓점으로 생각했을 때 만들어진 입체도형은 다음과 같은 이유로 정다면체가 된다.
① 각 면이 모두 합동이다.
② 각 꼭짓점에 모인 면의 개수가 같다.

08 답 ④

색칠한 면이 밑면이 되도록 하면 조건에 맞는 뚜껑 없는 정육면체를 접을 수 있다.

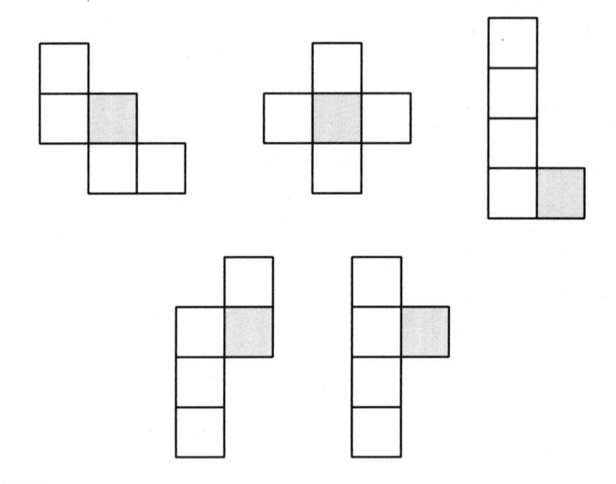

전략

어느 한 면을 밑면으로 정하고 전개도를 접는 것을 생각해 보자.

09 답 ②

주어진 전개도로 그림과 같은 정사면체를 만들 수 있다. 따라서 모서리 AB와 꼬인 위치에 있는 모서리는 $\overline{CF}$이다.

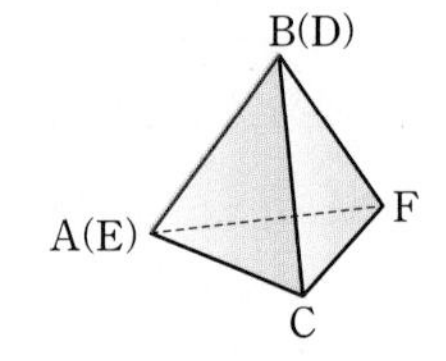

전략

어느 한 면을 밑면으로 잡아 본다. 주어진 전개도는 크기가 같은 정삼각형 4개가 있으므로 정사면체를 만들 수 있다.

10 답 ④

주어진 전개도에서 2가 적힌 면이 밑면이 되도록 정육면체를 접으면 1과 7이 마주 보고 3과 a가 마주본다. 즉 $a=5$이고, 이때 2와 b가 마주보므로 $b=6$이다.

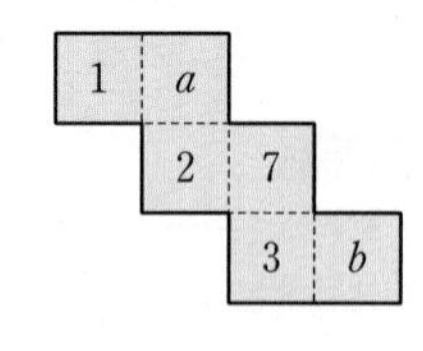

$\therefore a+b=5+6=11$

다른 풀이

모든 면의 눈의 수의 합이 $8\times3=24$이므로
$1+a+2+7+3+b=24$
$\therefore a+b=11$

전략

어느 한 면을 밑면으로 정하고 주어진 전개도를 접었을 때, 1과 7이 마주보므로 3과 마주보는 것을 생각해 본다.

11 답 ③

주어진 정팔면체의 겨냥도에 나머지 꼭짓점을 쓰면 그림과 같다.
따라서 모서리 $\overline{AJ}$와 겹치는 모서리는 $\overline{GH}$이다.

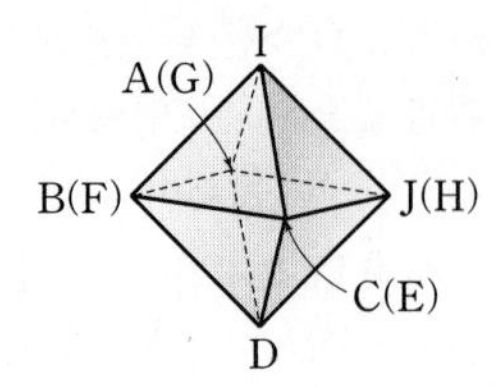

전략

주어진 겨냥도처럼 점 D와 점 I가 뿔이 되도록 접는 것을 생각하고 나머지 꼭짓점을 써본다.

보충 **정팔면체의 전개도 문제 풀기**

1 만나는 점 확인하기

정팔면체의 꼭짓점은 6개이고, 전개도에서 꼭짓점은 10개이므로 만나는 꼭짓점이 4쌍 있다. 전개도에서 만나는 꼭짓점끼리 나타내면 그림과 같다.
즉 꼭짓점 A와 G, J와 H, B와 F, C와 E가 만난다.

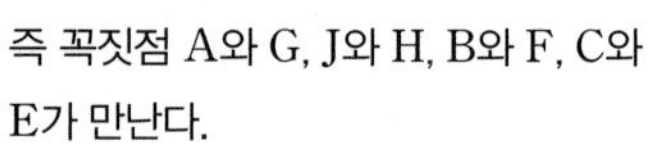

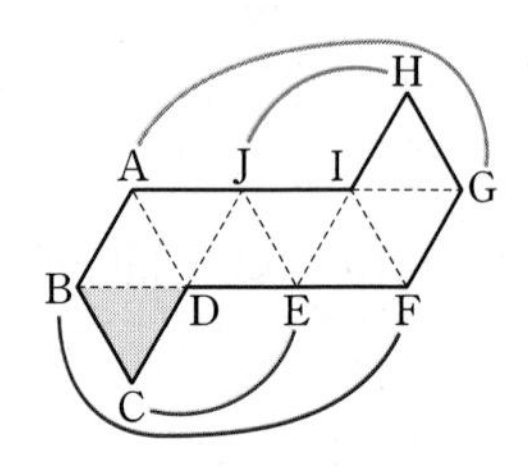

2 겨냥도에 한 면을 옮기기

① 전개도에서 임의로 한 면(색칠한 면)을 정해 겨냥도에 나타낸다. 이때 1에서 확인한 만나는 점은 함께 나타낸다.

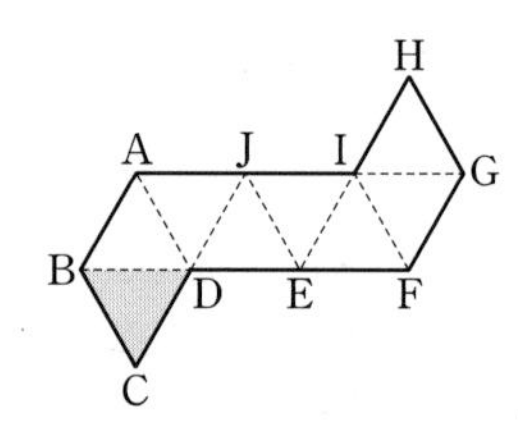

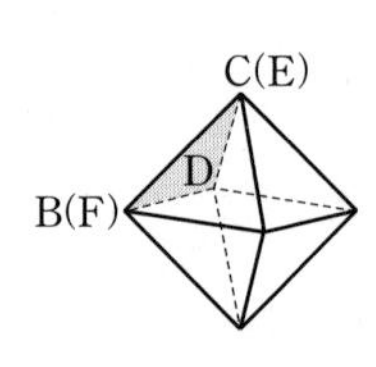

② 모서리 AD에서 두 점 A, D가 이웃한 점이므로 면 ABD를 그림과 같이 겨냥도를 옮길 수 있다.

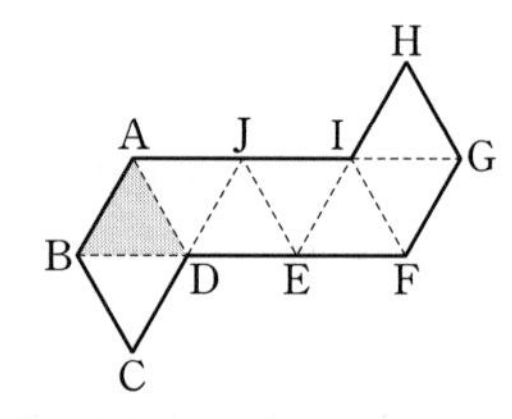

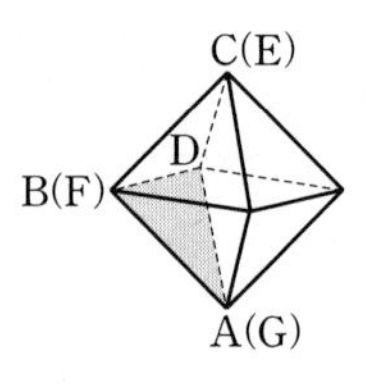

③ 면 ADJ에서 꼭짓점 J(H)를 그림처럼 겨냥도로 옮길 수 있다.

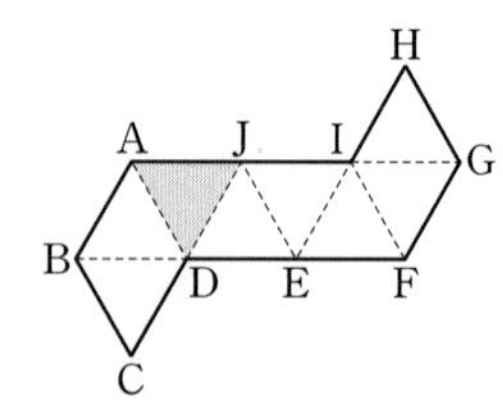

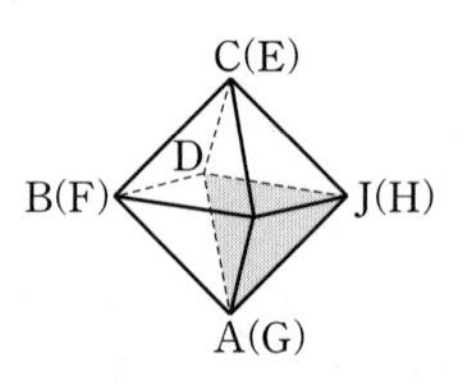

④ 면 JDE는 ③에서 겨냥도로 제대로 옮겼음을 확인할 수 있다. 한편 면 JEI에서 꼭짓점 I를 그림처럼 겨냥도에 정할 수 있다.

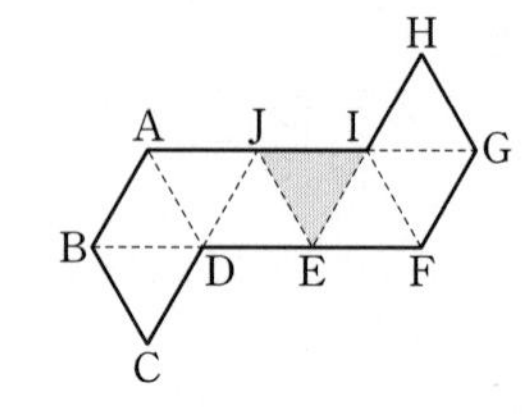

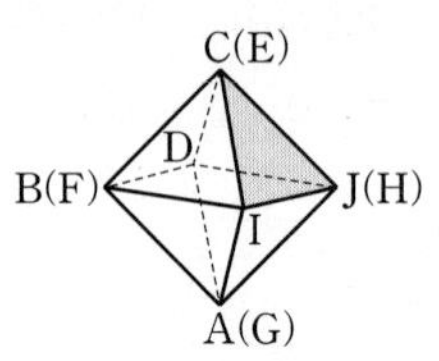

■ **정팔면체의 전개도에서 만나는 모서리 확인하기**

꼭짓점 D를 기준으로 생각하면 그림에서 ❶, ❷로 나타낸 모서리끼리 겹치고, 꼭짓점 I를 기준으로 생각하면 그림에서 ❸, ❹로 나타낸 모서리끼리 겹친다. 이때 남은 모서리 ❺끼리 겹친다.

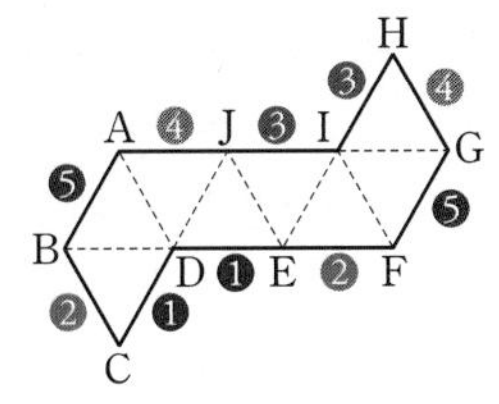

12 답 점 B, 점 E

그림에서 표시한 점을 기준으로 접는 것을 생각하면 점 A와 점 B가 겹쳐지는 것을 알 수 있다. 또 점 B와 점 E가 겹쳐진다. 따라서 점 A와 겹쳐지는 점은 점 B와 점 E이다.

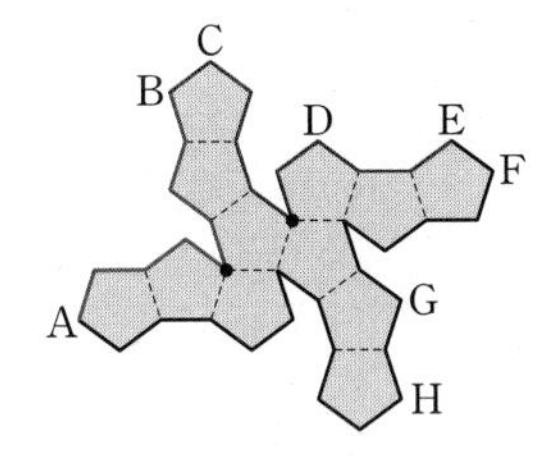

전략

주어진 전개도로 정십이면체를 만들 수 있다. 정십이면체이면 한 꼭짓점에 모이는 면이 3개이므로 전개도의 꼭짓점 A와 겹치는 점은 두 개다.

13 답 풀이 참조

주어진 도형을 직선 l에 대하여 대칭이동한 다음 이를 이용하여 회전체의 겨냥도를 그리면 다음과 같다.

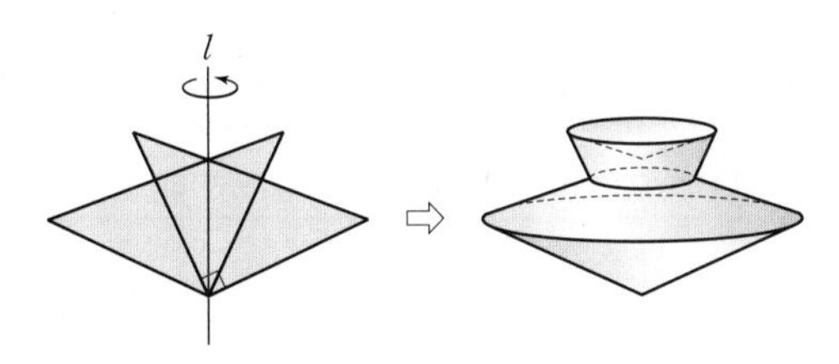

전략

회전축을 대칭축으로 하여 주어진 도형에 선대칭인 도형을 그린다. 이때 대응하는 점끼리 선분으로 연결해 이 선분을 지름으로 하는 원을 그린다.

14 답 ④

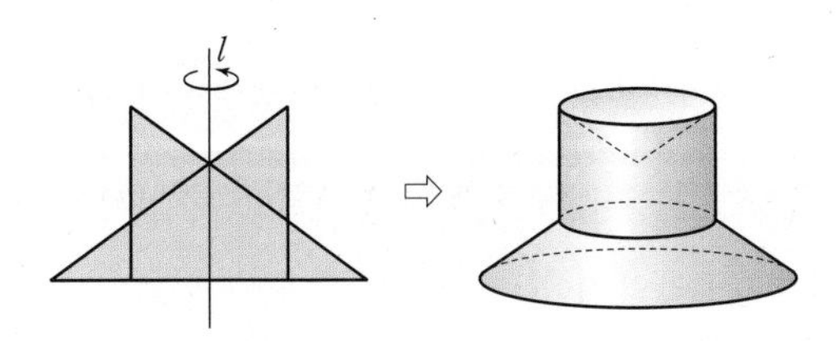

즉 ④와 같은 회전체를 구할 수 있다.

전략

풀이 왼쪽 그림과 같이 주어진 도형과 직선 l에 대하여 대칭인 도형도 함께 나타내면 회전체를 정면에서 본 모습을 알 수 있다.

15 답 (1) $\overline{AB}$ (2) $\overline{DB}$ (3) $\overline{AC}$

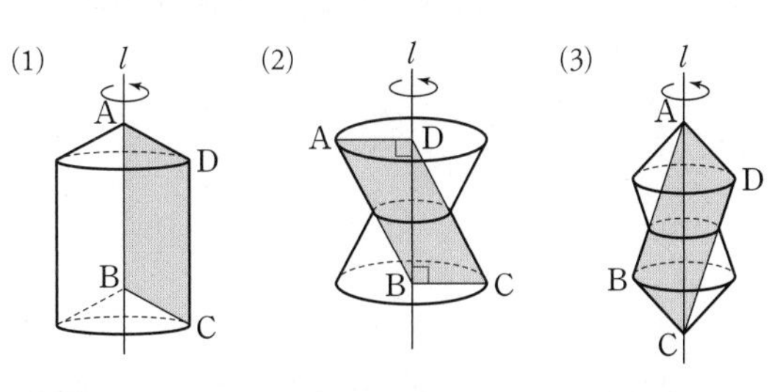

전략

그림과 같이 주어진 도형과 직선 l에 대하여 대칭인 도형도 함께 나타내면 회전체를 정면에서 본 모습을 알 수 있다.

16 답 ①, ⑤

회전축을 포함하는 평면으로 자를 때 단면 모양은 다음과 같다.

원뿔대 ⇨ 등변사다리꼴, 원기둥 ⇨ 직사각형,

원뿔 ⇨ 이등변삼각형

구나 반구의 단면은 다각형이 될 수 없다.

전략

주어진 입체도형 각각을 회전축을 포함하는 평면으로 자르는 경우도 생각한다.

17 답 ③

회전축을 포함하는 평면으로 자른 단면 모양은 그림과 같이 사다리꼴 두 개가 회전축에 대하여 대칭인 모습과 같다.

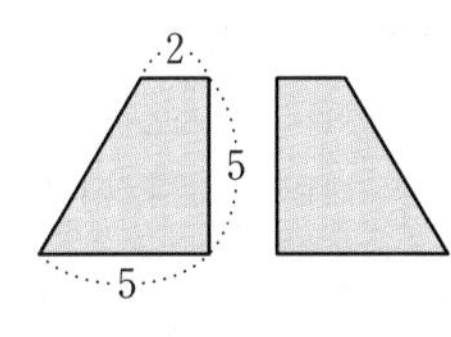

따라서 넓이는 $\frac{(2+5)\times5}{2}\times2=35$

전략

회전축을 포함하는 평면으로 자른 단면 모양은 주어진 도형과 그 도형을 회전축에 대하여 대칭이동한 도형과 같다.

18 답 8π

회전체는 도넛 모양이고 원의 중심 O를 지나면서 회전축에 수직인 평면으로 자르면 그 단면은 그림과 같으므로 단면의 넓이는

$3^2\times\pi-1^2\times\pi=8\pi$

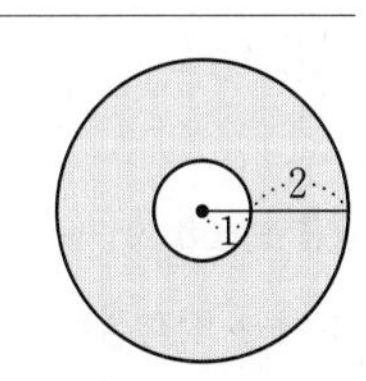

전략

회전체의 겨냥도는 그림과 같은 도넛 모양이 된다.
이 회전체를 어떻게 자르면 회전축에 수직인 평면으로 자르게 되는지 확인한다.

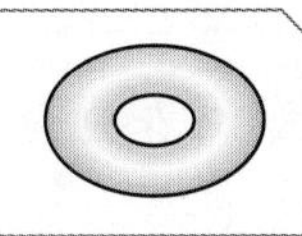

19 답 ⑤

주어진 도형의 각 변에 대하여 1회전 한 도형을 회전축에 수직인 평면으로 자르면 ① 또는 ②와 같은 단면을 얻을 수 있다.

회전축을 포함한 평면으로 자른 단면 모양은 다음과 같이 회전하려는 도형과 그 도형을 회전축에 대칭이동한 것을 함께 놓고 생각하면 된다.

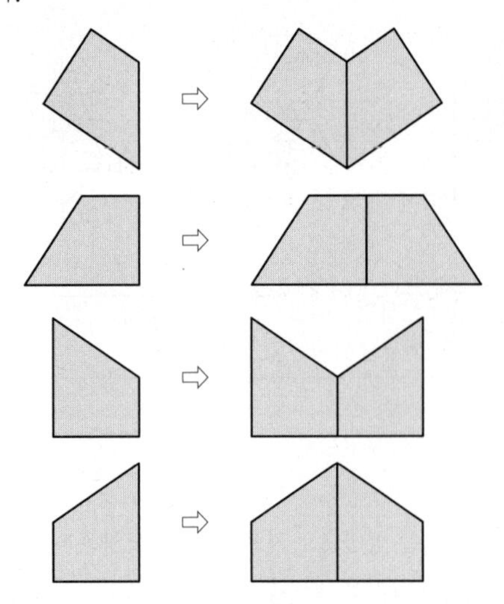

따라서 ⑤와 같은 단면은 생기지 않음을 알 수 있다.

전략

네 변 각각이 회전축일 때 선대칭도형을 함께 나타내면 회전축을 포함하는 평면으로 잘랐을 때의 단면 모양을 알 수 있다.

20 답 ②

주어진 직각삼각형을 직선 l을 회전축으로 하여 1회전시킬 때 생기는 입체도형은 그림과 같다. 이때 ①, ③, ④는 각각 그림과 같은 평면으로 자를 때, ⑤는 회전축을 포함하여 자를 때 생기는 단면 모양이다.

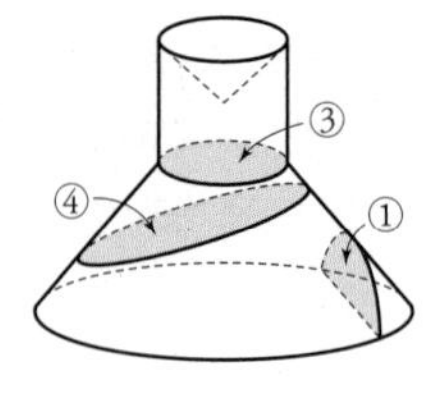

②와 같은 단면 모양은 생기지 않는다.

전략

조건에 따라 만들어진 입체도형의 겨냥도를 그려 보고, 어떤 방향으로 자를 때 주어진 단면 모양이 나오는지 생각해 보자.

21 답 68

주어진 직각삼각형을 직선 l을 축으로 하여 1회전시킬 때 생기는 회전체를 회전축을 포함하는 평면으로 자른 단면은 그림과 같으므로 구하려는 단면 넓이는

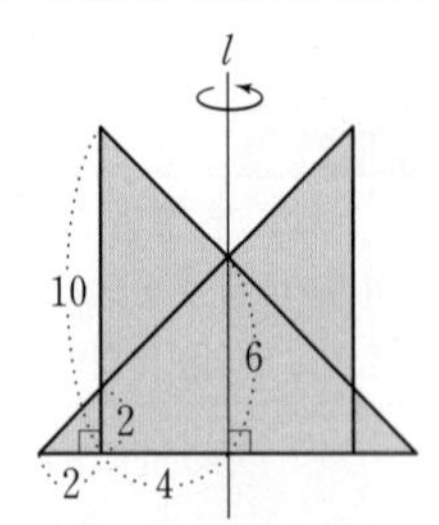

$\left\{\frac{1}{2}\times2\times2+\frac{1}{2}(6+10)\times4\right\}\times2$

$=68$

전략

회전축을 포함하는 평면으로 자른 단면은 회전하는 도형과 그 도형을 회전축에 대하여 대칭이동한 것을 더한 것과 같다.

22 답 ⑤

문제에서 얻은 회전체를 회전축에 수직인 평면으로 자를 때 만들어지는 단면은 원이고, 이때 반지름 길이가 가장 큰 원은 그림과 같이 점 B에서 $\overline{AC}$에 수선의 발 D를 내렸을 때 $\overline{BD}$를 반지름으로 하는 원이다.

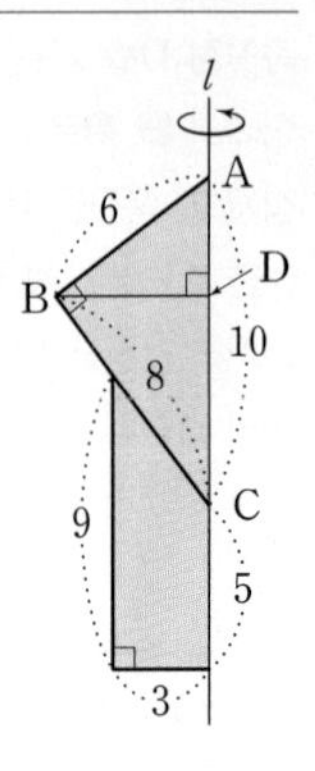

△ABC의 넓이에서

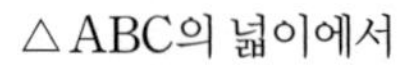

$\frac{1}{2}\times6\times8=\frac{1}{2}\times10\times\overline{BD}$이므로 $\overline{BD}=\frac{24}{5}$

따라서 가장 큰 단면의 넓이는

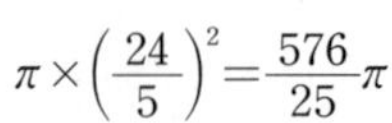

$\pi\times\left(\frac{24}{5}\right)^2=\frac{576}{25}\pi$

전략

평면도형의 각 꼭짓점에서 직선 l에 수선을 그을 때, 수선의 길이가 가장 긴 경우를 생각한다.

23 답 4

반지름 길이가 $\overline{OB}$이고, 중심각 크기가 120°인 부채꼴에서

$2\pi\times(\overline{OA}+12)\times\frac{120}{360}=2\pi R$

$\therefore R=(\overline{OA}+12)\times\frac{1}{3}$

또 반지름 길이가 $\overline{OA}$이고, 중심각 크기가 120°인 부채꼴에서

$2\pi\times\overline{OA}\times\frac{120}{360}=2\pi r \qquad \therefore r=\overline{OA}\times\frac{1}{3}$

따라서 $R-r=(\overline{OA}+12)\times\frac{1}{3}-\overline{OA}\times\frac{1}{3}=4$

전략

반지름 길이가 $\overline{OB}$이고, 중심각의 크기가 120°인 부채꼴의 호의 길이가 $2\pi R$임을 이용해 R를 구하고, 같은 방법으로 r를 구한다.

24 답 ②

원뿔대와 그 전개도는 그림과 같다.

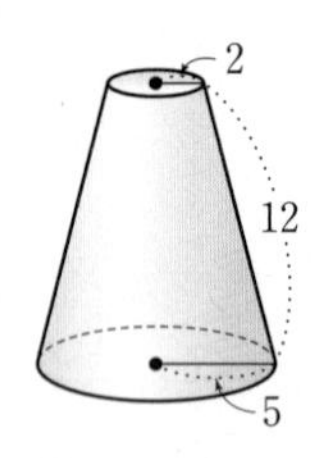

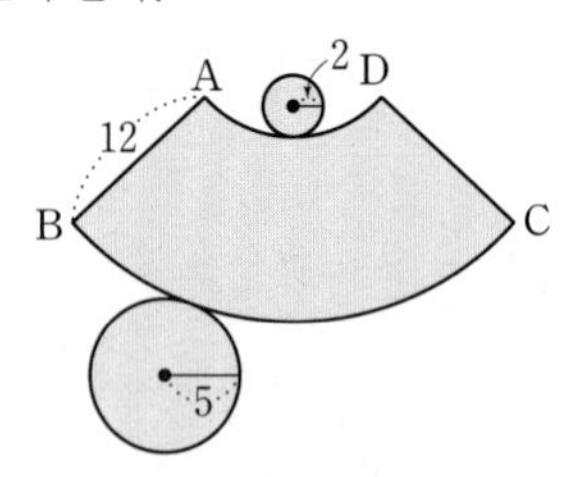

이때 $\overset{\frown}{AD}$ 길이는 반지름 길이가 2인 원의 둘레 길이와 같고, $\overset{\frown}{BC}$ 길이는 반지름 길이가 5인 원의 둘레 길이와 같다. 즉

$\overset{\frown}{AD}=2\pi\times2=4\pi$, $\overset{\frown}{BC}=2\pi\times5=10\pi$

따라서 옆면 둘레의 길이는

$\overline{AB}+\overline{DC}+\overset{\frown}{AD}+\overset{\frown}{BC}=12+12+4\pi+10\pi$

$=24+14\pi$

전략

원뿔대의 전개도를 그리고 길이가 같은 것을 찾는다.

25 답 12초

원뿔의 전개도에 개미 A, B의 경로를 나타내면 다음과 같다.

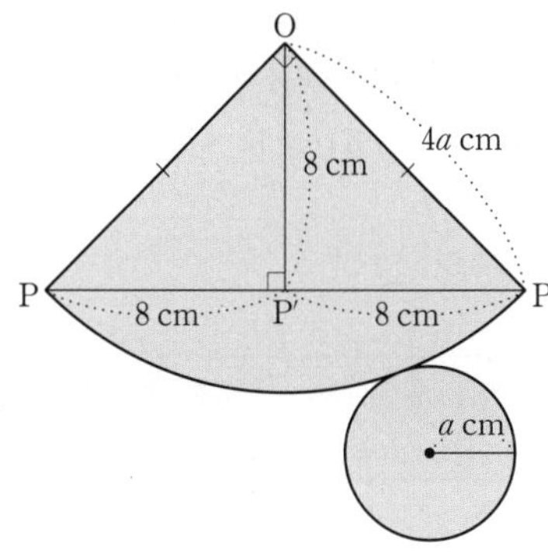

이때 부채꼴의 중심각 크기를 $x°$라 하면

$2\pi\times4a\times\frac{x}{360}=2\pi a$에서 $x=90$

이때 $\angle OPP'=\angle POP'=45°$에서

$\overline{OP'}=\overline{PP'}=8$ cm이므로 4초 후 처음으로 만나고,

그 다음부터는 8초가 지날 때마다 만난다.

따라서 개미 A, B는 12초 후에 두 번째로 만난다.

전략

원뿔대의 전개도에서 부채꼴 호의 양쪽 끝점을 P라 하고, 개미 A의 경로(선분)를 나타내 본다.

STEP 3 전교 1등 **확실하게** 굳히는 문제 pp. 077 ~ 079

1 30개	2 9	3 (1) 9π (2) 15π
4 $400\pi-600$	5 20	6 12

1 답 30개

주어진 전개도에서 정오각형이 12개이고 정육각형이 20개이므로

꼭짓점은 모두 $20\times6+12\times5=180$(개)

전개도에서 한 꼭짓점에 모이는 면이 3개이므로 축구공 모양 다면체에서 꼭짓점은 모두 $180\div3=60$(개)

n각기둥의 꼭짓점이 $2n$개이므로 $2n=60$에서 $n=30$

즉 밑면이 삼십각형인 삼십각기둥일 때 문제 조건이 성립하므로 밑면의 변은 모두 30개다.

전략

전개도에서 한 꼭짓점에 모이는 면이 3개임을 생각한다.

2 답 9

쌓기나무를 가장 적게 사용한 경우를 다음과 같이 생각할 수 있다.

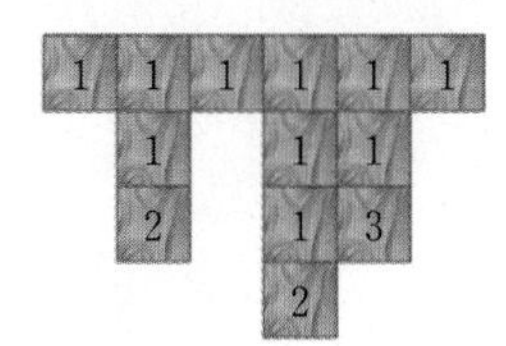

이때 사용한 쌓기나무는 17개

쌓기나무를 가장 많이 사용한 경우는 다음과 같다.

이때 사용한 쌓기나무는 26개

따라서 쌓기나무 수의 차는 $26-17=9$

전략

쌓기나무를 위에서 본 그림은 맨 아래 층 모습과 같다. 즉 위에서 본 그림을 기준으로 앞에서 본 그림을 참고하여 쌓기나무를 가장 적게 사용하는 경우와 가장 많이 사용하는 경우를 생각한다.

3 답 (1) 9π (2) 15π

(1) 주어진 평면도형을 직선 l을 축으로 하여 1회전시키면 다음 그림과 같은 회전체가 만들어진다.

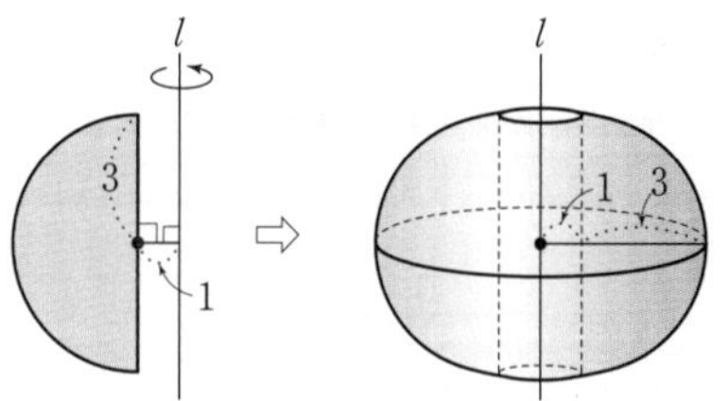

이때 만들어진 회전체를 회전축을 포함하는 평면으로 자르면 단면은 오른쪽 그림과 같으므로 단면의 넓이는

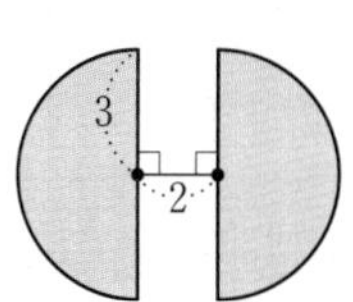

$2\times$(반원의 넓이), 즉 원의 넓이와 같다.

$\therefore$ (단면의 넓이)$=\pi\times3^2=9\pi$

(2) 회전체를 회전축에 수직인 평면으로 자를 때 생기는 단면 중 넓이가 최대인 경우는 딱 절반으로 자를 때이다.

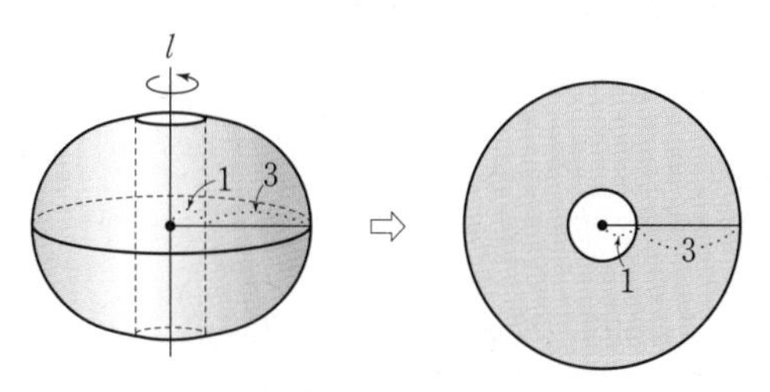

$\therefore$ (단면의 넓이)$=\pi\times4^2-\pi\times1^2=16\pi-\pi$

$=15\pi$

전략

회전축을 포함한 평면으로 자른 단면

① 회전시킬 평면도형이 주어진 경우이면 회전축에 대하여 평면도형과 대칭인 도형을 그린다.
이때 두 도형을 모두 합한 것이 회전축을 포함한 평면으로 자른 단면 모양이다.
따라서 색칠한 부분의 넓이를 구하면 된다.

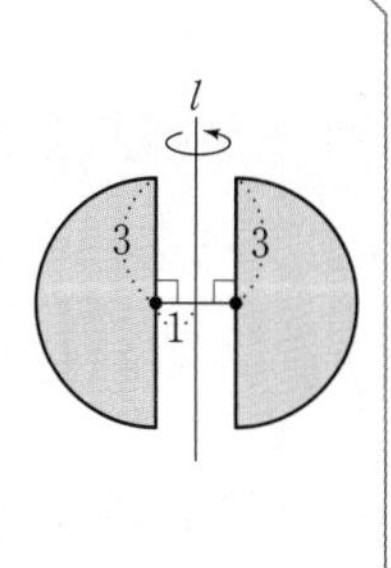

② 회전체가 주어진 경우이면 그 입체도형을 정면에서 바라본 모양과 같다.

4 답 $400\pi-600$

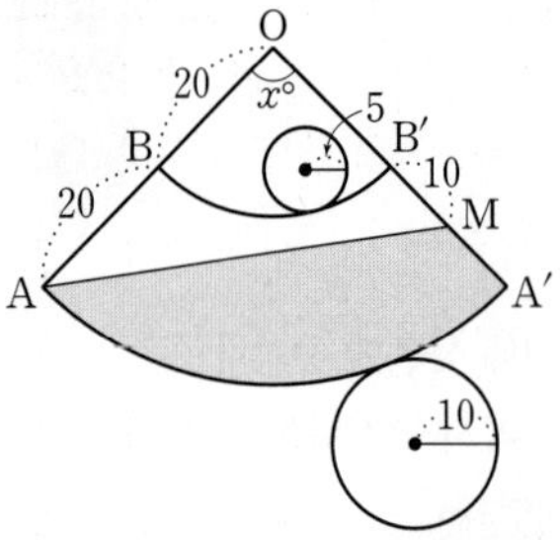

원뿔대의 전개도를 나타내면 그림과 같고, 문제에서 색칠한 부분은 그림에서 색칠한 부분이다. 부채꼴의 중심각의 크기를 $x°$라 하면

$2\pi\times40\times\frac{x}{360}=2\pi\times10$에서

$x=90$이고, 색칠한 부분의 넓이는 반지름 길이가 40이고 중심각 크기가 $90°$인 부채꼴에서 $\triangle$OAM의 넓이를 뺀 것과 같다.

즉 $\pi\times40^2\times\frac{90}{360}-\frac{1}{2}\times40\times30=400\pi-600$

전략
원뿔대의 전개도에 색칠한 부분을 나타내 본다.

5 답 20

정팔면체의 전개도 일부에 $\overline{\text{ED}}$의 중점 M과 $\overline{\text{AF}}$의 중점 N을 잡고 점 M에서 점 N까지 최단 거리를 나타내면 그림과 같다.

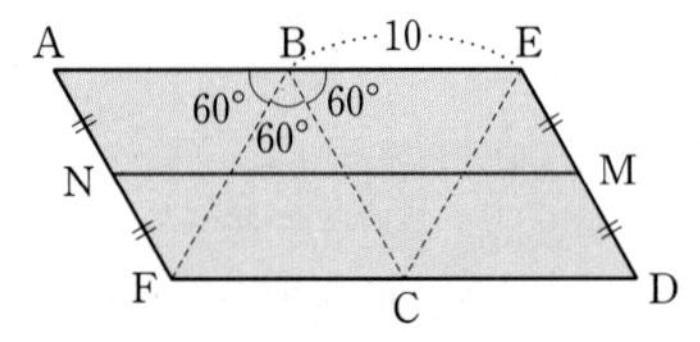

이때 $\overline{\text{MN}}=\overline{\text{AE}}=2\overline{\text{BE}}=20$

전략
① 실이 지나간 면, 즉 겨냥도의 면 AFB, 면 BFC, 면 BCE, 면 ECD를 전개도로 나타낸다.
② 정팔면체의 전개도에서 $\overline{\text{ED}}$의 중점 M을 잡고, $\overline{\text{AF}}$의 중점 N까지의 최단 거리가 되는 경우를 생각한다.

6 답 12

정육면체의 꼭짓점은 8개, 모서리는 12개, 면은 6개다.

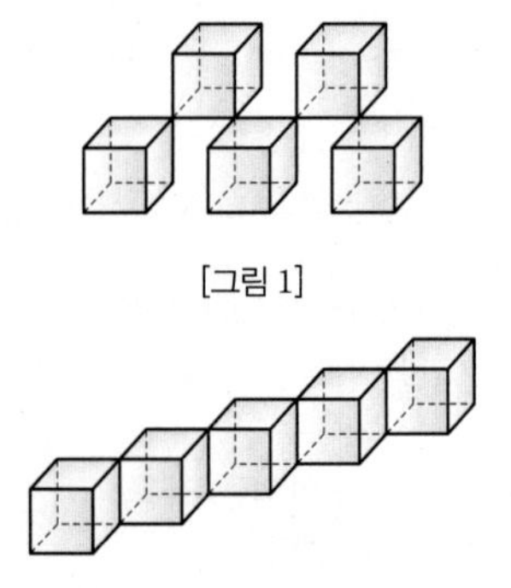

[그림 1]

[그림 2]

[그림 1]에서 정육면체 5개는 4개의 꼭짓점에서 중복되므로 꼭짓점만 4개 줄어든다.

$\therefore A=v-e+f=(8\times5-4)-(12\times5)+(6\times5)$
$=36-60+30=6$

[그림 2]에서 정육면체 5개는 4개의 모서리에서 중복되므로 모서리는 4개 줄어들고, 꼭짓점은 $2\times4=8$(개) 줄어든다.

$\therefore B=v-e+f=(8\times5-8)-(12\times5-4)+(6\times5)$
$=32-56+30=6$

따라서 $A+B=6+6=12$

전략
정육면체가 늘어날 때, [그림 1]에서는 꼭짓점이 중복되는 것을 생각하고, [그림 2]에서는 모서리와 꼭짓점이 중복되는 것을 생각한다.

02 입체도형의 겉넓이와 부피

[확인 ❶] 답 202

(밑넓이)$=\frac{1}{2}(9+3)\times4=24$

(옆넓이)$=(9+5+3+5)\times7$

$=154$

$\therefore$ (겉넓이)$=24\times2+154=202$

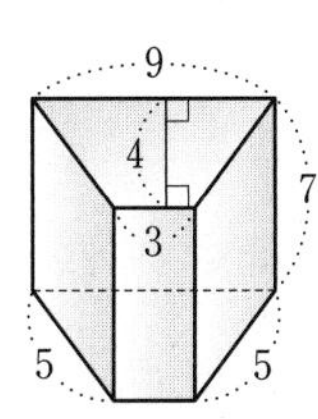

[확인 ❷] 답 3

옆면은 반지름 길이가 5이고,
호의 길이가 $2\pi x$인 부채꼴이므로

(옆넓이)$=\frac{1}{2}\times5\times2\pi x=15\pi$, $5\pi x=15\pi$ $\therefore x=3$

참고

반지름 길이가 r, 호의 길이가 l인 부채꼴의 넓이는 $\frac{1}{2}rl$임을 이용한다.

[확인 ❸] 답 240

그림에서 각기둥의 밑면은 아랫변과 윗변의 길이가 차례로 8, 4이고, 높이가 10인 사다리꼴이다.

즉 밑넓이가 $\frac{1}{2}(8+4)\times10=60$이고,

기둥의 높이가 4이므로 부피는

$60\times4=240$

[확인 ❹] 답 168π

(입체도형의 부피)

$=$(위 원뿔의 부피)$+$(아래 원뿔의 부피)

$=\frac{1}{3}\times\pi\times6^2\times6+\frac{1}{3}\times\pi\times6^2\times8$

$=72\pi+96\pi=168\pi$

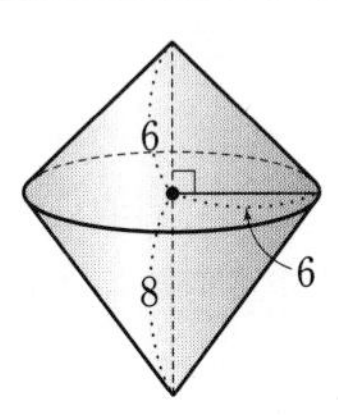

[확인 ❺] 답 48π, $\frac{128}{3}\pi$

(겉넓이)$=\frac{1}{2}\times$(구의 겉넓이)$+$(밑넓이)

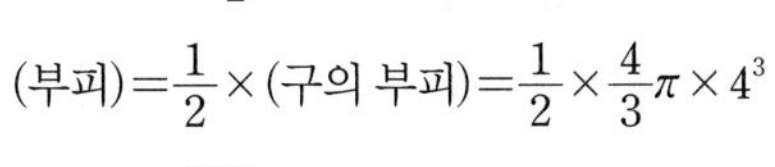
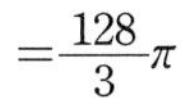

$=\frac{1}{2}\times4\pi\times4^2+\pi\times4^2=48\pi$

(부피)$=\frac{1}{2}\times$(구의 부피)$=\frac{1}{2}\times\frac{4}{3}\pi\times4^3$

$=\frac{128}{3}\pi$

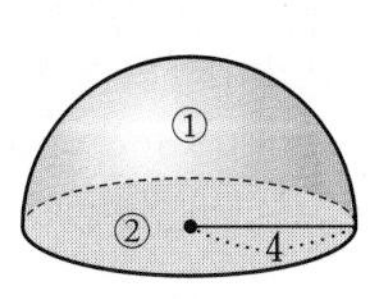

STEP 1 억울하게 울리는 문제 pp. 082 ~ 084

1 (1) 216° (2) 24π **1-2** 64π **2-1** 850 cm²
2-2 47 mL **3-1** 2500 m³ **3-2** 5
3-3 91 **4-1** 4 cm **4-2** 64개
5-1 (1) 232 (2) 192 **5-2** (1) 866 (2) 1416
6-1 412 **6-2** 168

1-1 답 (1) 216° (2) 24π

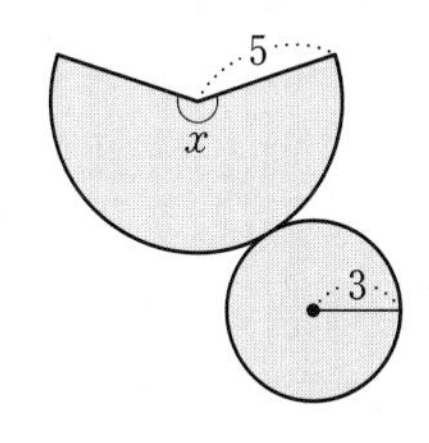

(1) 옆면이 되는 부채꼴 중심각의 크기를 x라 하면
(부채꼴 호의 길이)$=$(밑면 원둘레 길이)에서

$2\pi\times5\times\frac{x}{360}=2\pi\times3$

$\therefore x=216°$

(2) (원뿔의 겉넓이)$=\pi\times5^2\times\frac{216}{360}+\pi\times3^2$

$=24\pi$

1-2 답 64π

빗변 길이가 12인 직각삼각형을 직선 l을 축으로 하여 1회전시키면 오른쪽 그림과 같이 모선 길이가 12인 원뿔이 만들어진다.

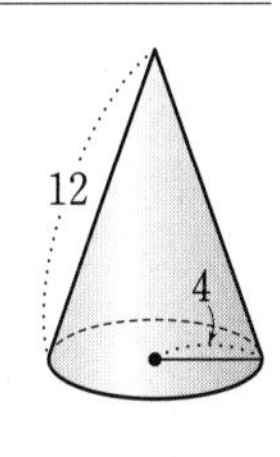

이 원뿔의 밑면 반지름 길이를 r라 하면
밑넓이가 16π이므로

$\pi r^2=16\pi$ $\therefore r=4$

이때 밑면 둘레 길이는 $2\pi\times4=8\pi$이므로

옆넓이는 $\frac{1}{2}\times12\times8\pi=48\pi$

따라서 원뿔의 겉넓이는

$16\pi+48\pi=64\pi$

2-1 답 850 cm²

주어진 입체도형을 여섯 방향에서 바라보면 다음과 같다.

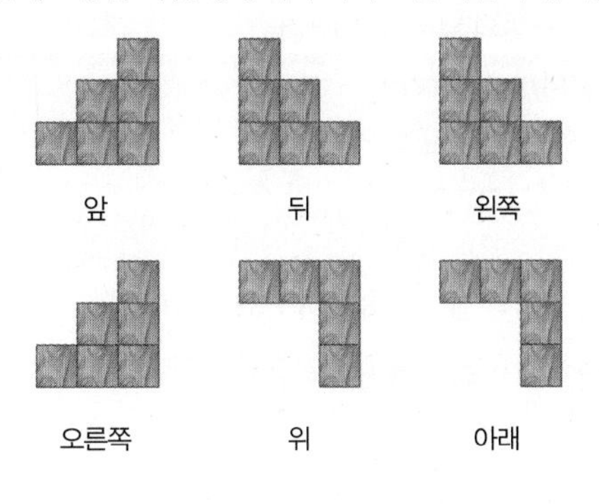

따라서 넓이가 $5\times5=25\ (\mathrm{cm}^2)$인 정사각형 면이 $6+6+6+6+5+5=34$(개) 있으므로 주어진 입체도형의 겉넓이는 $25\times34=850\ (\mathrm{cm}^2)$

2-2 답 47 mL

(처음 직육면체의 겉넓이) $=2(5\times4+4\times3+5\times3)$
$=94\ (\mathrm{cm}^2)$

이 직육면체를 한 모서리 길이가 1 cm인 정육면체 $5\times4\times3=60$(개)로 잘랐을 때 정육면체 60개의 겉넓이는 $60\times6=360\ (\mathrm{cm}^2)$

60개 정육면체를 칠하는 데 쓴 페인트가 180 mL이므로 처음 직육면체를 칠하는데 쓴 페인트 양을 x mL라 하면

$360:94=180:x$에서 $x=47$

따라서 47 mL

3-1 답 2500 m³

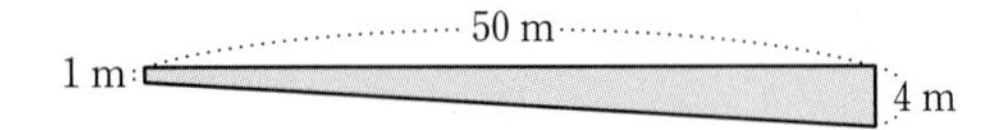

수영장 밑면을 위 그림처럼 생각하면

(밑면의 넓이) $=\dfrac{(1+4)}{2}\times50=125\ (\mathrm{m}^2)$

(수영장 부피) $=125\times20=2500\ (\mathrm{m}^3)$

3-2 답 5

물의 부피와 삼각기둥의 부피가 같으므로

$\left(\dfrac{1}{2}\times8\times x\right)\times7=140$에서 $x=5$

3-3 답 91

(가)에서 (물의 부피) $=10\times8\times16=1280\ (\mathrm{cm}^3)$

(나)에서 (물의 부피) $=$(밑면의 넓이) $\times10$

즉 $1280=$(밑면의 넓이) $\times10$에서

(밑면의 넓이) $=128\ (\mathrm{cm}^2)$

이때 삼각형 부분의 넓이는

$128-96=32\ (\mathrm{cm}^2)$

(다)에서

(오각형꼴 밑면의 넓이) $=8\times18+32=176\ (\mathrm{cm}^2)$

이므로 $1280=176\times x$에서 $x=\dfrac{80}{11}$ cm

따라서 $m+n=11+80=91$

4-1 답 4 cm

처음 반죽의 부피는 $\dfrac{4}{3}\pi\times10^3=\dfrac{4000}{3}\pi\ (\mathrm{cm}^3)$

떡을 125개 만들었으므로 떡 한 개의 부피는

$\dfrac{4000}{3}\pi\div125=\dfrac{32}{3}\pi\ (\mathrm{cm}^3)$

이때 떡 한 개의 반지름 길이를 r cm라 하면

$\dfrac{4}{3}\pi\times r^3=\dfrac{32}{3}\pi,\ r^3=8=2^3 \qquad \therefore r=2$

따라서 떡 한 개의 지름 길이는 4 cm이다.

4-2 답 64개

(반지름 길이가 8 cm인 쇠구슬의 부피) $=\dfrac{2048\pi}{3}\ \mathrm{cm}^3$ ······ ㉠

(반지름 길이가 2 cm인 쇠구슬의 부피) $=\dfrac{32\pi}{3}\ \mathrm{cm}^3$ ······ ㉡

(㉠÷㉡) $=64$

5-1 답 (1) 232 (2) 192

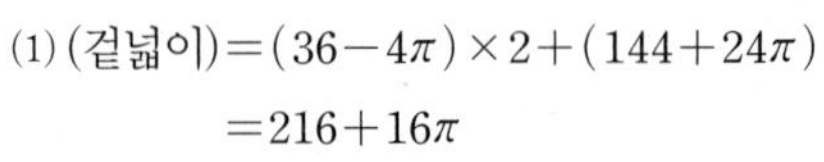

(밑넓이) $=$(사각기둥의 밑넓이)
$-$(원기둥의 밑넓이)
$=6^2-\pi\times2^2=36-4\pi$

(옆넓이) $=$(사각기둥의 옆넓이)
$+$(원기둥의 옆넓이)
$=(6+6+6+6)\times6+4\pi\times6$
$=144+24\pi$

(1) (겉넓이) $=(36-4\pi)\times2+(144+24\pi)$
$=216+16\pi$

(2) (부피) $=$(밑넓이) $\times$ (높이)
$=(36-4\pi)\times6$
$=216-24\pi$

다른 풀이 (부피) $=$(사각기둥의 부피) $-$ (원기둥의 부피)
$=6^3-(\pi\times2^2)\times6=216-24\pi$

5-2 답 (1) 866 (2) 1416

(밑넓이) $=20\times9-3\times\pi\times1^2=(180-3\pi)\ \mathrm{cm}^2$

구멍 하나의 옆넓이가 $2\pi\times1\times8=16\pi\ (\mathrm{cm}^2)$이므로

(옆넓이) $=\{2\times(20+9)\}\times8+16\pi\times3=(464+48\pi)\ \mathrm{cm}^2$

(1) (겉넓이) $=2(180-3\pi)+464+48\pi$
$=(824+42\pi)\ \mathrm{cm}^2$

(2) (부피) $=(180-3\pi)\times8=(1440-24\pi)\ \mathrm{cm}^3$

6-1 답 412

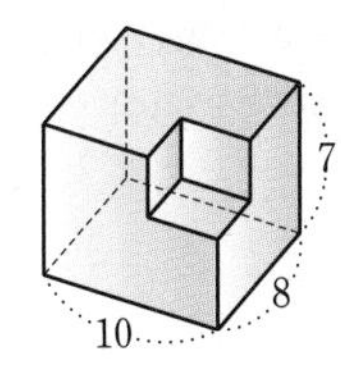

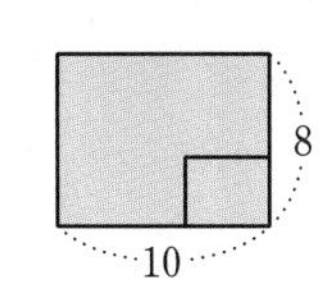

그림과 같이 색칠된 두 면을 합하여 생각하면 주어진 입체도형의 겉넓이는 작은 직육면체를 떼어내기 전 직육면체의 겉넓이와 같으므로 $(10\times8+10\times7+8\times7)\times2=412$

6-2 답 168

다음 그림과 같이 면을 이동시키면 잘라낸 입체도형의 겉넓이는 잘라내기 전 삼각기둥의 겉넓이와 같다.

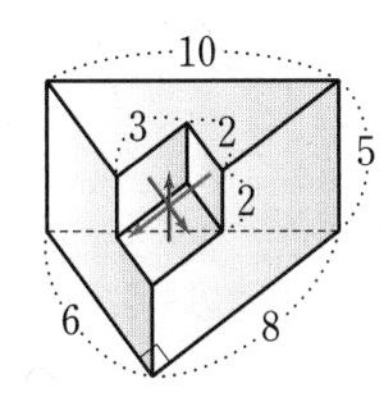

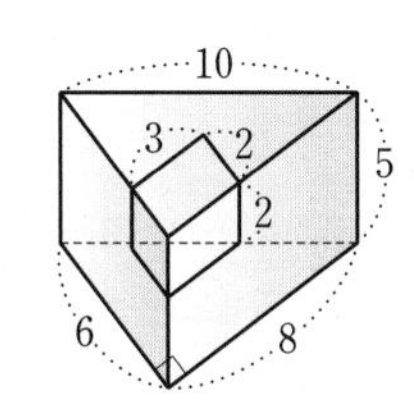

(밑넓이)$=\dfrac{1}{2}\times8\times6=24$

(옆넓이)$=(6+8+10)\times5=120$

$\therefore$ (겉넓이)$=24\times2+120=168$

STEP 2 반드시 등수 올리는 문제 pp. 085～091

01 ④	**02** 288 cm^2	**03** ㈏
04 ①	**05** ④	**06** ④
07 10 cm	**08** 27	
09 (1) 34 cm^3 (2) 86 cm^2		**10** 74
11 ④	**12** ①	**13** 72π
14 (1) 106π (2) 2	**15** 13	**16** 153π
17 16개	**18** 256	**19** 20상자
20 (1) A (2) B	**21** 23배	**22** 2 cm
23 72	**24** ⑤	**25** 252π
26 34π	**27** 216π	**28** ④

01 답 ④

주어진 바둑판의 겉넓이는

(접은 경우)$=2(10\times4+20\times4+20\times10)=640\ (\text{cm}^2)$

(편 경우)$=2(20\times2+20\times2+20\times20)=960\ (\text{cm}^2)$

따라서 두 경우에서 겉넓이 차는 320 cm^2

전략

접은 경우에서 그림과 같이 편 경우를 생각할 수 있다.

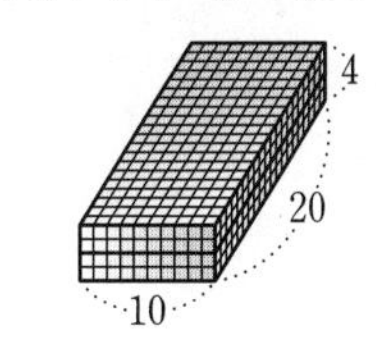

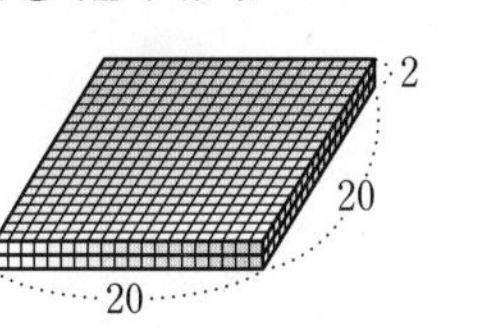

02 답 288 cm^2

(큰 정육면체의 겉넓이)$=4\times4\times6=96\ (\text{cm}^2)$

큰 정육면체의 각 모서리를 사등분하면 모서리 길이가 1 cm인 정육면체가 64개 생긴다.

(작은 정육면체 64개의 겉넓이)$=1\times1\times6\times64=384\ (\text{cm}^2)$

두 경우에서 겉넓이 차가 288 cm^2이므로 페인트가 칠해져 있지 않은 면의 전체 넓이도 288 cm^2이다.

전략

모서리 길이가 4 cm인 정육면체의 겉넓이와 모서리 길이가 1 cm인 정육면체 64개의 겉넓이 차를 구한다.

03 답 ㈏

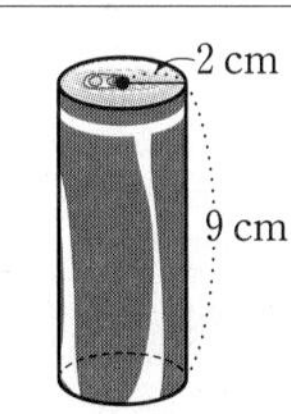

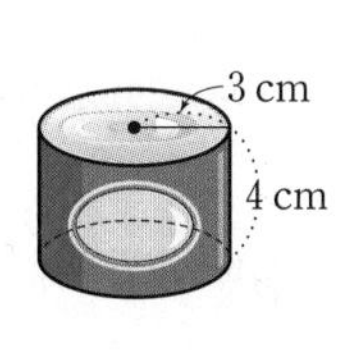

원기둥 ㈎의 겉넓이는 $\pi\times2^2\times2+2\pi\times2\times9=44\pi\ (\text{cm}^2)$

원기둥 ㈏의 겉넓이는 $\pi\times3^2\times2+2\pi\times3\times4=42\pi\ (\text{cm}^2)$

즉 원기둥 ㈏의 겉넓이가 더 작으므로 더 경제적이다.

전략

두 원기둥의 겉넓이를 비교해 겉넓이가 더 작은 것을 선택한다.

04 답 ①

(버린 물의 부피)=(남은 부분을 채운 물의 부피)

$$=\frac{1}{2}\pi\times4^2\times4=32\pi\ (\text{cm}^3)$$

전략

버린 물의 부피와 남은 부분을 채운 물의 부피가 같다. 그림과 같이 생각하면 이 부피를 구할 수 있다. 즉 밑면의 반지름 길이가 4 cm이고, 높이가 4 cm인 원기둥 부피의 절반과 같다.

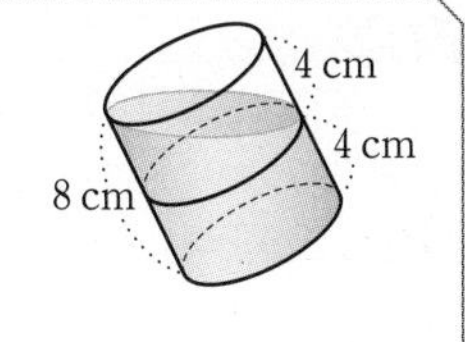

05 답 ④

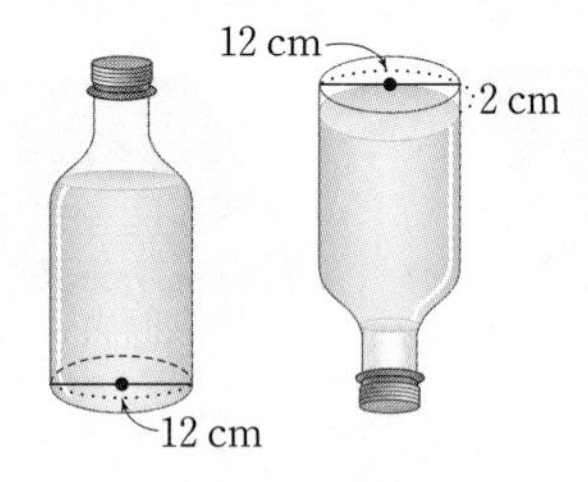

(물의 부피)$=500$ cm^{3}이므로 위 오른쪽 그림에서

(병의 부피)$=$(물의 부피)$+$(남은 부피)

$=500+\pi\times6^2\times2=(500+72\pi)$ cm^3

전략

(음료수 병의 부피)$=$(물의 부피)$+$(남은 부피)

06 답 ④

두 원기둥이 겹쳐진 부분의 밑면은 그림에서 색칠한 부분과 같다.

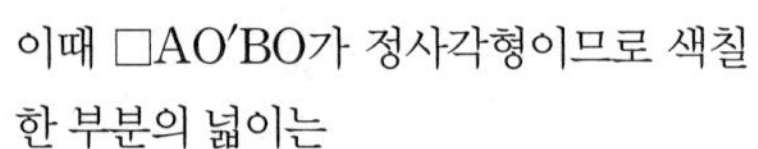

이때 □AO′BO가 정사각형이므로 색칠한 부분의 넓이는

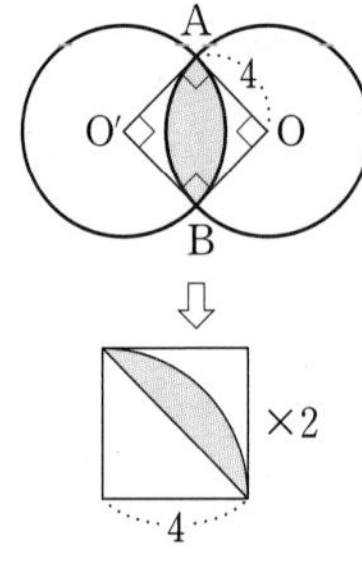

2(부채꼴 AOB의 넓이$-$△AOB의 넓이)

$=2\left(\pi\times4^2\times\frac{1}{4}-\frac{1}{2}\times4\times4\right)$

$=8\pi-16$

기둥의 높이가 20이므로 구하려는 부피는

$20(8\pi-16)=160\pi-320$

전략

부피를 구하려는 도형은 기둥이므로 밑면의 넓이를 구하는 방법을 생각한다.

07 답 10 cm

통에서 물이 이루는 기둥을 생각할 때 밑면 넓이는 반지름 길이가 10 cm이고 중심각 크기가 90°인 부채꼴에서 밑변 길이와 높이가 10 cm인 삼각형을 뺀 것과 같다. 즉 밑면 넓이가

$\pi\times10^2\times\frac{1}{4}-\frac{1}{2}\times10\times10=(25\pi-50)$ cm^2

물의 부피는 $40(25\pi-50)=(1000\pi-2000)$ cm^3

또 물 2000 cm^{3}를 더 부었을 때 부피는 1000π cm^3

이때 구하려는 물의 높이를 x cm라 하면

$1000\pi=\pi\times10^2\times x$에서 $x=10$ $\therefore$ 10 cm

전략

문제에 주어진 물의 부피는 밑면이 오른쪽 그림과 같고, 높이는 40 cm인 기둥의 부피와 같음을 이용한다.

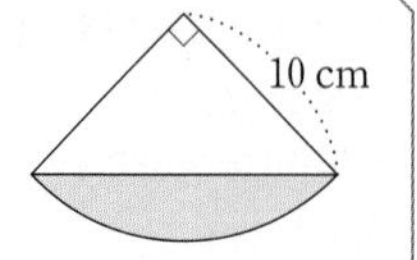

08 답 27

문제에서 주어진 입체도형과 같은 입체도형을 뒤집어 붙이면 그림과 같이 반지름의 길이가 3이고, 높이가 20인 원기둥 3개가 된다.

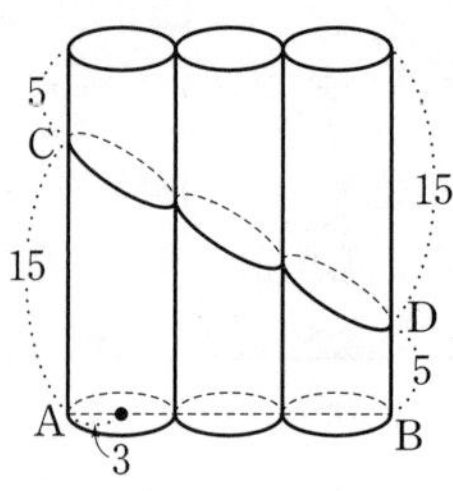

원기둥 3개의 부피는

$3\times(\pi\times3^2)\times20=540\pi$

따라서 주어진 입체도형의 부피 V는

$V=540\pi\div2=270\pi$

$\therefore \frac{V}{10\pi}=27$

전략

문제에서 주어진 입체도형과 같은 입체도형을 뒤집어서 붙인다.

09 답 (1) 34 cm^3 (2) 86 cm^2

(1) 부피가 1cm^{3}인 쌓기나무가 $21+10+3=34$(개) 있으므로 쌓기나무로 쌓은 입체도형의 부피는 34 cm^3

(2) 앞과 뒤에서 본 쌓기나무는 각각 13개,
옆면 오른쪽과 옆면 왼쪽에서 본 쌓기나무는 각각 9개,
위와 아래에서 본 쌓기나무는 각각 21개
따라서 넓이가 1 cm^{2}인 정사각형 면이
$2(13+9+21)=86$(개) 있으므로
주어진 쌓기나무를 쌓아 만든 입체도형의 겉넓이는 86 cm^2

전략

쌓기나무를 이용해 만든 입체도형의 부피를 구할 때는 그 개수를 이용하고, 겉넓이를 구할 때는 6 방향에서 본 면의 개수를 이용한다.

10 답 74

정육면체 2개를 규칙에 따라 놓으면 겹치는 사등분된 정육면체는 1개이고, 정육면체 3개를 규칙에 따라 놓으면 겹치는 사등분된 정육면체는 2개다. 이렇게 생각하면 정육면체 n개를 규칙에 따라 놓으면 겹치는 사등분된 정육면체는 $(n-1)$개이므로 사등분된 각기둥은 모두 $4n-(n-1)=3n+1$(개) 생긴다.

따라서 정육면체 12개를 규칙에 따라 놓을 때 사등분된 각기둥은 $3\times12+1=37$(개) 생기므로 이때 만들어진 입체도형은 밑넓이가 37이고, 높이는 2이므로 그 부피는 $37\times2=74$

전략

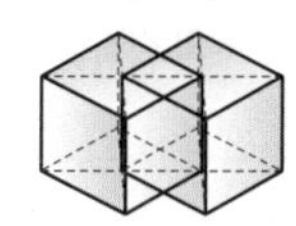

위에서 본 모양

위 그림처럼 생각하면 색칠한 부분에서 두 정육면체가 겹치고, 색칠한 부분이 나타내는 각기둥의 부피는 모서리 길이가 2인 정육면체 부피의 4분의 1이므로 2가 된다고 생각해도 된다.

11 답 ④

(중심각의 크기가 150°인 부채꼴 호의 길이)

$=2\pi\times12\times\frac{150}{360}=10\pi$

밑면 원의 반지름 길이를 r라 하면 $10\pi=2\pi r$에서 $r=5$이므로

(원뿔 겉넓이)=(부채꼴 넓이)+(밑면 넓이)

$=\pi\times12^2\times\frac{150}{360}+\pi\times5^2=85\pi$

전략

중심각의 크기 150°인 부채꼴의 호 길이와 밑면인 원의 둘레 길이가 서로 같음을 이용한다.

12 답 ①

전개도에서 만들어지는 입체도형은 밑면이 그림과 같은 사각뿔이다.

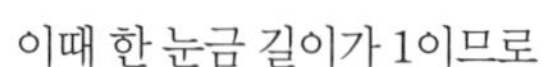

이때 한 눈금 길이가 1이므로

(밑면 넓이)=(①의 넓이)+(②의 넓이)+(③의 넓이)

$=6+\frac{1}{2}\times4\times1+\frac{1}{2}\times2\times3=11$

사각뿔의 높이 $\overline{AE}=\overline{AF}=3$이므로

(사각뿔의 부피)$=\frac{1}{3}\times11\times3=11$

전략

만들어지는 입체도형은 그림과 같은 사각뿔이다.
이때 (사각뿔의 높이)$=\overline{AE}=\overline{AF}$이다.

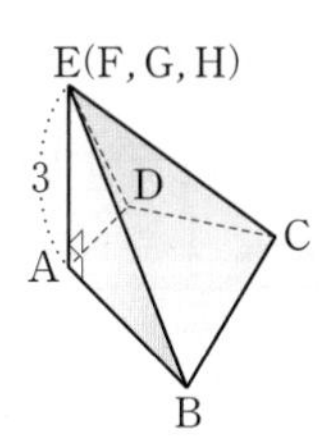

13 답 72π

중심이 O인 원의 둘레 길이는 원뿔 밑면 둘레 길이의 2배이므로

$(2\pi\times6)\times2=24\pi$

이 원의 반지름 길이를 r라 하면 둘레 길이가 24π이므로

$2\pi r=24\pi$ $\therefore r=12$

따라서 원의 넓이는 $\pi\times12^2=144\pi$

이때 원뿔의 옆넓이는 원 넓이의 $\frac{1}{2}$이므로 $\frac{1}{2}\times144\pi=72\pi$

전략

서로 같은 것이 무엇인지 주목하여 중심이 O인 원의 반지름 길이를 구하는 방법을 찾는다.

14 답 (1) 106π (2) 2

(컵 A의 부피)$=2\pi$, (컵 B의 부피)$=5\pi$

(컵 C의 부피)$=27\pi$이고, (원뿔 모양 물통 부피)$=120\pi$

(1) 먼저 컵 A로 7번 물을 부었으므로

(더 채워야 하는 물의 부피)$=120\pi-2\pi\times7=106\pi$

(2) 106π 만큼 더 채우기 위해 컵 B를 x번 사용했다면

컵 C는 $15-7-x$, 즉 $(8-x)$번 사용했으므로

$5\pi\times x+27\pi(8-x)=106\pi$에서

$5x+216-27x=106$, 즉 $22x=110$ $\therefore x=5$

따라서 컵 B를 5번, 컵 C를 3번 사용했으므로

구하려는 값은 $5-3=2$

전략

세 컵을 모두 합쳐 15번 사용했고, 이미 컵 A를 7번 사용했으므로 컵 B를 x번 사용했다면, 컵 C는 $(8-x)$번 사용했다고 할 수 있다.

15 답 13

$A=\frac{1}{3}\pi(2r)^2\times4r=\frac{16}{3}\pi r^3$, $B=\pi r^2\times2r=2\pi r^3$

$C=$(반지름 길이가 r인 구의 부피)$=\frac{4}{3}\pi r^3$

이때 $A:B:C=\frac{16}{3}\pi r^3:2\pi r^3:\frac{4}{3}\pi r^3=8:3:2$

즉 $a=8$, $b=3$, $c=2$이므로 $a+b+c=13$

전략

원뿔은 밑면 반지름 길이가 $2r$, 높이가 $4r$이고, 원기둥은 밑면 반지름 길이가 r, 높이가 $2r$이다.

16 답 153π

잘라낸 구의 겉넓이는 반지름 길이가 6인 구의 겉넓이의 $\frac{7}{8}$과 반지름 길이가 6인 사분원 3개의 넓이를 더한 것과 같다.

즉 $\frac{7}{8}\times4\pi\times6^2+\left(\frac{1}{4}\pi\times6^2\right)\times3=153\pi$

전략

구의 겉넓이의 $\frac{7}{8}$과 단면 3개의 넓이를 더한다.

17 답 16개

주어진 쇠구조물에서

(원뿔 부분의 부피)$=\frac{1}{3}\pi\times4^2\times8=\frac{128}{3}\pi$ (cm^3)

(원기둥 부분의 부피)$=\pi\times4^2\times8=128\pi$ (cm^3)

즉 쇠구조물의 부피는 $\frac{128}{3}\pi+128\pi=\frac{4\times128}{3}\pi$ (cm^3)

반지름 길이가 2 cm인 쇠구슬의 부피는 $\frac{4}{3}\pi\times2^3$ (cm^3)이므로

$\frac{4\times128}{3}\pi\div\frac{4}{3}\pi\times2^3=16$

따라서 만들 수 있는 쇠구슬은 모두 16개

전략

원뿔 부피와 원기둥 부피의 합이 쇠구조물 부피임을 이용한다.

18 답 256

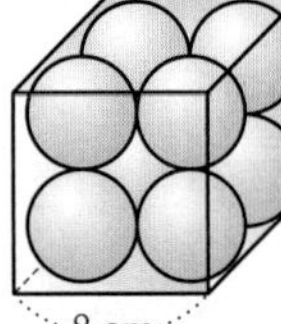

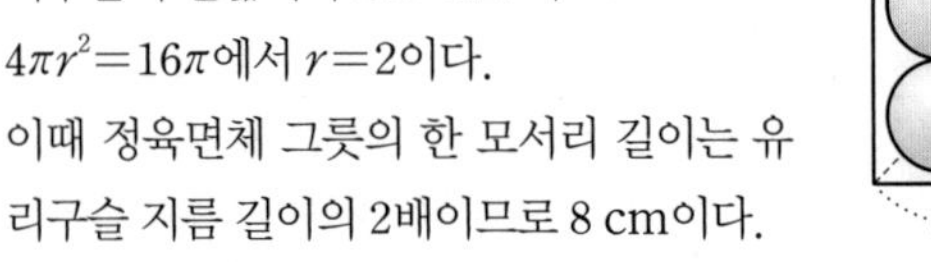

유리구슬의 반지름 길이를 r cm라 하면 유리구슬의 겉넓이가 16π cm^2이므로

$4\pi r^2=16\pi$에서 $r=2$이다.

이때 정육면체 그릇의 한 모서리 길이는 유리구슬 지름 길이의 2배이므로 8 cm이다.

(필요한 물의 양)

$=$(정육면체 그릇 부피)$-$(유리구슬 8개의 부피)

$=8^3-\frac{4}{3}\pi\times2^3\times8=\left(512-\frac{256}{3}\pi\right)$ cm^3

에서 $a=512$, $b=\frac{256}{3}$이므로 $a-3b=512-256=256$

전략

유리구슬 겉넓이를 이용해 유리구슬의 반지름 길이와 정육면체 그릇의 한 모서리 길이를 구한다.

19 답 20상자

(반지름 길이가 8 cm인 구의 부피)

$=\frac{4}{3}\pi\times8^3=\frac{2048}{3}\pi$ (cm^3)

(반지름 길이가 r cm인 구 64개의 부피)

$=\frac{4}{3}\pi r^3\times64=\frac{256r^3}{3}\pi$ (cm^3)

즉 $\frac{2048}{3}\pi=\frac{256r^3}{3}\pi$에서 $r^3=8$ $\therefore r=2$

이때 상자의 세 모서리 길이는 각각 12 cm, 4 cm, 4 cm이므로 뚜껑이 없는 직육면체의 겉넓이는

$12\times4+2(4\times4+12\times4)=176$ (cm^2)

(선물 상자 1개를 만드는 비용)

$=$(작은 초콜릿 3개의 값)$+$(상자 비용)

$=32000\times\frac{3}{64}+176\times5=2380$(원)

이때 $\frac{47600}{2380}=20$이므로 만들 수 있는 선물 상자는 최대 20상자

전략

작은 초콜릿의 반지름 길이 r의 값을 이용해 직육면체의 겉넓이를 구해 선물 상자 1개를 만드는 비용을 계산한다.

20 답 (1) A (2) B

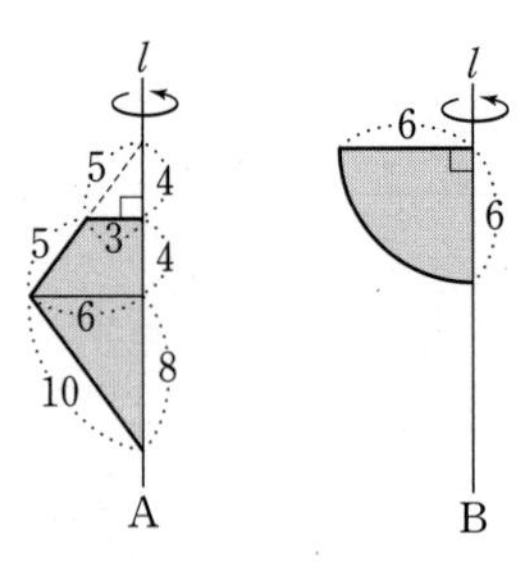

(1) (회전체 A의 부피)

$=\frac{1}{3}\pi\times6^2\times8-\frac{1}{3}\pi\times3^2\times4+\frac{1}{3}\pi\times6^2\times8$

$=180\pi$

(회전체 B의 부피)$=\frac{1}{2}\times\frac{4}{3}\pi\times6^3=144\pi$

따라서 회전체 A에 더 많은 물을 담을 수 있다.

(2) (뚜껑을 제외한 회전체 A의 겉넓이)

$=$(원뿔대 옆넓이)$+$(원뿔 옆넓이)

에서 원뿔대와 원뿔의 옆면이 되는 부채꼴의 중심각 크기를 x라 하면

5 10 x 12π

$2\pi\times10\times\frac{x}{360}=2\pi\times6$

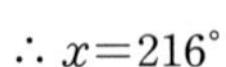

$\therefore x=216°$

(원뿔대 옆넓이)

$=(\pi\times10^2-\pi\times5^2)\times\frac{216}{360}=45\pi$

(원뿔 옆넓이)$=\pi\times10^2\times\frac{216}{360}=60\pi$

즉 (뚜껑을 제외한 회전체 A의 겉넓이)$=105\pi$

(뚜껑을 제외한 회전체 B의 겉넓이)

$=\frac{1}{2}\times4\pi\times6^2=72\pi$

따라서 회전체 B가 재료비가 적게 든다.

전략

① 회전체 A의 겨냥도와 전개도를 생각해 본다.

② 반구의 겉넓이와 부피를 구하는 방법을 확인한다.

21 답 23배

정육면체의 한 모서리 길이를 $2a$라 하면

작은 입체도형인 삼각뿔의 부피는 $\frac{1}{3}\times\frac{1}{2}a^2\times2a=\frac{1}{3}a^3$이고

정육면체의 부피는 $8a^3$이므로

큰 입체도형의 부피는

$8a^3-\frac{1}{3}a^3=\frac{23}{3}a^3$

따라서 $\frac{23}{3}a^3 \div \frac{1}{3}a^3=23$이므로

큰 입체도형의 부피는 작은 입체도형 부피의 23배이다.

전략
작은 입체도형은 삼각뿔이다. 정육면체의 한 모서리 길이를 $2a$라 하고, 이 삼각뿔의 부피를 구한다. 정육면체의 모서리 길이를 그냥 a라 놓는 것보다 계산이 더 간단하다.

22 답 2 cm

(입체도형 A의 부피)=(사각뿔의 부피)×2

$$=\left(\frac{1}{3}\times 2\times\frac{1}{2}\times 12\times 6\times 6\right)\times 2$$

$$=288(\text{cm}^3)$$

이 부피와 밑면 넓이가 144 cm^2이고 높이가 x cm인 사각기둥의 부피가 서로 같다고 생각하면

$288=144\times x$에서 $x=2$

따라서 구하려는 높이는 2 cm

전략
정육면체의 각 면의 중점을 연결해서 얻은 입체도형은 정팔면체이다. 정팔면체는 사각뿔 2개가 합쳐진 것과 같다. 사각뿔의 밑면을 그림처럼 생각하면 그 넓이는

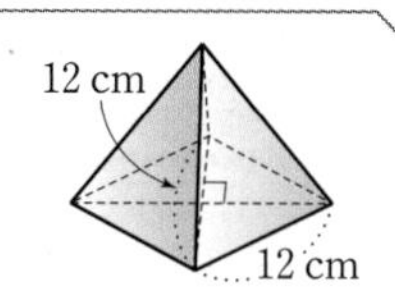

$2\times\frac{1}{2}\times 12\times 6=72\ (\text{cm}^2)$이다.

참고
정육면체의 각 면의 중점을 연결해서 얻은 정팔면체에 대하여
(정육면체의 부피) : (정팔면체의 부피)=6 : 1

23 답 72

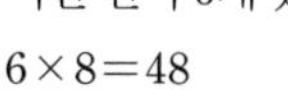

그림에서 바깥쪽 한 면의 넓이는

$3^2-1^2=8$

이런 면이 6개 있으므로

$6\times 8=48$

사각기둥 구멍 한 개에서 옆면 4개가 생기므로 그 겉넓이는 $1\times 1\times 4=4$

이런 사각기둥 구멍이 6개 있으므로 $6\times 4=24$

따라서 전체 겉넓이는 $48+24=72$

전략
사각기둥 구멍 한 개가 차지하는 겉넓이를 더해야 한다.

24 답 ⑤

입체도형의 윗부분은 그림에서 색칠한 부분이 밑면인 기둥이므로 입체도형의 겉넓이에서 반지름 길이가 4인 원이 2개임을 알 수 있다. 즉 밑넓이는 $2\times\pi\times 4^2=32\pi$

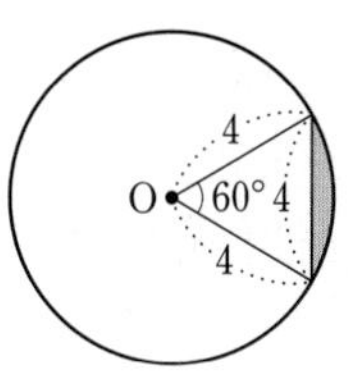

또 그림에서 색칠한 부분의 호의 길이는

$2\pi\times 4\times\frac{60}{360}=\frac{4}{3}\pi$이므로 옆넓이는

$2\pi\times 4\times 4+\frac{4}{3}\pi\times 6+4\times 6=40\pi+24$

따라서 겉넓이는 $32\pi+(40\pi+24)=72\pi+24$

전략
밑면의 반지름 길이가 4이고, 높이가 4인 원기둥의 겉넓이와 활꼴 부분이 밑면인 기둥의 옆넓이를 더하면 된다.

25 답 252π

잠자리가 움직일 수 있는 공간은 반지름 길이가 6인 구에서 주어진 정육면체 탁자가 차지하는 공간을 뺀 부분이므로 그림과 같다.

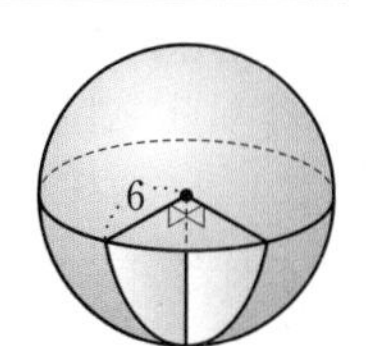

이때 이 입체의 부피는

(구의 부피)$-$(반구 부피의 $\frac{1}{4}$)이므로

$\frac{4}{3}\pi\times 6^3-\frac{1}{2}\times\frac{4}{3}\pi\times 6^3\times\frac{1}{4}=252\pi$

전략
정육면체 탁자가 없다면 잠자리가 움직일 수 있는 공간은 반지름 길이가 6인 구와 같다. 그런데 정육면체 부분은 움직일 수 없으므로 구에서 정육면체 부분을 뺀 것을 생각한다.

26 답 34π

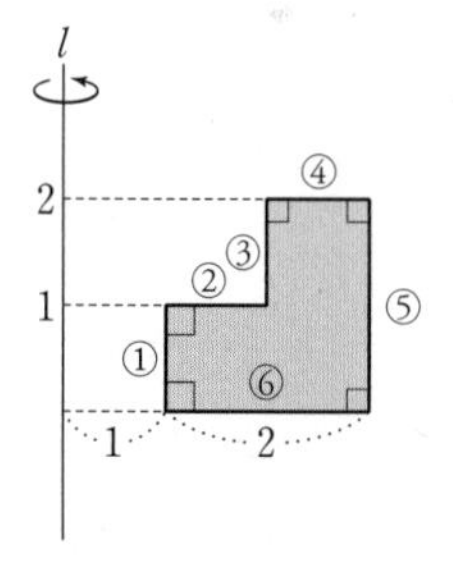

주어진 도형을 직선 l을 축으로 1회전시키면 그림에서 ①, ③, ⑤는 원기둥 옆면을 만들고 ②, ④, ⑥은 원기둥 밑면이 된다. 이때

(①이 회전해서 생긴 면의 넓이)$=2\pi\times 1\times 1=2\pi$

(③이 회전해서 생긴 면의 넓이)$=2\pi\times 2\times 1=4\pi$

(⑤가 회전해서 생긴 면의 넓이)$=2\pi\times 3\times 2=12\pi$

(⑥이 회전해서 생긴 면의 넓이)$=\pi\times 3^2-\pi\times 1^2=8\pi$

(②가 회전해서 생긴 면의 넓이)$=\pi\times 2^2-\pi\times 1^2=3\pi$

(④가 회전해서 생긴 면의 넓이)$=\pi\times 3^2-\pi\times 2^2=5\pi$

따라서 주어진 도형이 회전해서 생긴 입체도형의 겉넓이는

$2\pi+4\pi+12\pi+8\pi+3\pi+5\pi=34\pi$

전략
회전하는 도형의 각 변이 만들어내는 면이 어떤 모양인지 생각해 보고 각 면의 넓이를 구한다.

27 답 216π

회전해서 면을 만들어 낼 수 있는 선을 그림처럼 구분할 수 있다.

①이 회전하면 반지름 길이가 6인 원이 되므로

(①이 회전해서 생긴 면의 넓이)

$=\pi\times6^2=36\pi$

②가 회전하면 원기둥 옆면이 생기므로

(②가 회전해서 생긴 면의 넓이)

$=12\pi\times6=72\pi$

③이 회전하면 반지름 길이가 6인 반구가 되므로

(③이 회전해서 생긴 면의 넓이)$=\frac{1}{2}\times4\pi\times6^2=72\pi$

④가 회전하면 반지름 길이가 3인 구가 되므로

(④가 회전해서 생긴 면의 넓이)$=4\pi\times3^2=36\pi$

따라서 주어진 도형이 회전해서 생긴 입체도형의 겉넓이는

$36\pi+72\pi+72\pi+36\pi=216\pi$

회전하는 도형의 각 선이 만들어내는 면이 어떤 모양인지 생각해 보고 각 면의 넓이를 구한다.

28 답 ④

그림처럼 생각하면

$\overline{BP}$는 공통, $\angle ABP=\angle CBP$

이고 $\angle BPD=\angle BPC$이므로

$\triangle BDP\equiv\triangle BCP$ (ASA 합동)

이때 $\overline{PE}=x$라 하면 $\overline{DP}=6-x$이므로

$\overline{DE}=6-2x$

($\square$ABPE의 넓이)+($\triangle$DAE의 넓이)

=($\triangle$BCP의 넓이)

에서 $\frac{3}{2}x+\frac{1}{2}(6-2x)=\frac{1}{2}(6-x)\times2$ $\quad\therefore x=2$

따라서 이 입체의 부피는

$\pi\times3^2\times6-\left(\frac{1}{3}\pi\times2^2\times4-\frac{1}{3}\pi\times1^2\times2+\frac{1}{3}\pi\times2^2\times4\right)$

$=54\pi-10\pi=44\pi$

전략

색칠한 부분을 회전하면 원기둥에서 원뿔대와 원뿔을 뺀 것과 같다. 각 크기가 같은 조건에서 합동인 삼각형을 찾을 수 있다. 이 사실을 이용해 빼야 하는 원뿔의 높이를 구한다.

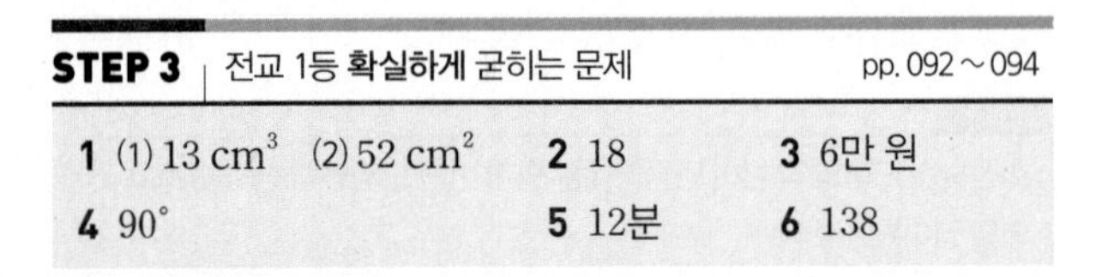

STEP 3 | 전교 1등 **확실하게** 굳히는 문제 pp. 092 ~ 094

1 (1) 13 cm³ (2) 52 cm²	**2** 18	**3** 6만 원
4 90°	**5** 12분	**6** 138

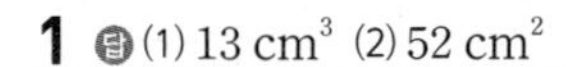

1 답 (1) 13 cm³ (2) 52 cm²

(1) 옆에서 본 그림과 앞에서 본 그림을 이용해 위에서 본 그림 각 칸에 쌓기나무가 몇 개씩 있는지 나타내면 그림과 같다.

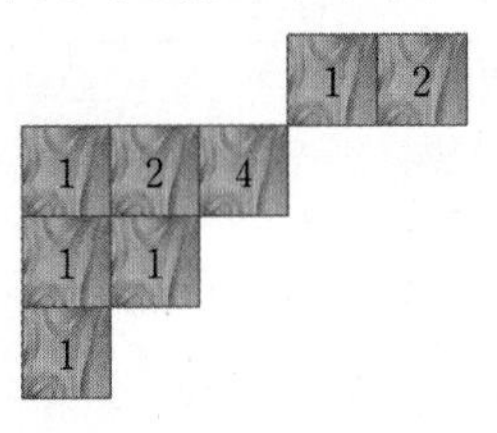

따라서 전체 쌓기나무는 13개이므로 그 부피는 13 cm³

(2) 위와 아래에서 본 쌓기나무는 각각

$3+2+1+1+1=8$(개)

옆면 오른쪽과 옆면 왼쪽에서 본 쌓기나무는 각각

$1+1+4+2=8$(개)

앞과 뒤에서 본 쌓기나무는 각각

$1+2+4+1+2=10$(개)

따라서 넓이가 1 cm²인 정사각형 면이 $2(10+8+8)=52$(개) 있으므로 구하려는 입체도형의 겉넓이는 52 cm²

전략

쌓기나무의 개수를 헤아릴 때는 옆에서 본 그림과 앞에서 본 그림을 이용해 위에서 본 그림 각 칸에 쌓기나무가 몇 개씩 놓여 있는지 적어본다.

2 답 18

밑면인 정삼각형의 높이를 x라 하면

주어진 삼각기둥의 부피는

$\frac{1}{2}\times4\times x\times6=12x$이고

$V_1=\frac{1}{3}\times\frac{1}{2}(3+4)\times4\times x=\frac{14}{3}x$

$V_3=\frac{1}{3}\times\frac{1}{2}(2+3)\times4\times x=\frac{10}{3}x$

$V_2=12x-\left(\frac{14}{3}x+\frac{10}{3}x\right)=4x$

$\therefore V_1:V_2:V_3=\frac{14}{3}x:4x:\frac{10}{3}x=7:6:5$

따라서 $k+m+n=7+6+5=18$

전략

평면 APQ로 잘랐을 때 생긴 사각뿔 A−BPQC의 부피 V_1과 평면 DPQ로 잘랐을 때 생긴 사각뿔 D−PEFQ의 부피 V_3를 구하는 방법을 생각해 본다. 이때 V_2=(전체 부피)$-(V_1+V_3)$이다.

3 답 6만 원

주어진 도형에서 각 선분을 그림처럼 구분할 수 있다.

①이 회전하면 구멍 뚫린 원이 되므로

(①이 회전해서 생긴 면의 넓이)

$=\pi\times3^2-\pi\times1^2=8\pi$ (m²)

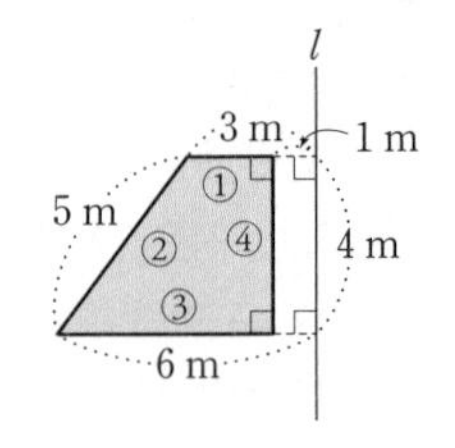

②가 회전하면 그림과 같은 원뿔대의 옆면이 생기므로

(②가 회전해서 생긴 면의 넓이)

$=\pi\times10^2\times\frac{216}{360}-\pi\times5^2\times\frac{216}{360}$

$=45\pi\ (\mathrm{m}^2)$

③이 회전하면 구멍 뚫린 원이 되므로

(③이 회전해서 생긴 면의 넓이)$=\pi\times6^2-\pi\times1^2=35\pi\ (\mathrm{m}^2)$

④가 회전하면 원기둥 옆면이 되므로

(④가 회전해서 생긴 면의 넓이)$=2\pi\times4=8\pi\ (\mathrm{m}^2)$

따라서 주어진 도형이 회전해서 생긴 입체도형의 겉넓이는

$8\pi+45\pi+35\pi+8\pi=96\pi\ (\mathrm{m}^2)$

$96\pi\div8\pi=12$, 즉 페인트 12통이 필요하므로

페인트칠 하는 총 비용은 $12\times5000=60000$원

전략

주어진 도형에서 각 선분이 회전할 때 생기는 면의 넓이를 더해서 구조물의 겉넓이를 구한다.

※ 2단계 20번 풀이 참고

4 답 90°

(반지름 길이가 3인 구슬 7개의 부피)$=\frac{4}{3}\pi\times3^3\times7=252\pi$

이때 장식품과 같은 입체도형의 부피는

$\frac{1}{3}\pi\times8^2\times18\times\frac{(360-x)}{360}-\frac{1}{3}\pi\times4^2\times9\times\frac{(360-x)}{360}$

$=336\pi\times\frac{(360-x)}{360}$

즉 $336\pi\times\frac{(360-x)}{360}=252\pi$

에서 $\frac{(360-x)}{360}=\frac{3}{4}$

$\therefore x=90°$

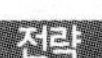

전략

밑면인 원의 중심이 O인 그림과 같은 입체도형의 부피는

$\frac{1}{3}\pi\times r^2\times\frac{(360-x)}{360}\times h$

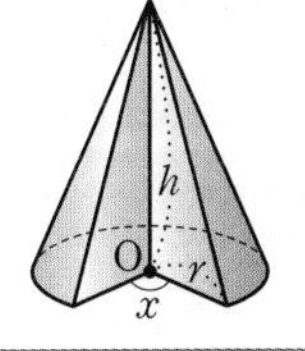

5 답 12분

원뿔 모양 그릇에 물을 가득 채웠을 때 물의 부피는

$\frac{1}{3}\pi\times6^2\times12=144\pi\ (\mathrm{cm}^3)$

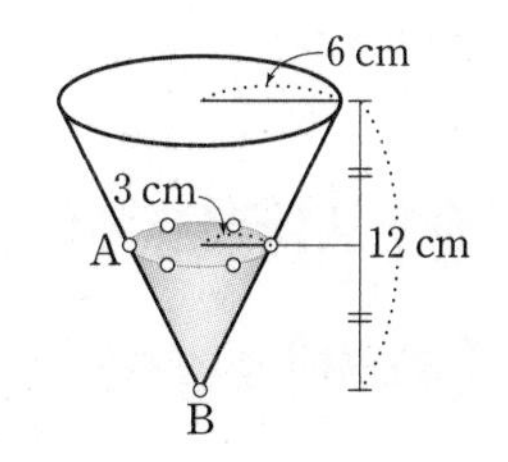

이때 물 높이가 A지점에 이르렀을 때까지 물 (그림에 나타낸 부분)은 구멍 7군데에서 동시에 빠지므로 원뿔대 부분에 해당하는 물은 1분에 $21\pi\ \mathrm{cm}^3$씩 빠진다.

원뿔대 부분을 차지하는 물의 부피는

$144\pi-\frac{1}{3}\pi\times3^2\times6=126\pi\ (\mathrm{cm}^3)$

이 물이 빠지는 데 걸리는 시간은 $126\pi\div21\pi=6$(분)

남은 물 $\frac{1}{3}\pi\times3^2\times6=18\pi\ (\mathrm{cm}^3)$이 빠지는데 걸리는 시간은

$18\pi\div3\pi=6$(분)

따라서 물이 다 빠질 때까지 걸리는 시간은 총 $6+6=12$(분)

전략

물 높이가 A지점보다 위에 있을 때는 구멍 7군데에서 물이 빠져 나가고 (1분에 $21\pi\ \mathrm{cm}^3$), A지점보다 아래에 있을 때는 구멍 1군데에서만 물이 빠져 나간다 (1분에 $3\pi\ \mathrm{cm}^3$).

6 답 138

$V=2\pi\times\frac{a+b}{2}\times(b-a)c$에서

$(b-a)c$

=(회전시키려는 직사각형의 넓이)

이고, 그림처럼 생각하면 $b=a+2x$

이때 $\frac{a+b}{2}=\frac{a+(a+2x)}{2}=a+x$

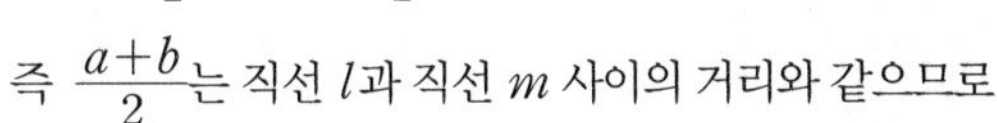

즉 $\frac{a+b}{2}$는 직선 l과 직선 m 사이의 거리와 같으므로

$V=2\pi\times\frac{a+b}{2}\times(b-a)c$

$=2\times$(직선 l과 m 사이의 거리)$\times$(색칠한 직사각형의 넓이)

$=2\pi\times3\times23=138\pi$

따라서 $\frac{V}{\pi}=138$

전략

$\frac{a+b}{2}$와 $(b-a)c$가 나타내는 내용을 각각 설명해 본다.

Ⅳ 통계

01 자료의 정리와 해석

[확인 ❶] 답 (1) 8명 (2) 44개

(1) 줄기 4와 줄기 5의 잎의 개수를 헤아려 모두 더하면 된다.
즉 $6+2=8$(명)

(2) 줄기 5의 잎에서 큰 수부터 헤아려 5번째에 있는 값,
즉 줄기 4의 잎이 4이므로 44개이다.

[확인 ❷] 답 (1) 5점 (2) 12.5점 (3) 7명

(1) (계급의 크기)$=5-0=\cdots=20-15=5$(점)

(2) 도수가 13명인 계급, 즉 10점 이상 15점 미만인 계급이므로
계급값은 $\frac{10+15}{2}=12.5$(점)

(3) 5점 이상 10점 미만인 계급의 계급값이 7.5점이므로
이 계급의 도수는 7명

[확인 ❸] 답 (1) 8시간 이상 10시간 미만 (2) 8명 (3) 풀이 참조

(1) 세로 길이가 가장 긴 직사각형을 고른다.
즉 8시간 이상 10시간 미만인 계급이다.

(2) 10시간 이상 12시간 미만인 계급의 도수는 5명,
12시간 이상 14시간 미만인 계급의 도수는 3명이다.
따라서 $5+3=8$(명)

(3) 각 직사각형 윗변의 중점을 연결해 도수분포다각형을 그리면 오른쪽과 같다.

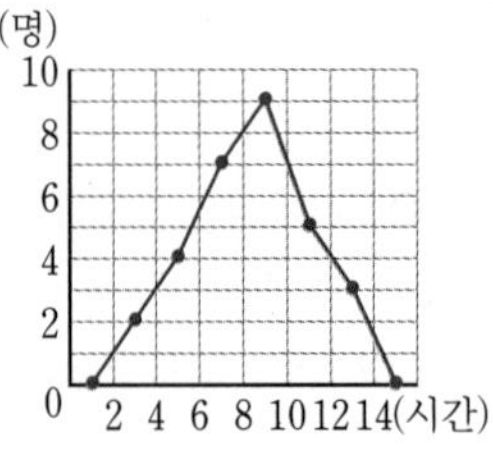

[확인 ❹] 답 풀이 참조

$\frac{7}{50}=0.14$, $\frac{11}{50}=0.22$, $\frac{14}{50}=0.28$이므로
맨 위부터 차례로 0.14, 0.22, 0.28
이때 (55, 0.14), (75, 0.22), (85, 0.28)이 나타내는 점을 찍고 선분으로 연결하면 다음과 같다.

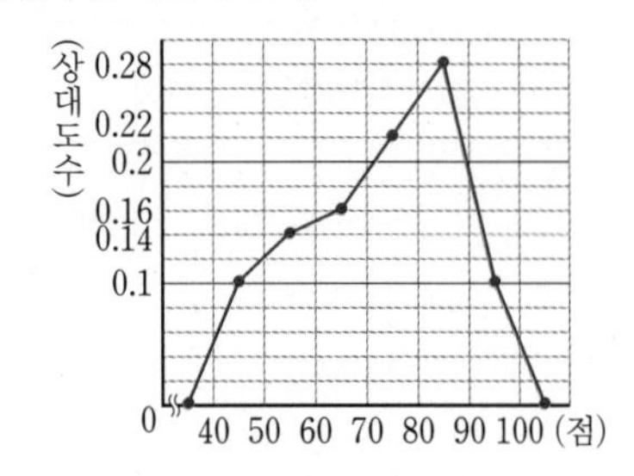

STEP 1 | 억울하게 울리는 문제 pp. 098~100

1-1 ㄴ, ㅁ	**1-2** 9등	**1-3** 87.9점
2-1 4 : 35	**2-2** 7 : 6	**3-1** 100명
3-2 2시간	**4-1** 1 : 2	**4-2** 34명
5-1 0.2	**5-2** 0.25	

1-1 답 ㄴ, ㅁ

ㄱ. 90점 이상 100점 미만 사이에 1반 학생이 1명, 2반 학생이 1명 있지만 어느 학생 점수가 더 높은지 알 수 없다. (×)

ㄴ. 1반보다 2반의 성적이 더 좋다고 말할 수 있다. (○)

ㄷ. 1반과 2반 모두 전체 학생 수는 30명으로 같다. (×)

ㄹ. 40점 이상 70점 미만인 학생은 1반이 18명이고, 2반이 19명이다. (×)

ㅁ. 계급값이 75점인 계급에 속하는 학생은 1반이 3명, 2반이 4명으로 2반이 1반보다 1명 더 많다. (○)

ㅂ. 그래프의 영역의 넓이는 전체 학생 수에 비례하므로 서로 같다. (×)

ㅅ. 그래프의 영역의 넓이는 총 도수에 따라 달라진다. (×)

ㅇ. 두 반 통틀어 성적이 7번째로 좋은 학생은 계급값이 85인 계급에 속한다. (×)

ㅈ. 1반에서 성적이 10번째로 낮은 학생은 40점 이상 50점 미만인 계급에 속하고, 2반에서는 성적이 10번째로 낮은 학생이 50점 이상 60점 미만인 계급에 속한다. (×)

1-2 답 9등

1반에서 성적이 상위 20 %, 즉 6번째로 성적이 좋은 학생은 70점 이상 80점 미만인 계급에 속한다. 그런데 2반에서 70점 이상인 학생은 모두 8명이고, 80점 이상인 학생은 4명이다.
따라서 1반에서 성적이 상위 20%인 학생의 성적이 가장 좋은 경우이면 2반에서 5등도 가능하지만
2반의 70점 이상 80점 미만인 모든 학생보다 점수가 더 낮을 경우에는 9등까지 가능하다.

1-3 답 87.9점

두 반 통틀어 상위 7명은 계급값 95점 2명, 계급값 85점 5명이다.
이 7명의 평균은 $\frac{95\times2+85\times5}{7}=87.85\cdots$이므로 소수 첫째 자리까지 계산하면 87.9점

2-1 답 4 : 35

A, B 두 집단의 전체 도수의 비가 5 : 2이므로
(A집단의 전체 도수)$=5x$, (B집단의 전체 도수)$=2x$라 하자.
마찬가지로 두 집단에서 어떤 계급의 도수의 비가 2 : 7이므로
(A집단에서 어떤 계급의 도수)$=2y$
(B집단에서 어떤 계급의 도수)$=7y$
라 하면 각 집단에서 그 계급의 상대도수는 각각 $\frac{2y}{5x}$, $\frac{7y}{2x}$이므로
상대도수의 비는 $\frac{2y}{5x} : \frac{7y}{2x}=4 : 35$

2-2 답 7 : 6

두 자료 A, B에서 어떤 계급의 도수의 비가 4 : 3이므로
(A계급의 도수)$=4x$, (B계급의 도수)$=3x$라 하자.
또 두 집단 A, B의 전체 도수를 각각 A, B라 하면 상대도수의 비가 8 : 7이므로
$\frac{4x}{A} : \frac{3x}{B}=8 : 7$에서 $\frac{24x}{B}=\frac{28x}{A}$
$\therefore A : B=28 : 24=7 : 6$

3-1 답 100명

전체 학생이 x명이라 하면
(계급의 도수)$=$(계급의 상대도수)$\times x$이고, 각 계급의 도수는 자연수임을 이용한다.
수학 시험에서 각 계급의 상대도수를 분수로 나타내면
$0.24=\frac{6}{25}$, $0.36=\frac{9}{25}$, $0.25=\frac{1}{4}$, $0.15=\frac{3}{20}$
영어 시험에서 각 계급의 상대도수를 분수로 나타내면
$0.22=\frac{11}{50}$, $0.38=\frac{19}{50}$, $0.28=\frac{7}{25}$, $0.12=\frac{3}{25}$
이때 각 계급의 도수가 자연수이려면 x는 25, 4, 20, 50의 공배수이다. 즉 x는 100의 배수이고, 120 이하이므로 $x=100$

3-2 답 2시간

체육·예술 활동 시간(시간)	상대도수		도수	
	남학생	여학생	남학생	여학생
1이상 ~ 3미만	0.1	0.13	12	13
3 ~ 5	0.25	0.16	30	16
5 ~ 7	0.3	0.35	36	35
7 ~ 9	0.2	0.18	24	18
9 ~ 11	0.15	0.18	18	18
합계	1	1	120	100

주어진 상대도수분포표에서 각 계급의 도수를 구하면 위와 같다.
위 결과에서 여학생 수가 남학생 수보다 많은 계급은 1시간 이상 3시간 미만인 계급이므로 이 계급의 계급값은 2시간이다.

4-1 답 1 : 2

전체 남학생 수와 여학생 수를 차례로 x, y라 하면
주어진 상대도수 분포표에서 5시간 이상 7시간 미만인 계급의 도수는 차례로 $0.2x$, $0.3y$이므로
$0.2x=0.3y$에서 $y=\frac{2}{3}x$
이때 3시간 이상 5시간 미만인 계급의 남, 녀 학생 수는 차례로
$0.08x$, $0.24y$이고 $y=\frac{2}{3}x$이므로 그 비는
$0.08x : 0.24\times\frac{2}{3}x$, 즉 $8 : 16=1 : 2$

4-2 답 34명

어떤 자료에서 도수가 가장 큰 계급은 상대도수도 가장 크기 때문에 1학년 중 도수가 가장 큰 계급은 7시간 이상 8시간 미만인 계급이고, 이 계급의 도수는 $40\times0.4=16$(명)이다.
또 3학년에서는 6시간 이상 7시간 미만인 계급의 도수가 가장 크고, 이 계급의 도수는 $60\times0.3=18$(명)이다.
따라서 도수의 합은 $18+16=34$(명)

5-1 답 0.2

(계급의 도수)$=$(전체 도수)$\times$(계급의 상대도수)이므로
점수가 높은 계급부터 그 도수를 차례로 구하면
80점 이상 90점 미만 : $50\times0.04=2$(명)
70점 이상 80점 미만 : $50\times0.2=10$(명)
이다. 즉 점수가 높은 쪽에서 7번째인 학생은 70점 이상 80점 미만인 계급에 속하고, 이 계급의 상대도수는 0.2다.

5-2 답 0.25

오래달리기 기록이 20분 이상 22분 미만인 계급에서
A중학교 학생 : $100\times0.1=10$(명)
B중학교 학생 : $200\times0.05=10$(명)
즉 20분 이상 22분 미만인 계급에 모두 20명이 있고,
22분 이상 24분 미만인 계급에 20명보다 많은 학생이 있으므로
성적이 25번째로 좋은 학생이 속한 계급은
22분 이상 24분 미만인 계급이고,
이 계급의 B중학교의 상대도수는 0.25다.

STEP 2 | 반드시 등수 올리는 문제 pp. 101 ~ 108

01 ⑤	**02** ⑤	**03** 29회
04 ⑤	**05** 11	**06** 8명
07 ③	**08** ④	**09** 1 : 3
10 ④	**11** 85점	**12** 3명
13 32 %	**14** 12 %	**15** ③
16 75 cm^2	**17** ②, ⑤	**18** 15명
19 22명	**20** 10.15	**21** ①
22 80번째	**23** ②	**24** 80.5점
25 ③	**26** 28명	**27** ①, ⑤
28 5개	**29** 55세	**30** 100명
31 10명	**32** ②	**33** 40 %
34 22 %		

01 답 ⑤

⑤ 키가 가장 큰 학생의 키는 169 cm이고, 2번째로 큰 학생의 키는 166 cm이다. 이렇게 따지면 키가 14번째로 큰 학생의 키는 153 cm이다.

전략
키가 몇 번째로 크다면 키가 큰 순서로 헤아리고, 키가 몇 번째로 작다면 키가 작은 순서로 헤아린다.

02 답 ⑤

① 우리 반 학생은 모두 23명이다. (×)

② $3|x=a$라 하면

$$\frac{30+31+31+32+33+34+34+2a}{9}=\frac{225+2a}{9}$$

에서 30점대 학생들의 평균 점수가 33이 되려면

$2a=72$에서 $a=36$ $\quad\therefore x=6$ (×)

③ 잎이 가장 많은 줄기는 3이다. (×)

④ (가장 높은 점수)=46점, (가장 낮은 점수)=20점이므로 차이는 26점이다. (×)

⑤ 30점보다 낮은 점수를 받은 학생은 7명이고, 30점보다 점수가 높은 학생은 15명이므로 30점은 우리 반에서 낮은 편이다.

전략
줄기와 잎 그림에서 알 수 있는 사실들을 다시 한 번 확인한다.
특히 $3|x$가 어떤 값을 나타내는지도 주의한다.

03 답 29회

전체 학생 20명의 윗몸일으키기 횟수의 총합은

{(줄기의 수)×(잎의 개수)의 총합}+(잎의 수의 총합)이므로

$10\times5+20\times4+30\times7+40\times4+80=580$

따라서 평균은 $\frac{580}{20}=29$(회)

전략
전체 학생 20명의 윗몸일으키기 횟수의 총합을 구한다.

04 답 ⑤

주어진 자료를 이용해 도수분포표를 완성하면 $A=10$, $B=2$이므로 ①~④는 옳다. 버스를 기다린 시간이 12분 이상인 사람이 6명이다.

따라서 버스를 오래 기다린 순서로 7번째에 해당하는 승객은 9분 이상 12분 미만인 계급에 속하므로 옳지 않은 것은 ⑤

전략
도수분포표를 작성할 때 '바를 정(正)' 등을 이용해 중복해서 헤아리거나 빠먹는 것이 생기지 않도록 주의한다.

05 답 11

계급의 크기가 7이므로 $y=x+7$이다.

이때 $x\leq a<x+7$인 계급의 계급값은 $\frac{x+(x+7)}{2}=12.5$에서

$2x=18$ $\quad\therefore x=9,\ y=16$

따라서 $3x-y=27-16=11$

전략
계급의 크기가 7이므로 $y=x+7$임을 이용한다.

06 답 8명

전체 학생 수를 x라 하면 조건 (가)에서

$\frac{2+3}{x}=0.2=\frac{1}{5}$이므로 $x=25$

또 조건 (나)에서 4명 이상 6명 미만인 계급의 도수를 $2a$,

6명 이상 8명 미만인 계급의 도수를 a라 하면

$2+3+2a+a+2=25$에서 $a=6$

따라서 사촌 형제가 6명 이상인 학생은 $6+2=8$(명)

전략
전체 학생 수를 x라 하고 (가) 조건을 이용해 전체 학생 수를 구한다.

07 답 ③

$b=a+3$을 $c=2b-1$에 대입하면 $c=2(a+3)-1=2a+5$

전체 학생수가 50명이므로

$50=3+a+(a+3)+(2a+5)+11$에서 $50=22+4a$

$\therefore a=7$

이때 $b=10$, $c=19$이므로

① $a+b+c=36$ ② $a+b=17$ ④ $b=10$

⑤ $c-a-b=19-7-10=2$

전략
문자 종류가 여러 개이면 주어진 조건을 이용해 한 문자로 나타낼 수 있도록 고친다.

08 답 ④

학생 37명이 읽은 책 평균이 5권이므로 학생 37명이 읽은 책은 모두 $37\times5=185$(권)이다. 이때 A, B, C 세 학생이 각각 a권씩 읽었다고 하면

$185=1\times5+3\times10+5\times8+7\times5+9\times6+3a$에서

$185=164+3a \quad \therefore a=7$

즉 A, B, C 세 학생은 모두 7권씩 읽었으므로 6권 이상 8권 미만인 계급에 속한다.

전략

평균과 총 학생 수를 이용해 전체 학생이 읽은 책이 몇 권인지 구할 수 있다.

09 답 1 : 3

A반 학생 수를 x명, B반 학생 수를 y명이라 하면

A반 학생들의 영어 점수 총합은

(A반 평균)×(A반 학생 수)$=60x$(점)

B반 학생들의 영어 점수 총합은

(B반 평균)×(B반 학생 수)$=80y$(점)

두 반 전체 학생의 영어 점수 평균이 75점이므로

$\frac{60x+80y}{x+y}=75$에서 $15x=5y$

즉 $3x=y$이므로 $x:y=x:3x=1:3$

따라서 A반과 B반 학생 수의 비는 1 : 3

전략

A, B반의 영어 점수 총합을 각각 구하고, 그 합을 두 반 학생 수의 합으로 나눈다.

10 답 ④

35 kg 이상 40 kg 미만인 학생이 2명이고, 40 kg 이상 45 kg 미만인 학생이 6명이므로 몸무게가 7번째로 가벼운 학생이 속하는 계급은 40 kg 이상 45 kg 미만인 계급이고, 계급값은 42.5 kg이다. 따라서 옳지 않은 것은 ④

전략

몸무게가 몇 번째로 무겁다면 몸무게가 무거운 순서로 헤아리고, 몸무게가 몇 번째로 가볍다면 몸무게가 가벼운 순서로 헤아린다.

11 답 85점

(도수의 총합)=30이므로

(상위 20 %에 해당하는 학생 수)$=30\times\frac{20}{100}=6$(명)

이때 장학금을 받을 수 있는 학생은 3명이고 주어진 히스토그램에서 90점 이상 100점 미만인 계급의 도수가 2명이므로 점수가 세 번째로 좋은 학생은 80점 이상 90점 미만, 즉 계급값이 85점인 계급에 속한다.

전략

상위 20 %에 해당하는 학생 수와 장학금을 받을 수 있는 학생 수를 차례로 구한다.

12 답 3명

60점 이상 70점 미만인 계급에 속하는 학생이 25 %이므로 이 계급에 속하는 학생들을 제외한 나머지 9명이 전체 학생의 75 %이다. 이때 60점 이상 70점 미만인 계급에 속하는 학생이 x명이면

$9:0.75=x:0.25$에서 $x=3$

전략

60점 이상 70점 미만에 속하는 학생들을 제외한 나머지 9명이 전체 학생의 75 %임을 이용한다.

13 답 32 %

운동 시간이 25분 이상 30분 미만인 계급의 도수를 x라 하면 운동 시간이 15분 이상인 학생 수는

$5+6+x+3+1=x+15$

이때 $x:(x+15)=1:4$이므로 $x=5$

전체 학생이 25명이고, 운동 시간이 25분 이상 35분 미만인 학생은 $5+3=8$(명)이므로 구하려는 비율은

$\frac{8}{25}\times100=32$ (%)

전략

25분 이상 30분 미만인 계급의 도수를 x로 놓고 주어진 조건을 활용한다.

14 답 12 %

60시간 이상 80시간 미만인 계급의 도수를 x(명)이라 하면

$(x+24)$가 전체의 70 %에 해당하므로

$(x+39):1=(x+24):0.7$에서 $0.3x=3.3 \quad \therefore x=11$

따라서 전체 학생은 모두 50명이고 봉사활동 시간이 20시간 이상 40시간 미만인 학생은 6명이므로 6명이 차지하는 비율은

$\frac{6}{50}\times100=12$ (%)

다른 풀이

봉사 시간이 60시간 미만인 학생이 전체 30 %임을 이용해도 된다. 전체 학생 수를 A라 하면

$\frac{6+9}{A}\times100=30$에서 $A=50$

전략

60시간 이상 80시간 미만인 계급의 도수를 x(명)이라 하고 주어진 조건을 이용한다.

15 답 ③

250타 이상인 학생 $(b+3)$명이 전체 도수의 25 %,

즉 $\frac{1}{4}$이므로 전체 학생은 $(4b+12)$명이다.

주어진 히스토그램에서 구한 전체 학생 수는

$5+a+12+13+b+3=a+b+33$이므로

$4b+12=a+b+33$에서 $3b-a=21$

그런데 b는 a의 $\frac{10}{9}$배, 즉 $b=\frac{10}{9}a$이므로

$3\times\frac{10}{9}a-a=21$을 풀면 $a=9$

이때 $b=10$이므로 $a+b=19$

전략

전체 학생 수를 나타낼 수 있는 방법이 두 가지 있다. 이 두 가지 결과가 서로 같음을 이용한다.

16 답 75 cm²

(계급값이 75점인 계급의 도수)=8명

(계급값이 55점인 계급의 도수)=6명

히스토그램에서 직사각형의 넓이는 도수에 비례하므로

계급값이 55점인 계급의 히스토그램에서

직사각형의 실제 넓이를 x cm²이라 하면

$8:100=6:x$에서 $8x=600$ $\therefore x=75$

전략

히스토그램에서 직사각형의 넓이는 도수에 정비례한다.

17 답 ②, ⑤

① (남학생 수)$=3+5+9+7+4+2=30$(명)

(여학생 수)$=4+6+11+6+3=30$(명) (○)

② 남학생과 여학생 도수의 총합이 서로 같으므로 그래프가 오른쪽으로 좀 더 치우친 남학생의 사용 시간이 더 긴 편이다. (×)

③ 스마트폰 사용 시간이 16시간 이상인 학생은 모두

$11+7+6+4+3+2=33$(명)이므로

전체 학생의 $\frac{33}{60}\times100=55(\%)$이다. (○)

④ 스마트폰 사용 시간이 많은 학생 5명을 뽑으면 남학생 3명과 여학생 2명이다. (○)

⑤ 도수분포다각형의 넓이는 도수의 총합에 비례한다. 즉 남학생 총 도수와 여학생 총 도수가 같으므로 공통부분을 뺀 색칠한 부분끼리는 그 넓이가 서로 같으므로 $S_1=S_2$ (×)

전략

도수분포와 사각형의 넓이는 도수에 정비례한다.

18 답 15명

S_1과 S_2의 합이 30이고, S_1과 S_2의 넓이가 서로 같으므로

$S_1=S_2=15$

S_2가 나타내는 직각삼각형의 밑변 길이가 5이므로 높이는 6이고, 이때 세로축 한 칸이 나타내는 도수는 3명이다.

따라서 국어 점수가 90점 이상인 학생은 그래프 세로축에서 5칸에 해당하므로 도수는 15명이다.

전략

도수분포다각형에서 표시한 두 직각삼각형의 넓이는 서로 같다.

19 답 22명

그래프에서 통학 시간이 30분 미만인 학생은 $5+10=15$(명)

즉 30분 미만인 학생이 전체의 30 %로 15명이고,

전체 학생 수를 x라 하면 $x\times\frac{30}{100}=15$에서 $x=50$(명)

이때 전체 50명 중 통학 시간이 30분 이상인 학생은

$50-15=35$(명)이므로 통학 시간이 40분 이상 50분 미만인 학생 수를 y라 하면 $(y+9)+y=35$ $\therefore y=13$

따라서 통학 시간이 40분 이상 50분 미만인 학생은 13명이므로

통학 시간이 30분 이상 40분 미만인 학생은 $35-13=22$(명)

전략

찢어진 도수분포다각형의 경우 계급과 도수를 알 수 있는 것부터 파악한다. 또 통학 시간이 30분 이상 걸리는 학생이 70 %이므로 통학 시간이 30분 미만인 학생은 30 %임을 이용한다.

20 답 10.15

$(\text{도수의 총합})=\frac{(\text{그 계급의 도수})}{(\text{상대도수})}=\frac{28}{0.35}=80$

이므로 $x=\frac{12}{80}=0.15$

또 $\frac{y}{80}=0.125$에서 $y=10$

$\therefore x+y=0.15+10=10.15$

다른 풀이

도수와 상대도수가 서로 비례함을 이용할 수 있다. 즉

(i) $12:x=28:0.35$에서 $x=0.15$

(ii) $28:0.35=y:0.125$에서 $y=10$

도수	상대도수
12	x
28	0.35
y	0.125

전략

도수와 상대도수를 모두 알고 있는 계급에서 도수의 총합을 구한다.

21 답 ①

과학 점수(점)	도수	상대도수
40이상 ~ 50미만	2	C
50 ~ 60	7	0.14
60 ~ 70	13	0.26
70 ~ 80	15	0.3
80 ~ 90	A	D
90 ~ 100	B	0.06
합계	50	E

위 표에서 도수의 총합이 50이므로 $\frac{B}{50}=0.06$에서 $B=3$

이때 $A=50-(2+7+13+15+3)=10$이므로

$D=\frac{10}{50}=0.2$이고, $C=\frac{2}{50}=0.04$

한편 상대도수의 합은 1이므로 $E=1$

따라서 옳지 않은 것은 ①

전략

도수의 총합 50을 이용해 B, A를 구한 다음 나머지도 확인한다.

22 답 80번째

150 cm 이상 155 cm 미만인 학생이 1반에 8명이고, 그 상대도수가 0.2이므로 1반 전체 학생은 $\frac{8}{0.2}=40$(명)이고,

1학년 전체 학생은 $\frac{40}{0.2}=200$(명)이다.

반에서 165 cm 이상 170 cm 미만인 학생은 $40\times0.05=2$(명), 160 cm 이상 165 cm 미만인 학생은 $40\times0.25=10$(명)이므로 반에서 12번째로 큰 학생은 160 cm 이상 165 cm 미만인 계급에 속한다.

1학년 전체에서 키가 160 cm 이상 170 cm 미만인 학생은 $200\times0.1+200\times0.3=80$(명) 있으므로 1반에서 키가 12번째로 큰 학생은 1학년 전체에서 적어도 80번째로 크다.

전략

150 cm 이상 155 cm 미만인 학생 수와 상대도수를 이용해 1반 전체 학생 수와 1학년 전체 학생 수를 구한다.

23 답 ②

80점 이상 90점 미만인 계급에 대하여 A, B반에 대한 도수는 각각 $1.2x\times20=24x$, $x\times30=30x$이므로 A, B 두 반 전체 학생 $20+30=50$(명)에 대하여 이 계급의 상대도수는

$\frac{24x+30x}{50}=\frac{54}{50}x=1.08x$

전략

구해야 하는 것은 $\frac{(80점\ 이상\ 90점\ 미만인\ 학생\ 수)}{50}$이므로 80점 이상 90점 미만인 계급의 도수를 각각 구한다.

24 답 80.5점

(상대도수의 총합)=1이므로 상대도수를 구하지 못한 세 계급의 상대도수의 합은 $1-(0.1+0.2)=0.7$

또 세 계급에서 도수의 합이 $1+6+7=14$이므로

(도수의 총합)$=\frac{14}{0.7}=20$

즉 $\frac{A}{20}=0.1$에서 $A=2$, $\frac{B}{20}=0.2$에서 $B=4$

이때 다음 표와 같이 정리할 수 있다.

수학 점수(점)	도수(명)	(계급값)×(도수)
50이상 ~ 60미만	1	$55\times1=55$
60 ~ 70	2	$65\times2=130$
70 ~ 80	6	$75\times6=450$
80 ~ 90	7	$85\times7=595$
90 ~ 100	4	$95\times4=380$
합계	20	1610

따라서 구하려는 (평균)$=\frac{1610}{20}=80.5$(점)

전략

도수가 주어진 계급에서 상대도수의 합을 구하면 도수의 총합을 구할 수 있다. 이 경우 $1+6+7=14$는 전체 도수의 70 %임을 이용한다.

25 답 ③

상대도수의 총합은 1이므로 8회 이상 12회 미만인 계급의 상대도수는 $1-\left(\frac{1}{6}+\frac{2}{9}+\frac{1}{6}+\frac{1}{9}\right)=\frac{1}{3}$이다. 전체 학생 수를 x라 하면

각 계급의 도수는 $\frac{1}{6}x$, $\frac{2}{9}x$, $\frac{1}{3}x$, $\frac{1}{6}x$, $\frac{1}{9}x$이고, 각각이 자연수가 되려면 x가 3, 6, 9의 최소공배수인 18의 배수라야 한다.

18의 배수 중 10 이상 100 이하인 수는 18, 36, 54, 72, 90이고, 이중에서 가장 큰 값은 90

전략

전체 학생 수를 x라 할 때, $\frac{1}{6}x$, $\frac{2}{9}x$, $\frac{1}{3}x$, $\frac{1}{6}x$, $\frac{1}{9}x$가 자연수가 되는 경우를 생각한다.

26 답 28명

조사한 전체 학생 수를 x라 하면 $a=0.2x$, $b=0.15x$이고

$a:b=4:3$이므로 $a=4k$, $b=3k$로 놓을 수 있다.

a, b의 최소공배수가 48이므로 $12k=48$에서 $k=4$

$\therefore a=16$, $b=12$

이때 $a=16=0.2x$에서 $x=80$이고,

독서 시간이 16시간 이상인 학생들의 상대도수는

$0.2+0.15=0.35$이므로 구하려는 학생은 $80\times0.35=28$(명)

전략

a, b를 이용해 전체 학생 수를 구하는 방법을 생각한다.

27 답 ①, ⑤

① 도수분포다각형의 넓이는 도수에 비례하므로 도수의 총합이 다르면 공통부분을 뺀 색칠한 부분의 넓이가 다를 수 있다. 하지만 상대도수의 분포다각형에서는 상대도수의 총합이 항상 1로 서로 같으므로 공통부분을 제외한 두 부분의 넓이는 서로 같다. (○)

② TV시청 시간이 11시간 이상 13시간 미만인 학생은
A중학교 : $400\times0.06=24$(명)
B중학교 : $200\times0.16=32$(명) (×)
③ A중학교의 그래프가 위에 있는 계급은 3개다. (×)
④ B중학교 그래프가 A중학교 그래프보다 오른쪽 위에 있으므로 TV시청 시간은 B중학교 학생들이 상대적으로 많은 편이다. (×)
⑤ 7시간 이상 11시간 미만인 범위에 있는 상대도수는
A중학교 : $0.2+0.1=0.3$
B중학교 : $0.24+0.18=0.42$
A중학교 학생은 $400\times0.3=120$(명)
B중학교 학생은 $200\times0.42=84$(명)
즉 A중학교 학생이 36명 더 많다. (○)

전략
그래프에서 계급 또는 범위의 상대도수를 이용해 도수를 구한다.

28 답 5개

상대도수의 그래프를 이용해 B중학교의 상대도수가 더 작은 계급에서 도수를 구하면 다음과 같다.

시간(분)	A중학교 학생 수(명)	B중학교 학생 수(명)
1이상 ~ 3미만	$150\times0.08=12$	$300\times0.02=6$
3 ~ 5	$150\times0.24=36$	$300\times0.08=24$
5 ~ 7	$150\times0.3=45$	$300\times0.2=60$

즉 B중학교의 상대도수가 더 작은 계급 중 5분 이상 7분 미만인 계급에서 도수가 더 크고, B중학교의 상대도수가 더 큰 나머지 네 계급에서도 도수가 더 크다.
따라서 B중학교의 학생 수가 A중학교의 학생 수보다 많은 계급은 모두 5개

전략
B중학교 학생 수가 A중학교보다 두 배 더 많으므로 상대도수가 더 작은 계급에서도 실제 도수는 더 클 수 있다. 즉 B중학교의 상대도수가 더 작은 계급에서 도수를 구해 본다.

29 답 55세

B중학교가 A중학교보다 상대도수가 더 큰
(i) 40세 이상 50세 미만 계급에서
(A중학교의 도수)$=100\times0.3=30$(명)
(B중학교의 도수)$=80\times0.35=28$(명)
(ii) 50세 이상 60세 미만 계급에서
(A중학교의 도수)$=100\times0.15=15$(명)
(B중학교의 도수)$=80\times0.25=20$(명)
즉 50세 이상 60세 미만 계급에서 B중학교 선생님이 더 많다.
따라서 이 계급의 계급값은 55세

전략
B중학교의 상대도수가 더 큰 계급을 찾아 두 학교의 도수를 비교한다.

30 답 100명

전체 남학생 수와 여학생 수를 차례로 x, y라 하자. 계급값이 10.5인 계급에서 남학생과 여학생의 상대도수가 차례로 0.25, 0.3이고 도수가 같으므로 $0.25x=0.3y$, 즉 $5x=6y$에서 $x:y=6:5$
$x=6k$, $y=5k$로 놓으면 두 수 x, y의 최소공배수 조건에서 $30k=600$이므로 $k=20$
따라서 전체 여학생 수는 $5k=100$(명)

전략
전체 남학생 수를 x, 전체 여학생 수를 y로 놓고, 9권 이상 12권 미만인 계급의 도수가 같음을 식으로 나타낸다.

31 답 10명

찢어져서 알 수 없는 계급의 상대도수는
$1-(0.2+0.15+0.2+0.15+0.05)=0.25$이고
40점 이상 50점 미만인 계급에서 상대도수가 0.2,
도수가 8명이므로 우리 반 전체 학생 수는 $\frac{8}{0.2}=40$(명)
이때 상대도수가 0.25인 60점 이상 70점 미만인 계급의 도수는
$40\times0.25=10$(명)

전략
상대도수의 총합 1과 나머지 계급의 상대도수를 이용하여 찢어져서 알 수 없는 60점 이상 70점 미만인 계급의 상대도수를 구한다.

32 답 ②

70점 미만인 범위에 있는 상대도수는 0.3이므로 60점 이상 70점 미만인 계급의 상대도수는 $0.3-(0.06+0.1)=0.14$이다. 70점 이상 80점 미만인 계급의 상대도수는
$1-(0.06+0.1+0.14+0.3+0.22)=0.18$이고,
전체 학생이 400명이므로 이 계급의 도수는 $400\times0.18=72$(명)

다른 풀이
70점 이상인 학생이 전체의 70 %이므로 70점 이상 80점 미만인 계급의 상대도수를 a라 하면
$a+0.3+0.22=0.7$에서 $a=0.18$

전략
점수가 70점 미만인 학생이 전체의 30%임을 이용해 60점 이상 70점 미만인 계급의 상대도수를 구할 수 있다.

33 답 40 %

$a+b=1-(0.06+0.14+0.18+0.02)=0.6$이고,
$10a$와 $10b$가 짝수인 자연수이므로
$a>b$에서 $10a=4$, $10b=2$만 가능하다.
즉 100회 이상 120회 미만인 계급의 상대도수는 0.4이므로 전체의 40 %이다.

전략

$a+b=0.6$에서 $10(a+b)=6$, $b\neq0$이고, $10a$, $10b$가 짝수이므로 $10a=2$ 또는 $10b=4$도 생각할 수 있지만 $10a>10b$이므로 $10a=4$, $10b=2$이다.

34 답 22 %

전체 학생이 50명이므로 60점 이상 70점 미만인 계급의 도수는 $50\times0.3=15$(명)이다. 60점 이상 80점 미만인 학생이 28명이므로 70점 이상 80점 미만인 계급의 도수는 $28-15=13$(명)이다.

이때 70점 이상 80점 미만인 계급의 상대도수는 $\frac{13}{50}=0.26$

80점 이상 90점 미만인 계급의 상대도수는

$1-(0.02+0.18+0.3+0.26+0.02)=0.22$

따라서 80점 이상 90점 미만인 학생은 전체 학생의 22%

전략

80점 이상 90점 미만인 계급의 상대도수는 나머지 계급의 상대도수를 이용해 구한다.

STEP 3 전교 1등 **확실하게** 굳히는 문제 pp. 109 ~ 111

1 3시간 **2** 21명 **3** 0.3 **4** 80
5 95 **6** (1) 여자 옷 (2) 1만원 이상 2만원 미만

1 답 3시간

오른쪽과 같이 명수가 작성한 표에서 줄기가 0인 것만 보면 02 ⇨ 20, 01 ⇨ 10으로 생각할 수 있다.

잎(남자)	줄기	잎(여자)
2 1	0	1

즉 잎을 줄기로, 줄기를 잎으로 고쳐 올바른 줄기와 잎 그림을 그리면 다음과 같다.

잎(남자)	줄기	잎(여자)
2 1	0	8
9 6 4 2 0	1	0 2 3 4 7
8 7 0	2	3 6 7 9

위 표에서 남학생 10명의 휴대폰 사용 시간 총합은

$(10\times5)+(20\times3)+39=149$(시간)

이므로 남학생의 (휴대폰 사용 시간 평균)$=14.9$(시간)이다.

또 여학생 10명의 휴대폰 사용 시간 총합은

$(10\times5)+(20\times4)+49=179$(시간)

이므로 여학생의 (휴대폰 사용 시간 평균)$=17.9$(시간)이다.

따라서 남학생과 여학생의 휴대폰 평균 사용 시간의 차는 3시간

전략

주어진 줄기와 잎 그림에서 올바른 줄기와 잎 그림을 작성한다.

2 답 21명

5점을 받은 경우는 3번 문제만 맞혔거나, 1번과 2번 문제를 모두 맞힌 경우이다. 이때 3번 문제만 맞혀서 5점을 받은 학생이 x명이라 하면 1번과 2번 문제를 모두 맞혀서 5점을 받은 학생은 $(13-x)$명이다.

또 3번 정답자는 5점, 7점, 8점, 10점을 받은 학생들이므로

$x+9+7+6=30$에서 $x=8$

따라서 세 문제 중 두 문제를 맞힌 학생 수는

5점, 7점, 8점을 받은 학생 중에서 3번 문제만 맞힌 학생을 제외한 것과 같으므로

$(13+9+7)-8=21$(명)

전략

세 문제 중 두 문제만 맞힌 학생이 받을 수 있는 점수는 5점, 7점, 8점이다. 그런데 5점을 받은 학생 중에는 3번 문제만 맞힌 경우도 있다.

3 답 0.3

30세 이상 35세 미만인 계급의 도수를 x라 하면

나머지 계급의 도수는 차례로 $2x$, $3x$, $2x$, x이므로

도수의 총합은 $x+2x+3x+2x+x=9x$

이때 조사 대상 세대주가 63명이므로 $9x=63$에서 $x=7$

즉 세로축 한 칸은 7명을 나타내므로

40세 미만인 세대주는 $7+14=21$(명)

따라서 이 범위에 있는 세대주의 상대도수는 $\frac{21}{63}=0.333\cdots$이고, 소수 둘째자리에서 반올림하여 소수 첫째자리까지 구하면 0.3

전략

각 계급의 도수를 알지 못하므로 그림에서 세로축이 한 칸인 계급의 도수를 x로 놓고, 도수의 총합을 x로 나타내어 x를 구한다.

4 답 80

계급값(kg)	32.5	37.5	42.5	47.5	52.5	57.5	합계
학생 수(명)	3	a	14	12	b	5	50

계급값이 37.5 kg인 학생 수를 a, 계급값이 52.5 kg인 학생 수를 b라 하면 몸무게가 45 kg 이상인 학생 $(17+b)$명이 전체의 54 %이므로 $50\times\frac{54}{100}=17+b$에서 $b=10$

또 $3+a+14+12+b+5=50$에서 $b=10$이므로 $a=6$

이때 몸무게가 50 kg 이상 55 kg 미만인 학생 10명 중에서 52.5kg보다 작은 학생은 최대 10명, 최소 0명이다.

즉 몸무게가 52.5 kg보다 작은 학생 수는

최대 $50-5=45$(명), 최소 $50-(5+10)=35$(명)이므로

$x=45$, $y=35$ $\therefore x+y=80$

전략

50 kg 이상 55 kg 미만인 계급에서 각 변량의 값은 알 수 없다.

5 답 95

1학년 여학생의 상대도수가 x이므로

(1학년 여학생 수)$=360\times x=360x$(명)

또 (1학년 여학생 수) : (2학년 여학생 수)$=8:9$이므로

$360x$: (2학년 여학생 수)$=8:9$

$\therefore$ (2학년 여학생 수)$=405x$(명)

따라서 1, 2학년 전체 학생에 대한 여학생의 상대도수는

$\frac{765x}{660}=\frac{51x}{44}$

	1학년	2학년	전체
여학생	$360x$	$405x$	$765x$
전체	360	300	660

즉 $a=44$, $b=51$이므로

$a+b=95$

전략

1, 2학년 여학생 수에 대한 상대도수를 각각 구한다. 이때 간단한 표를 이용하면 더 좋다.

6 답 (1) 여자 옷 (2) 1만 원 이상 2만 원 미만

(1) 여자 옷에서 2만 원 이상 3 만 원 미만인 계급의 도수는 120종류이고, 상대도수는 0.15이므로 $\frac{120}{0.15}=800$

따라서 여자 옷은 800종류가 있다.

남자 옷에서 3만 원 이상 4만 원 미만인 계급의 상대도수는

$1-(0.1+0.3+0.15+0.05)=0.4$

이므로 3만 원 이상 4만 원 미만인 남자 옷은

$500\times 0.4=200$(종류)

3만 원 이상 4만 원 미만인 여자 옷은

$800\times 0.3=240$(종류)

따라서 여자 옷 종류가 더 많다.

(2) 매장에 있는 전체 옷 중 1만 원 이상 2만 원 미만인

남자 옷은 $500\times 0.1=50$(종류),

여자 옷은 $800\times 0.05=40$(종류)

이므로 $50+40=90$(종류)

5만 원 이상 6만 원 미만인

남자 옷은 $500\times 0.05=25$(종류),

여자 옷은 $800\times 0.1=80$(종류)

이므로 $25+80=105$(종류)

따라서 1만 원 이상 2만 원 미만인 옷 종류가 가장 적다.

전략

(1) 상대도수를 알 수 있는 계급에서 전체 여자 옷 종류를 구한다.
(2) 1만 원 이상 2만 원 미만인 가격대와 5만 원 이상 6만 원 미만인 가격대에서 옷 종류 수를 확인한다.

MEMO

MEMO

이익보다 중요한 것, 좋은 책을 만드는 것

- 천재교육의 교재 개발 철학

'이익을 기대하기 어려운 책이라도
교육에 꼭 필요하다면 망설임 없이 만든다.'
1981년 창립 이후 꾸준히 이어지고 있는
천재교육만의 교재 개발 철학입니다.
업계 최초 초 · 중 · 고 독도교과서,
창의와 인성을 길러주는 다양한 인정교과서 개발도
뜻과 원칙이 있기에 가능했던 일입니다.
아이들의 교육을 위한 책 개발에는
이익보다 가치가 먼저라는 것이
우리의 변함없는 생각이니까요.

'사업' 아닌 '사명'으로 교육을 바라보는
한결같은 진심, 변하지 않겠습니다.

다양한 인정교과서로 학교 수업이 더 즐거워집니다

초·중·고 각종 정규 수업 및 재량활동 수업에 사용되는 인정교과서로 학교 수업이 더 알차고 풍성해집니다. 천재교육의 모든 인정교과서는 '수요가 비록 적더라도, 교육현장의 요청이 있다면 교육적 사명감을 우선으로 최선을 다해 개발한다'는 원칙에 따라 꾸준히 발행되고 있습니다.

- ▣ 초등 <독도야, 사랑해!>, <논술은 내 친구>, <즐거운 예절>, <어린이 성>, <환경은 내 친구> 외 다수
- ▣ 중등 <아름다운 독도>, <진로와 직업>, <아는 만큼 힘이 되는 소비자 교육>, <에너지 프로젝트 1331> 외 다수
- ▣ 고등 <아름다운 독도>, <환경>, <미술 창작>, <음악 감상과 비평>, <진로와 직업>, <성공적인 직업 생활> 외 다수

최강

TOT

정답과 풀이